Karlpeter Elis (Hg.)

bildungsreise – reisebildung

PÄDAGOGIK
Forschung und Wissenschaft

Band 3

LIT

Karlpeter Elis (Hg.)

bildungsreise – reisebildung

LIT

gewidmet Univ.Prof. Dr. Werner Lenz

Gedruckt mit Förderung
der Karl-Franzens-Universität Graz
der Stadt Graz, Kulturamt
des Alfred Schachner Gedächtnis Fonds in Graz
des Bundesministeriums für Bildung, Wissenschaft und Kultur in Wien
des Landes Steiermark, Abt. 3 Wissenschaft und Forschung

Bibliografische Information Der Deutschen Bibliothek
Die Deutsche Bibliothek verzeichnet diese Publikation in der Deutschen
Nationalbibliografie; detaillierte bibliografische Daten sind im Internet
über http://dnb.ddb.de abrufbar.

ISBN 3-8258-7960-7

© LIT VERLAG Wien 2004
Krotenthallergasse. 10   A-1080 Wien
Tel. +43 (0) 1 / 409 56 61   Fax +43 (0) 1 / 409 56 97
e-Mail: wien@lit-verlag.at   http://www.lit-verlag.at

Inhaltsverzeichnis

Reisen ist Bildung, wie umgekehrt Bildung Reisen ist 3
Karlpeter Elis

Eine neue Sicht des Fremden
als pädagogische Schlüsselkompetenz 21
Peter Alheit

The Science Debate 29
Arno Bammé

Alexis de Tocquevilles Amerika 51
Martha Friedenthal-Haase

Reisen bildet 63
Karlheinz Geißler

Memories of Hiroshima and Soccer 67
Satoshi Higuchi

Grenzüberscheitende Suchbewegungen 73
Wolfgang Jütte

Bildungsreise - Reisebildung 87
Ok-Bun Lee

Man sieht nur, was man weiß. Bildet Reisen? 97
Ingrid Lisop

Europäische Qualitätspolitik
im Konzept des Lebenslangen Lernens 109
Ekkehard Nuissl

Challenges of Lifelong Learning in the Globalised World 121
Eero Pantzar

Die Universität als Konsens-Institution 135
Ada Pellert

Was geht den Tourismus die Erwachsenenbildung an? 143
Fritz Rosenberger

Epochemachendes Bildungskonzept
oder kurzlebiger Modebegriff? 155
Hans G. Schuetze

Higher Education in Oceania 167
Bob Teasdale

Autorinnen und Autoren 175

Abbildungen 183

Karlpeter Elis

Reisen ist Bildung, wie umgekehrt Bildung Reisen ist

In Abwandlung des Zitates Jean Pauls: „Nur Reisen ist Leben, wie umgekehrt das Leben Reisen ist" vermeine ich, einem wichtigen Denkansatz der Lehre von Werner Lenz nahe zu kommen.

Jean Paul

Urheber des Originalzitates ist Jean Paul. Er wurde als Johann Paul Friedrich Richter 1763 in Wunsiedel im Fichtelgebirge geboren und wuchs in ärmlichsten Verhältnissen - sein Vater war Schulmeister - auf. Von seinen Zeitgenosse Goethe, Herder, Wieland und Hegel vielfach unverstanden, lebte er, um zu schreiben: Schreibend sich der Welt zu nähern, ohne sie einer Theorie gefügig zu machen – das war es, was er wollte und tat. Sein vom Leben gelöstes Leben, beinhaltete beides: scheinbar über dem Leben stehend, betrachtete er es distanziert und ungerührt und konnte sich diesem im gleichen Moment unbefangen und kindlich-naiv hingeben. 1807 erschien unter anderem - ganz der Tradition Rousseaus verhaftet - seine zweibändige „Levana oder Erziehlehre" als theoretisches Destillat seiner Dichtung. Wenn er dabei die Individualität als Wurzel alles Guten beschreibt und die individuelle Freiheit als wichtigsten pädagogischen Grundsatz definiert, so berührt dies auch seine kunsttheoretischen Überlegungen: Genialität und Phantasie wurzeln für ihn in der Individualität (vgl. Witt, 1990).

Werner Lenz

Vieles in Jean Pauls Leben erlaubt einen Brückenschlag zu Werner Lenz. Er wurde vor 60 Jahren, am 13. August 1944, als Sohn von Anna und Johann Lenz in Wien geboren. Seine Verbindung zu den Begriffen „Bildung" und „Reisen" zieht sich als roter Faden durch sein Leben: Studium aus Geschichte und Geographie, Auslandsaufenthalte als Werkstudent, Erwerb der Befähigung für das Lehramt an Volksschulen, Erzieher- und Lehrtätigkeit beim Österreichischen Auslandsstudentendienst, Studium der Pädagogik, Psychologie und Politikwissenschaft an der Universität Wien, Universitätsassistent am Institut für Erziehungswissenschaften in Wien und am Interuniversitären Forschungsinstitut für Fernstudien an der Universität Klagenfurt, Habilitation und Ernennung zum „Ordentlichen Universitätsprofessor für Erziehungswissenschaft mit besonderer Berücksichtigung der Erwachsenenbildung an der Universität Graz und schließlich Leiter der Abteilung für Weiterbildung des dortigen Institutes für Erziehungs- und Bildungswissenschaften. Lenz ist außerdem Mitglied im wissenschaftlichen Beirat des Deutschen Instituts für Erwachsenenbildung, Vertreter Österreichs im Governing Board des Centre for Educational Research and Innovation (CERI) bei der OECD, Mitglied des wissenschaftlichen Beirats der Interdisziplinären Plattform Weiterbildungsforschung an der Donau-Universität Krems.

Das zu ihm in Beziehung gesetzte Leitthema findet sich aber nicht nur in seinem Werdegang, sondern tritt auch in seiner schritstellerischen Tätigkeit zu Tage. Allein der Auszug einiger Buchtitel aus seinem vielseitigen und umfangreichen, über 300 Veröffentlichungen umfassenden, Werk (29 selbständige Punblikationen, 182 Beiträge, 6 Artikel, 73 Rezensionen) zeigt, dass auch für ihn - ähnlich wie bei Jean Paul - das Schreiben ein zentrales Anliegen darstellt; so veröffentlichte er unter anderem:
- Grundlagen der Erwachsenenbildung
- Grundbegriffe der Weiterbildung
- Lehrbuch der Erwachsenenbildung
- Bildung ohne Aufklärung?
- Menschenbilder - Menschenbildner
- Zwischenrufe. Bildung im Wandel
- Erwachsenenbildung in Österreich
- On the Road Again. Mit Bildung unterwegs
- Lernen ist nicht genug. Arbeit - Bildung - Eigen-Sinn
- Brücken ins Morgen. Bildung im Übergang
- Kritische Bildung? Vorgänge und Zugänge
- Niemand ist ungebildet.

Bildungsreise - Reisebildung

Am deutlichsten spiegelt sich die für dieses Buch gewählte Thematik, die Verknüpfung von Bildung und Reisen, aber in den zahlreichen Vortragsreisen von Werner Lenz im In- und Ausland wider, wo er die Möglichkeit hatte, neben Land und Leuten auch die unterschiedlichen Bildungssysteme kennen zu lernen und studieren zu können. Hier ein Auszug seiner Auslandsaufenthalte:
- Lehrtätigkeit am Internationalen Zentrum für Hochschuldidaktik an der Universität Hamburg
- Lehrtätigkeit am „College of Education" der University of Minnesota
- Visiting Professor an der "University of North Carolina at Chapel Hill"
- Visiting Professor an der Universität Leeds in England
- Visiting Professor am „Department of Continuing and Vocational Education" an der University of Madison in den USA
- Teilnahme an der 6th International Conference "Studies in European Adult

Education" in Florenz
- Visiting Professor am „Oklahoma Research Center for Continuing Professional and Higher Education" an der University of Oklahoma, USA
- oftmaligeTeilnahme an der OECD-Tagungen in Paris
- Besuch der Abteilung Continuing Education an der Universität Glasgow
- Besuch des Instituts of Adult Education Research Group am Roskilde University Centre in Dänemark
- Teilnahme an der 8th International Conference "Studies in European Adult Education" in Bremen
- Delegierter bei der "Third European Conference on Adult Education" im El Escorial in Madrid
- 9th International Conference "Studies in European Adult Education" - ERASMUS in Sevilla
- Teilnahme am Symposium "Reconstruction and Development: Experiental Learning in a Global Context" in Kapstadt, Südafrika
- Visiting Professor am St. Patrick's College in Maynooth in Ireland
- "Third International PhD Summer School" in Anogia, Kreta
- Vortragstätigkeit im Rahmen des ERASMUS-Programmes "European Studies in Adult Education" in Tampere, Finnland.
- Vortragender beim Symposium "Trends der Erwachsenenbildung in Asien und Europa" in Seoul, Südkorea
- Vortragstätigkeit beim Soester Weiterbildungsforum
- Besuch des Instituts für Erwachsenenbildung und betriebliche Weiterbildung an der Technischen Universität Chemnitz
- Besuch des Institute of International Education an der Flinders University in Adelaide, Australien
- Leitung der Section 2 der APEL European Conference in Bremen
- Besuch des Instituts für Wirtschaftspädagogik an der Johann Wolfgang Goethe-Universität in Frankfurt/Main
- Teilnahme am 2. Internationalen UNEVOC-Kogreß in Seoul in Südkorea
- Teilnahme am Weiterbildungsworkshop „Zukunftsfähigkeit durch Weiterbildung in Europa" im Schloss Waldthausen bei Mainz
- Teilnahme am Expert-Seminar zum Thema „Schooling for Tomorrow" der OECD in Paris
- Teilnahme an der 1st International Summer School for the Graduate School in Lifelong Learning an der Roskilde University
- Teilnahme am Expert-Seminar der OECD in Bukarest in Rumänien
- einjährige Gastprofessur an der Hiroshima University in Japan
- Teilnahme am Seminar „Lernen in der Wissensgesellschaft" in Esslingen, Deutschland.
- Teilnahme an der OECD-Tagung "Network – Lebenslanges Lernen", in Yokohama.

Was war daher naheliegender, als Werner Lenz - anlässig seines sechzigsten Geburtstages sowie seines 20jährigen Berufsjubiläum als Hochschulprofessor und Leiter der Abteilung für Weiterbildung des Institutes für Erziehungs- und Bildungswissenschaften an der Karl-Franzens-Universität in Graz - ein Buch mit dem Titel „Bildungsreise - Reisebildung" als Würdigung seiner wissenschaftlichen Arbeit zu widmen.

Namhafte Wissenschaftlerinnen und Wissenschaftler aus allen Teilen der Welt, die Lenz im Rahmen seiner kosmoplitischen Tätigkeit kennen gelernt hat und die seitdem mit ihm in freundschaftlicher Verbindung stehen, haben sich, dem ambivalenten Buchtitel entsprechend, mit diesem - seinem speziellen Thema - aus unterschiedlichster, subjektiver Sicht auseinander gesetzt:

Univ.-Prof. Mag. Dr. Arno Bammé von der Abteilung „Technik und Wissenschaftsforschung" an der Universität Klagenfurt schrieb einen Beitrag über die „Science Debate", während sich die an der Abteilung für „Hochschulforschung - Higher Education Research" tätige und frühere Vizerektorin der Universität Graz, Frau Univ.-Prof. Mag. Dr. Ada Pellert, mit der Institution „Universität" beschäftigt. Prof. Hans G. Schuetze von der „Faculty of Education" an der „University of British Columbia" in Vancouver, in Kanada, stellt sich die Frage, ob „Longlife Learning" ein epochemachendes Bildungskonzept oder ein kurzlebiger Modebegriff ist. Den Stellenwert der Erwachsenenbildung in einer globalisierenden Welt untersuchen der finnische Prof. Eero Pantza des „Departments of Education" an der Universität in Tampere und Privatdozent Dr. Wolfgang Jütte, der Leiter der Interdisziplinären Plattform Weiterbildungsforschung an der Donau-Universität in Krems an der Donau. „Europäische Qualitätspolitik im Konzept des Lebenslangen Lernens" nennt sich der Artikel von Dr. Dr. h.c. Ekkehard Nuissl von Rein, Prof. an der Universität Duisburg-Essen und wissenschaftlicher Direktor des Deutschen Instituts für Erwachsenenbildung in Bonn. Prof. Dr.Dr. Peter Alheit, der Leiter des Pädagogischen Seminares der Georg-August-Universität in Göttingen plädiert für eine Verbindung von Pädagogik und Ethnographie, Dr. Fritz Rosenberger, Ministerialrat des Bundesministeriums für Bildung, Wissenschaft und Kunst in Wien untersucht die Reaktion der Erwachsenenbildung auf den sich ausweitenden Tourismus. Dr. Ingrid Lisop-Brakemeier, Professorin am Institut für Allgemeine Erziehungswissenschaft der Johann Wolfgang Goethe-Universität in Frankfurt am Main, berichtet über ihre Reiseerlebnisse und stellt die Frage „Bildet Reisen?", die von Prof. Dr. Karlheinz A. Geißler vom Institut für Pädagogische Praxis und erziehungswissenschaftliche Forschung der Universität der Bundeswehr in München im Titel seines Beitrages mit „Reisen bildet" beantwortet wird. Prof. Dr. Martha Friedenthal-Haase, Inhaberin des Lehrstuhles für Erwachsenenbildung am Institut für Erziehungswissenschaft an der Friedrich-Schiller-Universität in Jena, betrachtet Alexis de Tocquevilles Anmerkungen über seine Amerikareise aus der Perspektive des „Lebenslangen Lernens". Der Direktor des „Institute for International Education" der „Flinders University" von Adelaide in Australien, Prof. Bob Teasdale, schildert seine Erlebnisse im Rahmen seiner Tätigkeit als Bildungsmanager für die südliche Pacific-Region in Ozeanien. Prof. Dr. Ok-Bun Lee vom „Center for Lifelong Education and Community Development" an der „Kyungpook National University" in Daegu in Südkorea erzählt wiederum ihre Eindrücke, die sie bei ihren Bildungsaufenthalten in Europa gemacht hatte. Schlussendlich erinnert sich Satoshi Higuchi, Professor für

„Philosophy and Aesthetics of Body, Mind and Culture" von der Faculty of Education der Universität in Hiroshima, an die Sportentwicklung in Japan.
Die im Buch eingefügten Bilder, sind von Lenz auf seinen Reisen selbst eingefangene Impressionen. Sie vermitteln sein subtiles Einfühlungsvermögen in fremde Landschaften und Kulturkreise.

Reisen bildet

Die bewusst gewählte Reversibilität des Buchtitels „Bildungsreise - Reisebildung" bringt durch den sich daraus unterschiedlich ergebenden Bedeutungswandel einmal die Schwerpunktsetzung auf den Begriff „Bildung", zum Anderen auf „Reise" mit sich; zwei Bereiche, die Lenz Zeit seines Lebens in seiner Arbeit zu vereinen vermochte.

Dass Reisen bildet, ist unbestreibar mit „Ja" zu beantworten. Denn allein das bloße Hinaustreten aus der gewohnten Umgebung eröffnet neue Sichtweisen. Selbst ganz banale Dinge, wie das Umrechnen in eine andere Währung, das passive Hören fremder Sprachen oder das Kennenlernen fremder Sitten und Bräuche erweitert entscheidend den eigenen Horizont und erleichtert das Zurechtfinden im eigenen Lebenskreislauf. Insbesondere dann, wenn es gelingt, sich dem geführten Massentourismus unserer Tage etwas zu entziehen und mit der Bevölkerung anderer Länder in Berührung zu kommen. Da erfährt man zum Beispiel, dass man sich in Asien statt per Handschlag nur mit einer Verbeugungen begrüßt, dass Visitenkarten mit beiden Händen übergeben werden sollten oder es in Japan ein Zeichen höchster Aufmerksamkeit ist, wenn Zuhörer bei einem Vortrag die Augen schließen und leicht zu nicken beginnen. Man erfährt, dass die Füße als unrein gelten und deshalb beim Sitzen nie die Sohlen auf jemand anderen gerichtet sein dürfen, weil dies als schwerste Beleidigung aufgefasst wird. Der Kopf dagegen den Sitz der Seele darstellt und somit niemand - außer die Eltern - den Kindern über den Kopf streicheln darf. Absolut verpönt ist es In Asien auch, sich in der Öffentlichkeit zu schneuzen.

Im arabischen Raum wiederum wird nur mit der rechten Hand, und zwar nur mit Daumen, Zeige- und Mittelfinger gegessen. Die linke gilt als unrein, da sie zusammen mit Wasser auf der Toilette das Klopapier ersetzt. Nach traditionellen muslimischen Normen dürfen zwei Erwachsene unterschiedlichen Geschlechts öffentlich keinerlei Zuneigung zeigen, solange zwischen ihnen nicht die Ehe vollzogen ist. Beim Betreten von Wohnungen, Gasthäusern und Tempeln müssen die Schuhe grundsätzlich ausgezogen werden.

Inder begrüßen sich mit in Brusthöhe aneinander gefalteten Händen, die bis zur Stirn erhoben werden; Frauen und Männer schütteln sich einander so gut wie nie die Hände. Der Kopf eines Menschen sollte nicht berührt werden, um ihn rein zu halten. Im Gegensatz zu den Muslimen greifen Hindus ausschließlich mit der linken Hand nach einem Glas.

Polynesier wiederum streicheln zur Begrüßung mit den Händen des anderen über das eigene Gesicht, Mongolen, Malayen, Birmanen, dagegen berühren und reiben sich gegenseitig mit den Nasen.

Aber selbt innerhalb Europas sind sehr unterschiedliche Verhalten zu beobachten: im Norden stellt z.B. die Einladung in eine private Sauna eine Ehrerbietung dar und sollte nicht ausgeschlagen werden. Und während in Frankreich die Kenntnis der französischen Sprache und Kultur erwartet wird oder in Großbritannien gute Tischmanieren wichtig sind, fällt in Südeuropa dem Essen eine zentrale Bedeutung zu. Bei Blumengeschenken sollte man in Italien und Spanien unbedingt auf Chrysanthemen verzichten, während in Griechenland zu beachten ist, dass ein Nicken „Nein" und „ne" „ja" heißt.

Will man auf Grund solcher Reiseerfahrungen aber noch nicht von angeeigneter Bildung reden, so kann man zumindest in die ersten beiden Zeilen des Liedes „Urians Reise um die Welt" von Matthias Claudius mit einstimmen, das durch Ludwig van Beethoven vertont wurde und mit der berühmten Strophe beginnt:

    Wenn jemand eine Reise tut,
    So kann er was verzählen.

So vielfältig die gemachten Erfahrungen durch das Reisen sind, so vielfältig sind auch die Beweggründe für das Reisen. Und das nicht erst heute, in einer Zeit des Massentourismus, in der Verkehrsmittel und Dumpingpreise Kontinente zusammen wachsen lassen und das Reisen dem Volk geradezu oktroyiert wird. Es bedarf keiner intensiven Motivforschung, es genügt, sich die Angebote diverser Reiseveranstalter durch zu blättern, mit denen sie ihre Zielgruppen zu ködern versuchen, um die riesige Palette der Gründe für das Reisen zu finden: da finden sich Weltreisen, Fernreisen, Flugreisen, Kreuzfahrten, Seereisen, Segeltörns, Hausbootferien, Busfahrten, Autoreisen, Städtereisen, Kurztrips, Stippvisiten, Eventbesuche, Studienreisen, Kulturreisen, Konzertreisen, Sprachferien, Mal- und Kreativferien, Erholungsreisen, Urlaub am Bauernhof, Kuraufenthalte, Sport- und Wellnessaufenthalte, Vergnügungsreisen, Aktivreisen, Trainingswochen, Radtouren, Trekking-Touren, Wandern, Golfurlaube, Sonnenreisen, Badeaufenthalte, Winterurlaube, Schiwochenden, Gruppenreisen, Geschäftsausflüge, Jugendreisen, Maturareisen, Seniorenreisen, Familienurlaube, Individualreisen, Extratours, Sonderreisen, Sexurlaube, Abenteuerreisen, Entdeckerreisen, Outback-Touren, Campingreisen, Charterflüge, Cluburlaube, All-inclusive-Urlaube, Last-Minute-Reisen und vieles mehr.

Auch in der Vergangenheit nahm Reisen eine wichtige Position ein. Im Unterschied zu heute stand dabei aber nicht das Vergnügen, sondern die Eroberung im Vordergrund. Allein die etymologischen Bedeutung des Wortes „reisen" selbst, das vom althochdeutschen „risan" stammt und mit „aufstehen", „sich erheben", zu kriegerischer Unternehmung „aufbrechen" gleichzusetzen ist, zeigt dies. Lässt man diese häufigste Ursache, die der Kriegsführung, einmal bei Seite, so waren es anfänglich vor allem wirtschaftliche Interessen, die zum Reisen bewogen.

Das wohl bekannteste „Reisetagebuch" der Antike ist die Dichtung der „Odysee". Um 727 v. Chr. beschreibt Homer in diesem Epos die Abenteuerfahrten des berühmtesten Seefahrers dieser Zeit, des Odysseus, der sich auf der Heimfahrt von

Troja von der griechischen Hauptflotte trennt und auf Grund ungünstiger Winde erst nach zehn Jahren auf seine Heimatinsel Ithaka zurück findet. Den Anfang nahmen seine Irrfahrten bei der Umsegelung des Kap Malea der Halbinsel der Peloponnes, wo die Schiffe vom Nordwind Boreas erfasst wurden und Odysseus und seine Leute bis an die afrikanische Nordküste, an das Land der Lotos-Esser (Dscherba) verblasen wurden. Auf ihrem weiteren Kurs nach Norden erreichten sie das Land der Kyklopen mit dem Riesen Polyphemos (Levanzo), liefen dann die Insel des Aiolos an, um schließlich zum ungastlichen Land der Kannibalen nach Laestrygonians zu gelangen. Danach verschlug es die Schiffe auf die Insel Aiaia (Korsika), wo die Zauberin Kirke lebte. Weiter ging die Reise, vorbei an der Insel der Sirenen (Capri) und durch die Meerenge von Messina mit Skylla und Charybdis nach Thrinakia, wo die Kühe des Gottes Helios weideten. Nach einem Schiffbruch landete Odysseus auf der Insel Ogygia (Malta), wo dieser sich sieben Jahre bei der schönen Nymphe Kalypso aufhielt. Über die Insel der Phaiaken (Korfu), der Heimat der Nausikaa, kehrte Odysseus schließlich als Bettler verkleidet endlich nach Ithaka zurück (vgl. Schwab).

Es ist anzunehmen, dass Homer konkrete, mündlich tradierte Erlebnisse der Menschen mit den Naturgewalten in dieser Dichtung zusammen gefasst hat und symbolisch für das Ringen der Menschen mit den niedrigen Trieben darstellen wollte. Das Epos macht jedenfalls deutlich, dass das Befahren der Meere im 1. Jahrtausend v. Chr. durchaus gangbar war und die Bevölkerung dieser Zeit sehr wohl schon Kunde von fremden, unbekannten Ländern hatte.

Vor allem die Phönizier, die Bewohner des „Landes der roten Purpurwolle" Kanaan, dem heutigen Libanon, taten sich zu dieser Zeit in der Seefahrt hervor: mit ihren Handelsschiffen beherrschten sie den gesamten Mittelmeerraum. Sie gründeten die bedeutenden Städte Byblos, Sidon und Tyros sowie die mächtige Kolonie Karthago. Nach Herodot - selbst ein sehr bereister Geschichtsschreiber - sollen sie auf Initiative des ägyptischen Königs Necho (609-593 v.Chr.) Afrika umsegelt haben, 500 v. Chr. unter der Leitung eines Himilko nach Norden bis zu den zu den britischen Inseln gelangt und nach Auskunft des Alten Testaments sogar bis nach Indien vorgedrungen sein, wenn man - wie einige Wissenschafter das tun - das angeführte Goldland „Ophir" damit identifiziert (vgl. Müller, 1972): „Hiram sandte seine Leute, kundige Seefahrer, auf Schiffen mit den Leuten Salomons aus. Sie fuhren nach Ophir und holten von dort 420 Talente Gold, die ..." „Auch Hirams Schiffe, die Gold aus Ophir holten, brachten von dort kostbare Bauhölzer in Menge und Edelsteine herbei." (A.T., Könige 9,27-28; 11)

Zur gleichen Zeit unternahmen auch in persischen Diensten befindliche Männer ausgedehnte Erkundungsreisen. Herodot berichtet von der Fahrt des Karers Skylax von Karyanda, der im Auftrag Dareios I (522-486 v.Chr.) in das Indus-Gebiet vordrang. Seine fragmentarisch erhaltenen Aufzeichnungen enthalten eine Fülle ethnografischer Details, so dass Skylax als der „eigentliche Begründer der geographischen Schriftstellerei" gilt (vgl. Krierer, 1988).

Ebenfalls von Herodot erfahren wir (vgl. Herodot 4, 13-16) von einer Reiseerzählung namens „Arimaspeia", die Aristeas von Prokonnesos (eine Insel im Marmarameer) bereits im 7. Jahrhundert v. Chr. verfasste, und in der er über seine Reise durch Zentralasien und das Land der Skythen bis ins westliche Sibirien berichtete,wo er auf das jenseits eines Stromes aus puren Gold wohnende Volk der Hyperboreer stieß, die unsterblich waren, Feste feierten, nie krank wurden, keine Feinde hatten und so in dauerndem Glück lebten (vgl. Müller, 1972).Auch in den Norden müssen schon sehr früh Handelswege geführt haben. Der erste bekannte Nordlandfahrer der Geschichte war der Grieche Pytheas von Massalia (Marseille). Auf dem Umweg über Geminos von Rhodos (1. Jahrh. v. Chr.) erfahren wir aus Pytheas originalen Aufzeichnungen „Über den Okeanus" von seiner Reise in den Norden. Er will feststellen, wie weit sich die von Menschen bewohnte Welt erstreckt. Als erster Astronom bestimmte er durch Messungen die geografische Breite von Orten auf der Erde. Bei der um etwa 325—320 v. Chr. durchgeführten Reise segelte er durch die Säulen des Herkules, das heutige Gibraltar, über die West- und Nordküste Iberiens, über Brettanike (Britannien) und Schottland - wo er das Phänomen von Ebbe und Flut beobachtete - bis wahrscheinlich nach Thule, das Land der Mitternachtssonne.

Die Vorliebe für Geografie veranlasste den angelsächsische König Alfred den Großen (871-901) die erste christliche Weltchronik des Paulus Orosius „adversuspaganoslibriseptem Historiarum" (vgl. Zangemeister, 1882), aus dem Lateinischen zu übersetzen. Der König fügte seiner Übersetzung zwei Berichte über Seefahrten an, die zu seinen Lebzeiten unternommen worden waren und ganz neue Teile der Welt erschlossen. Danach segelte ein gewisser Ottar, dessen Heimat im nördlichen Skandinavien im Halogaland lag, in sechs Tagen bis zum Nordkap, umschiffte dasselbe und erreichte dann in rascher Fahrt binnen neun Tagen die Dwinamündung im Weißen Meer. Ottars Reisebericht ist auffallend nüchtern und bescheiden. Er gab einfach Richtung und Zeit seiner Entdeckungsfahrt an, ohne sie mit Schiffermärchen zu verzieren. Es ist anzunehmen, daß er nicht durch erdkundliche Interessen oder durch einen Befehl König Alfreds ins Weiße Meer geführt wurde, sondern weil er wie andere Normannen Pelzhandel treiben wollte.

Die norwegische Erforschung des Nordatlantiks im Mittelalter ist auf Grund einer Überlieferung, zunächst mündlich und vom 12. Jahrhundert an auch schriftlich in den Sagen der „Landnámabók" und der „Islendingabók" fast vollständig niedergeschrieben und somit erhalten geblieben. Daraus wissen wir, dass Erik der Rote, ein norwegischer Wikinger, der wegen Totschlagdelikten zuerst Norwegen und bald darauf auch Island verlassen musste, sich westwärts auf die Suche nach dem Land „das Gunnbjörn einmal sah" (Henning, 1953, S. 190ff.) begab. So gelangt er - eher aus Zufall - im Jahr 981 oder 982 nach Grönland: „er nannte es Grönland, denn er glaubte, dass mehr Leute dorthin folgen würden, wenn das Land einen schönen Namen habe..." (vgl. Haug, 1978). Vier Jahre später wurden an den Rändern der südwestlichen Fjorde tatsächlich zwei Siedlungen errichtet.

Bjarni Herjulfsson, der von Norwegen über Island nach Grönland reiste, um dort seinen Vater zu treffen, machte die früheste bekannte Entdeckung Amerikas. Sein Schiff wurde nämlich vom Kurs nach Süden abgetrieben und so erblickte er zum ersten Mal Labrador und wurde somit zum „Vorentdecker" Amerikas. Etwa 15 Jahre später, um das Jahr 1000, machte sich Leif Eriksson, der Sohn Eriks des Roten auf, um das von Bjarni gesichtete Land zu erkunden. Er segelte nach Westen und erreichte die nordamerikanische Küste. Er geht an drei Stellen an Land, die er nach den jeweiligen Umweltbedingen benennt: Helluland („Flachsteinland", das heutige Baffinland), in Markland („Waldland", das heutige Labrador) und Vinland („Weinland", zwischen Neufundland und Cape Cod) (vgl. Sebestyen, Wien).

Einer der bekanntesten Reisenden des Mittelalters ist der venezianischer Kaufmann Marco Polo. Dank seines Erlebnisberichtes „Wunderbare Reisen", den er während seiner genuesische Gefangenschaft (1298-1299) - er nahm als Kommandant einer venezianischen Galeere an einer Seeschlacht gegen Genua teil - seinem Mitgefangenen Rustichello da Pisa diktiert hatte, verfügte Europa zum ersten Mal über eine ziemlich genaue Beschreibung der bisher unbekannten Länder des „Fernen Ostens". Als Marco sechs Jahre alt war, unternehmen sein Vater und sein Onkel eine Geschäftsreise in das von Mongolen besiedelte Asien, weil Konstantinopel die Handelsverträge mit Venedig gekündigt hatte. In Asien angelangt, wurden sie von Großkhan Kublai eingeladen, nach China zu kommen. Der Kaiser nahm die Brüder Polo mit allen Ehren auf und ließ sich Informationen über Sitten und Gebräuche im Abendland geben. Auf die Rückreise gab er den Venezianern eine Botschaft an den Papst mit, worin er diesen bat, ihm 100 geschulte Christen zu schikken, die imstand wären, mit ihm über das Christentum zu diskutieren. Aber die Antwort des Papstes ließ auf sich warten, weil der Stuhl Petri bei ihrer Heimkehr wieder einmal unbesetzt war. Und so konnten die beiden Reisenden erst nach der Wahl von Gregor X 1271 mit einem Sendschreiben des Papstes erneut von Venedig aus aufbrechen. Dabei nahmen sie den erst 17 Jahre alten Marco mit. Nach einer langen Reise, die sie durch die Türkei, das Zweistromland, Afghanistan und Kaschgar führte, erreichten sie im Jahre 1275 den Hof des Khans in Khanbalik (Peking). Marco Polo hatte im Verlauf seiner Reise die Sprachen erlernt, die im Mongolenreich gesprochen wurden. Er freundete sich mit dem Großkhan an und der Kaiser verwendete ihn als Verwaltungsbeamten, während Vater und Onkel vielfältige Geschäfte betrieben. Auf vielen Dienstreisen lernte er das Reich und verschiedene Nachbarländer kennen. 1292 führte sie die Heimreise u.a. über Sumatra, Vorderindien, Persien und Armenien wieder nach Venedig, wo sie 1295 nach 24 Jahren Abwesenheit landeten.

Den von Aristoteles, Strabo und Seneca übernommenen Gedanken, in westlicher Richtung nach Indien zu gelangen, fand der genuesische Seefahrer Christoph Kolumbus in Pierre d´Aillys „Imago Mundi" und er ließ ihn nicht mehr los: Am 17. April 1492 unterzeichneten die spanischen Regenten Ferdinand II. von Aragon und Isabella I. von Kastilien mit ihm einen Vertrag über eine Expedition nach Ostasien. Kolumbus erhielt drei Schiffe („Santa Maria", „Pinta" und „Niña"), den Titel eines Großadmirals und Vizekönigs der „Neuen Welt" sowie den Anspruch auf ein Zehntel der zu erwartenden Gewinne. Kolumbus verließ Spanien in Palos de la Frontera am 3. August desselben Jahres und entdeckte am 12. Oktober Guanahani (San Salvador), am 27. Oktober Kuba und am 6. Dezember Hispaniola (Haiti), wo er eine spanische Niederlassung gründete. Als Kolumbus im März 1493 von den neuentdeckten „indischen" Inseln zurückkehrte, sandte er einen Rechenschaftsbericht lan den Schatzmeister des spanischen Königspaares. Er schilderte das von ihm gefundene Land als eine paradiesische Natur, mit Reichtümern an Gold und freundichen Eingeborenen, die unschwer zu guten Christen und gefügigen Arbeitskräften zu erziehen seien. Kolumbus unternahm noch weitere drei Fahrten, bei denen er die Kleinen Antillen, Puerto Rico, Jamaika, die Insel Trinidad sowie die Süd- und Mittelamerikas entdeckte.

Kolumbus' Unternehmen stellt den Beginn einer Reihe weiterer Entdeckungsfahrten dar: so findet Vasco da Gama den Seeweg nach Indien, Amerigo Vespucci das Festland von Amerika, Magellan gelingt auf der Westroute die erste Weltumsegelung oder James Cook, der erstmals die Erde von West nach Ost umsegelte, erforschte in Begleitung des Naturforschers Reinhold Forster und dessen Sohn Georg den pazifischen Raum (vgl. Bitterli, 1992).

Aber nicht nur auf Handels- oder Entdeckungreisen wurden neue Erkenntnisse und Erfahrungen gewonnen. Als um das 16. Jahrhundert das Handwerk in Europa immer größere Bedeutung erhielt, formierten sich, zuerst in den größeren Städten, sogenannte Zünfte, eine Vereinigung von meist mehreren verwandten Berufen, Vorläufer der heutigen Gewerkschaften (vgl. Elis, 1986). Sie erließen Zunftordnungen, die die Rechte und Pflichten ihrer Mitglieder genauest regelten. Eine Bedingung davon schrieb vor, dass Gesellen, die nach der Freisprechung den Meistergrad erreichen wollten, vorher auf die Walz gehen mussten, um ihre Kenntnisse und Fertigkeiten nicht nur bei einheimischen, sondern auch bei verschiedenen auswärtigen Meistern zu erweitern. Für die in diesem Rahmen vorgesehene Fußwanderung gab es schon damals fest vorgeschriebene Regeln: Die Gesellen mussten einen traditionellen Handwerksberuf erlernt haben, mussten zwischen 18 bis 30 Jahre alt, ledig und schuldenfrei sein. Die Mindestdauer der Walz betrug drei Jahre und einen Tag. Während dieser Wanderjahre durften sie die 50 Kilometer betragende Bannmeile um ihren Heimatort herum nicht betreten und durften außerdem höchstens drei bis sechs Monate an einem Ort bleiben, um danach die Wanderung wieder fort zu setzen. Dabei mussten sie immer ihre traditionelle Berufskleidung tragen, um jederzeit als zu dem jeweiligen Beruf zugehörige Gesellen erkannt zu werden. Um den fahrenden Gesellen Sicherheit und Rückhalt in der Gemeinschaft zu bieten, wurden die sogenannten „Schächte" gegründet. Gesellschaften, die sich um die reisenden Gesellen kümmerten, ihnen freie Herberge gewährten, die Unterkünfte sauber hielten, ihr Totengeld verwalteten und Mitgliedern halfen, die in finanzielle Not geraten waren.

Ab dem 17. Jahrhundert begannen vermehrt Reisende aus den Ländern nördlich der Alpen in den Süden, vor allem nach Italien, zu reisen; und das, obwohl Reisen nach wie vor gefährlich war. Jederzeit musste man mit Straßenräubern rechnen. Die Straßen waren in einem miserablen Zustand und verursachten bei den Kutschen immer wieder Achsbrüche und andere Unfälle. Ins Ausland zu fahren war besonders schwierig, denn sehr wenige beherrschten eine Fremdsprache. Reisen war gefährlich, sehr kostspielig und langwierig; in einer Woche schaffte man vielleicht 400 bis 500 km. Nur eine kleine Minderheit reiste: Neben den Reichen, die sich einen derartigen Luxus leisten konnten, waren das vor allem wieder die Händler; hinzu kamen dann die Pilger und schließlich noch die Künstler, die bei ausländischen Meistern lernen wollten oder im Ausland künstlerische Inspiration suchten. Dürer zum Beispiel ging nach Holland und nach Italien und - wie man aus der bei seinem zweiten Venedigaufenthalt um 1505 getätigten Äußerung „Hier bin ich ein Herr, daheim ein Schmarotzer" entnehmen kann - nicht nur, um zu lernen. Italienische Maler und Architekten kamen nach Deutschland, um für deutsche Fürsten und Kaiser Aufträge auszuführen. Der kleine Mozart fuhr mit seinem Vater quer durch Europa, um bekannt zu werden. Man reiste also aus Gründen der Arbeit und des Studiums. Im 18. und 19. Jahrhundert kam es dann in Mode, dass auch die jungen Herren aus gutem Hause - für den Großteil der Frauen war Reisen nicht möglich; fahrende Frauen wurden mit Ausschweifung, Ketzerei, Sittenlosigkeit und Prostitution gleichgesetzt - auf eine Art Bildungsreise ins Ausland geschickt wurden, um die traditionelle Erziehung durch Privatlehrer zu Hause zu ergänzen. Man besuchte andere Länder, um zu lernen und sich zu bilden; insbesondere Rom. Bei Johann Winkelmann, dem deutscher Archäologen und Kunstwissenschaftler heißt es: „In Rom, glaub' ich, ist die hohe Schule für alle Welt".

Und auch Goethe, der zu dieser Zeit seine inzwischen berühmt gewordene „Italienische Reise" unternahm, schrieb schon vorher: „ich habe die Kenntnis noch nicht, die ich brauche, es fehlt mir noch viel. Paris soll meine Schule seyn, Rom meine Universität" (Goethe, 1988, S.560). Für ihn war es eine Art Flucht. Die Arbeit als Minister in Weimar hatte seine literarische Kreativität blockiert. Er fühlte die Notwendigkeit eines radikalen Tapetenwechsels. Italien war schon seit der Kindheit sein Traum gewesen. Er hoffte, in der Umgebung der griechisch-römischen Kultur eine künstlerische Wiedergeburt zu erfahren. Im Geheimen - niemand sollte es wissen - fuhr er am 3. September 1786 um drei Uhr in der Nacht mit der Postkutsche aus Karlsbad ab, ohne sich von irgend jemandem zu verabschieden. „Den 3. September 1786 Früh drei Uhr stahl ich mich aus Karlsbad, weil man mich sonst nicht fortgelassen hätte. ... Ich warf mich ganz allein, nur einen Mantelsack und Dachsranzen aufpackend, in eine Postchaise. Hätte ich nicht den Entschluß gefaßt, den ich jetzt ausführe, so wär' ich rein zugrunde gegangen: zu einer solchen Reife war die Begierde, Italien mit Augen zu sehen, in meinem Gemüt gestiegen." (vgl. Goethe, 1988, S.9) In Rom fühlte er sich sofort wie zu Hause. Ursprünglich sollte die Reise einige Monate dauern, am Ende waren es fast zwei Jahre. Und je länger er dort blieb, desto mehr entspannte er sich und wurde wieder kreativ: Er begann wieder zu schreiben und zu malen (er brachte ungefähr tausend Zeichnungen und Aquarelle zurück nach Weimar). Das Tagebuch dieser Reise, das er erst 1829 veröffentlichte, ist weniger eine Beschreibung des Landes, es ist vielmehr eine Beschreibung der Eindrücke von den Menschen und Kultur. „Man hat außer Rom keinen Begriff, wie man hier geschult wird. Man muß sozusagen wiedergeboren werden, und man sieht auf seine vorigen Begriffe wie auf Kinderschuhe zurück. Der gemeinste Mensch wird hier zu etwas, wenigstens gewinnt er einen ungemeinen Begriff, wenn es auch nicht in sein Wesen übergehen kann." (Goethe, 1988, S.149) Wenn man Zeilen wie diese aus seinem Buch liest, versteht man besser, was Goethe diese Reise bedeutete und was Reisen insgesamt auch bedeuten kann.

Der Naturforscher und Humanist Alexander von Humboldt wird oft als „zweiter, wissenschafllicher Entdecker Amerikas" bezeichnet. Er unternahm mehrere Forschungsreisen, darunter 1793-1804 eine Reise nach Lateinamerika, um die Wechselbeziehungen zwischen Lebewesen und Umwelt zu erkennen. Viele Zweige von Naturwissenschaften sehen in Humboldt ihren Begründer; so unter anderem die physische Geografie, die Klimatologie und die Hochgebirgsforschung. Seine pflanzen-geografischen Forschungen, die Einführung der Isothermen und seine Beiträge zur Erforschung des Erdmagnetismus sind von bleibender Bedeutung; seine zahlreichen Arbeiten auf dem Gebiet der Geowissenschaften gingen in die Wissenschaftsgeschichte ein. Neben den „Ansichten der Natur", in dem er Naturbeschreibungen mit deren wissenschaftlichen Erklärungen verband, hat sein Hauptwerk, der „Kosmos", die größte Verbreitung gefunden. In wissenschaftlichen Kreisen rief seine vielbändige amerikanisches Reisebeschreibung und das Werk über die russisch-sibirische Reise die nachhaltigste Wirkung hervor (vgl. Ette, 1999).

Und auch der schottische Missionar David Livingstone trug durch seine Expeditionen in Afrika maßgeblich dazu bei, dass sich das Gesicht Afrikas in entscheidender Weise veränderte. Nach ersten, eher bescheidenen missionarischen Bemühungen gelang es ihm, die Schiffbarkeit des Sambesi nachzuweisen. Durch die Erschließung dieses Flusses gab es eine ideale Wasserverbindung, um Christentum, Handel und Zivilisation ins Innere Afrikas bringen zu können. In den Jahren von 1853 bis 1856 durchquerte dann Livingstone als erster Europäer den afrikanischen Kontinent. Er entdeckte die Victoria- und Kebrabasa-Fälle, den Bangweolo-See sowie den Lualaba-Fluß, den er auf der Suche nach dem Ursprung des Nils irrtümlich für einen Quellfluß des Nils angesehen hatte. Livingstones Reiseberichte, seine geografischen Aufzeichnungen, seine detaillierten Notizen über die sozialen Strukturen des Stammeslebens sowie über die Tier- und Pflanzenwelt Afrikas haben das Wissen über den bis dahin nahezu unbekannten Erdteil enorm erweitert und das Interesse Europas geweckt (vgl. Lahme, 1998).

Selbstverständlich kann ein kurzer Überblick wie dieser auf vergangene Reisetätigkeiten nur ein exemplarischer sein. Schon allein deshalb, weil vor allem in den Anfängen Aufzeichnungen darüber sehr spärlich waren und - wenn vorhanden - oft nur über Umwege erhalten geblieben sind. So ist es wenig verwunderlich, dass - wie auch in meinem Fall - immer wieder, meist bekannte Ereignisse angesprochen werden. Trotzdem wird im Hinblick auf das „Reisen" aber ersichtlich, welche Gründe in der Vergangenheit vorwiegend dafür dahinter gestanden sind: An erster Stelle war es sicher immer das Bestreben, neue Länder zu erobern, um der dort vermuteten Schätze und Errungenschaften habhaft zu werden und somit seinen eigenen Machtbereich zu vergrößern. Etwas, was sich bis in die heutige Zeit wenig verändert hat. Erst in zweiter Linie wurden Reisen aus rein wirtschaftlichen Interessen, aus religiösen Motiven, aus Wissens bedingter Neugier oder aus bloßer Abenteuerlust unternommen. Das Moment des „Sich-Bildens" stand dabei - wenn überhaupt - fast immer im Hintergrund. Und trotzdem wird gewahr, wie sehr diese Reisetätigkeit nicht nur für die Reisenden selbst, sondern für ganze Bevölkerungsschichten, ja oft für die gesamte Menschheit, von entscheidender Bedeutung waren.

Bildung reist

Bildung wird aber nicht nur passiv, quasi im Vorbeireisen, empfangen; seit Menschen Gedenken verhält sich Bildung auch selbst aktiv; und zwar in zweierlei Hinsicht: Zum einen die Lokalität betreffend, wenn Bildung selbst auf Reisen geht und versucht wird, Bildung, aus meist pädagogischen oder sozialen Gründen, an bedürftig erscheinende Zielgruppen heran zu bringen, um deren Wissensstand zu erhöhen. Zum anderen inhaltlich, indem nämlich der Bildungsbegriff ansich einer permanenten Veränderung unterliegt und dadurch bedingt, sich die Ziele für das Bilden ändern.

In Bezug auf diese Aspekte sei ebenfalls ein kleiner Rückblick an Hand von einigen Beispielen gegeben:

Bereits im antiken Griechenland boten die aufklärerischen Sophisten eines Sokrates, Platon oder Aristoteles wie reisende Händler gegen Bezahlung ihr Wissen an. Als Privat- und Wanderlehrer versuchten sie, die Menschen durch die Vermittlung von Allgemeinbildung zur Bewältigung des täglichen Lebens zu führen. In Verbindung mit militärischen und politischen Erfolgen entwickelt sich das Bestreben, auch den fremden Völkern das griechische Geistesleben zu übermitteln. Die griechische Kultur legte damit ihren nationalen Charakter ab, hielt Einzug in die heimischen Kulturen der Mittelmeerländer und verschmolz letztendlich mit diesen.

Damit waren auch ideale Voraussetzungen zur Verbreitung der christlichen Lehre geschaffen. Der Apostel Paulus war es dann, der den missionarischen Ansatz der Hellenisten aufnahm und theologisch begründete. Als ehemaliger Pharisäer Saul(os) musste er nach seiner Taufe in Damaskus von dort fliehen und zog predigend über Jerusalem und Tarsus nach Antiochien, wo er sich der dortigen Christengemeinde anschloss. Von dort aus unternahm er drei Missionsreisen nach Zypern, Kleinasien und Griechenland. Um 64 stirbt er in Rom den Märtyrertod. In der Folge verbreiteten Wanderprediger die Lehre des Christentums. Um 550 waren es zuerst irische Mönche, die die Christianisierung weiterer Gebiete, vor allem im Norden und Osten Europas, vorantrieben. In ganz Europa kommt es zur Gründung von Klöstern mit vielfach angegliederten Klosterschulen. Die Zeit der Kreuzzüge lässt einen neuen Stand, das Rittertum, entstehen; in ihm verbinden sich die Werte von germanischer Wehrhaftigkeit und Gefolgstreue mit christlicher Tugendhaftigkeit. Die zu dieser Zeit glaubensbedingten Auseinandersetzungen mit der arabischen Geisteswelt bringen dem Abendland eine große Bereicherung mit neuen Bildungsstoffen.

In der Epoche der Renaissance sind es wandernde italienische Humanisten, die die sich in allen Lebensbereichen vollziehende Öffnung der Geisteshaltung in den Norden bringen; vereinzelt sind es auch deutsche Studenten, die an italienischen Universitäten studieren und am Wissensaustausch Anteil haben. Als Beispiel sei für diese Zeit Erasmus von Rotterdam genannt. 1466 dort geboren, führte ihn nach dem Studium des klassischen Altertums in Steyn bei Gouda und der Priesterweihe seine umfangreiche Reisetätigkeit in die meisten Länder Westeuropas: als Sekretär eines Lords nach England, zum Theologiestudium an die Universität nach Paris, danach wieder nach England, von dort als Reisebegleiter eines Arztes zu einem dreijährigen Italienaufenthalt und Medizinstudium nach Turin; weiter zum Buchdrucker Aldus Manutius nach Venedig, dann nach Basel sowie als Hofrat des späteren Kaisers Karl V. nach Brüssel, von dort weiter nach Löwen und Freiburg im Breisgau. 1535 kehrte er nach Basel zurück und starb ein Jahr später an Typhus. Erasmus ist der bedeutendste Gelehrte des 16. Jahrhunderts des gesamten nordischen Humanismus. Über 2000 Briefe spiegeln seine internationale Bedeutung wider, in denen er bemüht war, seinem Zeitalter das geistige Gut der Antike zu vermitteln. Mit seiner Satireschrift „Encomion Moriae", in der er die Scholastik und kirchlichen Missstände kritisierte, ist er auch ein erster Vorreiter der Reformation.

Mit dem entstehenden Merkantilismus und dem Bemühen um den Erwerb von Kolonien wird dem Ideal des humanistischen Theologen der „galant homme", der höfische Weltmann entgegen gesetzt. In der Erziehung der Fürsten und des Adels wird neben der Beherrschung moderner Sprachen, insbesondere der französischen Hofsprache, und der Kenntnis moderner Wissenschaften auf das Reisen als Bildungsfaktor besonderer Wert gelegt. „Ich will, daß die ganze große Welt das Buch meines Zöglings sei", äußert der französische Philosoph Michel de Montaigne, der den „Umgang mit Menschen und das Reisen in fremde Länder" als wertvolles Bildungsmittel preist. Schon mit den Kindern sollte ins Ausland gereist werden, damit sich diese frühzeitig an die vom Französisch abweichenden Sprachen gewöhnen. Die Welt sei das Feld, in dem man die verschiedenen Charaktere der Menschen, ihre Richtungen , Meinungen, Gesetze und Bräuche kennen lernt und dadurch zu einem eigenen Urteil und zu einem weltweiten Blick gelangt. Montaigne gilt mit seiner normfreien, auf der Skepsis des Phyrron von Elis aufbauenden Betrachtungsweise als Begründer des neuzeitlichen Skeptizismus. Dieses Ideal der geistigen Freiheit liegt auch seinen pädagogischen Überlegungen zugrunde, die auf die freie Entfaltung und das selbständige Denken des Kindes abzielen.

Dieser Ansatz findet seine Fortsetzung bei einem der Wegbereiter der Aufklärung, bei John Locke, der davon spricht, dass Reisen in das Ausland das Erlernen fremder Sprachen fördert sowie das Wissen, die Menschenkenntnis und die Lebensklugheit bereichert. Wie überhaupt die Auswahl der Kenntnisse nach ihrer Verwertbarkeit im praktischen Leben zu erfolgen habe: Edelleute sollten wenigsten ein Gewerbe erlernen (vgl. Russ, 1968).

Einer der reisenden „Fürstenerzieher" der damaligen Zeit, der Philosoph Johann Gottfried Herder vermerkte hinsichtlich seiner Reisetätigkeit in seinem „Journal meiner Reise im Jahr 1769" Folgendes: „ ...so ging ich auf Reisen. Ich gefiel mir nicht, als Gesellschafter weder, in dem Kraise, da ich war; noch in der Ausschließung, die ich mir gegeben hatte. Ich gefiel mir nicht als Schullehrer, die Sphäre war [für] mich zu enge, zu fremde, zu unpassend, und ich für meine Sphäre zu weit, zu fremde, zu beschäftigt. Ich gefiel mir nicht, als Bürger, da meine häusliche Lebensart Einschränkungen, wenig wesentliche Nutzbarkeiten, und eine faule, oft eckle Ruhe hatte. Am wenigsten endlich als Autor, wo ich ein Gerücht erregt hatte, das meinem Stande eben so nachtheilig, als meiner Person empfindlich war. Alles also war mir zuwider. Muth und Kräfte genug hatte ich nicht, alle diese Mißsituationen zu zerstören, und mich ganz in eine andre Laufbahn hineinzuschwingen. Ich muste also reisen: und da ich an der Möglichkeit hiezu verzweifelte, so schleunig, übertäubend, und fast abentheuerlich reisen, als ich konnte." (Herder, 1999)

In weiterer Folge beleben die Ideen der Aufklärung und des Naturalismus sowie die Französische Revolution den Freiheitsgedanken und fördern den Gedanken einer Volksbildung. „Individuelle Erziehung und Bildung galten und gelten im Sinne der Aufklärung als Voraussetzung für eine positive gesamtgesellschaftliche Entwicklung". Und erst weil viele Menschen dasselbe tun, können viele individuelle Wünsche des persönlichen Lebensbereiches der heutigen Zeit wie z.B. Autofahren, Reisen oder Fernsehen durch Massenbildung zustande kommen (vgl. Lenz, 2000)

Die Retrospektive zeigt, dass Bildung auch inhatlich reist, indem sie sich - wie in der Historie immer wieder beobachtbar - einer Wellenbewegung gleich, zwischen bestimmten, immer wieder kehrenden Amplituden hin- und her bewegt: zwischen Einzelindividuum und Masse, zwischen diktatorisch und demokratisch, zwischen Kirche und Staat, zwischen unpolitisch und politisch, zwischen Privatperson und Organisation, zwischen Lehre und Lernen, zwischen spezifisch und allgemein, zwischen sozial und wirtschaftlich, zwischen kostenlos und kostenpflichtig ... Je nach Zeitgeist und politischer Lage, sich einmal dem einen oder anderen Extrem nähernd. In mehreren Beiträgen dieses Buches wird auch diese Problematik im Detail besprochen und analysiert.

Ausblick

Stellt man sich die Frage, welche Bedeutung „Reisen & Bildung" heute zukommt, ist es schwer, eine Antwort zu finden. Die Welt ist im Begriffe, zu einem globalen Dorf zu verschmelzen. Die Gründe, um für Bildung Reisen zu unternehmen, scheinen wegzufallen.

Modernste Informationstechnologien und Verkehrsmöglichkeiten machen es möglich, innerhalb kürzester Zeit, jede Destination der Erde zu erreichen, in Sekundenschnelle rund um den Erdball zu kommunizieren oder sich in Wort und Bild die weite Welt ins Wohnzimmer zu holen. Sprachen, Sitten, Völker, ja ganze Kulturkreise lösen sich in Bedeutungslosigkeit auf, werden aufgesogen und verschwinden. Die Menschheit ist in Gefahr, zu einem Einheitsbrei zu verkommen. Wozu also noch reisen, wenn selbst die trivialsten Gründe dafür, wie der Erwerb extravaganter Bekleidung, das Genießen einer landestypischen Speise oder das Feilschen um fremdländische Artikel permanent via Fernsehen zu sehen sind bzw. jederzeit live um die Ecke zu erleben sind. Glaubt man der Statistik, so gibt es für den Massentourismus von heute nur mehr einen überwiegenden Grund fürs Reisen: die Sonne - das Wetter, als ein letzter, derzeit von den Menschen noch nicht beeinflussbarer Faktor auf unserem Planeten.

Ähnliches gilt wohl auch für die Bildung. Die Menschen werden von einem Überangebot an Bildungsmöglichkeiten überrollt. Der Weg eines „Gebildeten" von heute muss mit Zeugnissen, Zertifikaten, Diplomen, Urkunden diverserster Bildungsinstitutionen gepflastert sein, um in der Arbeitswelt ein Entree zu finden. Tele- und E-learning sollen dabei helfen, den Bildungserwerb zeit- und ortsungebunden und damit einfacher und schneller zu machen. Die Vision einer virtuellen Welt beginnt Gestalt anzunehmen.

Namhafte Autorinnen und Autoren aus der ganzen Welt, von Kanada bis Australien, nehmen zu diesen Problemkreisen in diesem Buch Stellung, versuchen Antworten zu finden, geben Einsichten und Ausblicke.

Vielen Dank für ihr Mitwirken ! - Allerdings - und das ist die Kehrseite - ohne die neuen Übertragungsmöglichkeiten unserer Zeit wäre diese Zusammenarbeit über Kontinente hinweg nur schwer oder überhaupt nicht zu verwirklichen gewesen. Und so verschmilzt, ohne dass es uns tasächlic bewusst wird, das von Lenz in jahrelanger Reisetätigkeit durch persönliche Kontaktnahme augebaute Netzwerk an Fachkolleginnen und Kollegen zu einem - hoffentlich nicht nur mehr - elektronischen.

Literatur

Bitterli, Urs: Die Entdeckung Amerikas. Von Kolumbus bis Alexander von Humboldt. München 1992
Christ, A. Th.: Homers Ilias. Wien: Verlag F. Tempsky, 1905
Elis, Karlpeter: Berufliche Erwachsenenbildung im Rahmen der grafischen Fortbildungskurse in der Steiermark. Graz: Karl-Franzens-Universität, Diss., 1986
Ette, Ottmar (Hrsg): Alexander von Humboldt: Reise in die Äquinoktialgegenden des Neuen Kontinents. Frankfurt am Main: Insel Verlag, 1999
Geissler, Horst Wolfram: Odysseus und die Frauen. Frankfurt/Main: Ullstein, 1960
Gerlach, Hans Egon; Hermann Otto: Goethe erzählt sein Leben. Frankfurt/Main: Fischer, 1956
Glaser, Hugo: Die Entdecker der Welt. Wien: Schönbrunn Verlag, 1951
Goethe, Johann Wolfgang: Italienische Reise. Deutscher Taschenbuch Verlag, 1988
Hamp, Vinzenz und Stenzel, Meinrad: Das Alte Testament. Aschaffenburg: Paul Pattloch Verlag, 1957
Haug, Walter: Brandans Meerfahrt, In: Die deutsche Literatur des Mittelalters. Verfasserlexikon. Begründet von W.Stammler, fortgeführt von K.Langosch. 2. Berlin-New York: 1978
Henning, Richard: Terra Incognitae. Eine Zusammenstellung und kritische Bewertung der wichtigsten Entdeckungsreisen an Hand der darüber vorliegenden Originalberichte 1: Altertum bis Ptolemäus, 2: 200 - 1200 n. Chr. Leiden: 1953
Herder, Johann Gottfried: Journal meiner Reise im Jahr 1769. Berlin: Aufbau Taschenbuch Verlag, 1999
Herodot: Historien. Deutsche Gesamtausgabe. Übers. v. A. Horneffer. Neu hrsg. u. erläut. v. H. W. Haussig. Stuttgart: 1971
Herodot: Frankfurt a. Main: Insel Verlag, 2001
Krierer, K.R.: Fremdvölkerforschungen in der Klassischen Archäologie. Eine wissenschaftsgeschichtliche Standortbestimmung. In: Akten des XIII. Internationalen Kongresses für Klassische Archäologie. Berlin: 1988
Lenz, Werner (Hrsg): Bildungsarbeit mit Erwachsenen. München: Profil Verlag, 1994
Lenz, Werner: On the Road Again. Innsbruck: Studien Verlag, 1999
Lenz, Werner: Brücken ins Morgen. Innsbruck: Studien Verlag, 2000
Lenz, Werner: Lernen ist nicht genug! Innsbrtuck-Wien-München: Studien Verlag, 2000
Lenz, Werner: Niemand ist ungebildet. Münster: LIT Verlag, 2004
Lenz, Werner; Sprung, Annette (Hrsg.): Kritische Bildung? Münster: LIT Verlag, 2004
Müller, K.E.: Geschichte der antiken Ethnographie und ethnologischen Theoriebildung. Von den Anfängen bis auf die byzantinischen Historiographen. Bd. 1, 1972
Nack, Emil; Wägner Wilhelm: Hellas. Wien: Carl Ueberreuter, 1958

Netzer, Hans: Erziehungslehre. Bad Heilbrunn: Verlag Klinkhardt, 1966
Rainer Lahme. In: Biographisch-bibliographisches Kirchenlexikon, Bd.5. Nordhausen: Verlag Traugott Bautz, 1993
Russ, Willibald: Geschichte der Pädagogik. Bad Heilbrunn: Verlag Klinkhardt, 1968
Schwab, Gustav: Sagen des klassischen Altertums. München: Goldmann Verlag
Schwanitz, Dietrich: Bildung. Frankfurt am Main: Eichborn Verlag, 1999
Sebestyen, Thomas J.: Das Bild des Nordens und des Nordatlantiks in der kartographisch - geographischen Vorstellungen des Mittelalters, Universität Wien
Störig, Hans Joachim: Kleine Weltgeschichte der Philosophie. Stuttgart: W. Kohlhammer, 1961
Tajalli, Elfriede: Bildungsforschung in Österreich. Wien: bm:bwk, 2004
Tunk, Eduard von: Illustrierte Weltgeschichte. München: Wilhelm Goldmann Verlag, 1958
Witkowski, Georg: Goethe. Leipzig: Verlag E.A. Seemann, 1912
Witt, Rainer: Jean Paul. In: Biographisch-bibliographisches Kirchenlexikon, Bd.2. Nordhausen: Verlag Traugott Bautz, 1990
Zangemeister, Ed.: „im Korpusindex eccl. lat.", V, Wien, 1882

Peter Alheit

Eine neue Sicht des Fremden als pädagogische Schlüsselkompetenz
Plädoyer für eine Verbindung von Pädagogik und Ethnographie

Die „Reise" ist eine überzeugende Metapher für Lernprozesse. Mit ihr wird Neues assoziert, Herausforderungen, Horizonterweiterung. Aber die Reise ist immer auch Begegnung mit dem Fremden, dem Anderen. Als Fernreisende mögen wir das Exotische goutieren, uns von ihm faszinieren lassen.[1] Aber wie steht es mit dem Fremden im Horizont des Vertrauten? Wirkt es dann nicht eher störend, provozierend und widerspenstig? Sind wir vor dem Fremden im Eigenen nicht oft genug verschlossen, ausgrenzend und ignorant?

Ich möchte im Folgenden das Experiment einer anderen „Reise" vorschlagen: einer methodisch reflektierten „Erkundung nach innen" im vertrauten Terrain der „pädagogischen Provinz". Mir liegt an einer „Befremdung der eigenen Kultur" (vgl. Amann/Hirschauer 1997), an der Übernahme einer professionellen Haltung, die für Pädagogen in modernisierten modernen Gesellschaften, die allesamt Migrationsgesellschaften sind, unverzichtbar zu sein scheint.

Trivialisierungsrisiken

Wenn zukünftige Pädagogen – seien es Lehrerinnen, Erwachsenenbildner oder Sozialpädagogen – an ihre Praxis denken, verbinden sie damit gewöhnlich ein ziemlich instrumentelles Interesse: Sie sind unsicher, wie man sich in dem neuen Feld bewegt und wollen praktische Hinweise darauf haben, wie man es anstellt, in der Praxis zu „überleben". Lehramtsstudierende denken dann in aller Regel an den Unterricht, Sozialpädagogen z.B. an die Jugendarbeit. Wie lässt sich das erlernte theoretische Wissen in der Praxis anwenden? Worauf muss man achten? Was kann ich den Schülern und Schülerinnen zumuten? Wie wecke ich ihre Aufmerksamkeit? Wie stelle ich Ruhe und Konzentration im Unterricht her?

Solche Fragen sind verständlich und legitim. Aber sie ignorieren ein Problem. Sie gehen davon aus, dass die pädagogische Wirklichkeit etwas „Stabiles" und „Konstantes" sei, auf das man sich sozusagen technisch vorbereiten könne. Genau das ist sie aber nicht. Das pädagogische Feld ist etwas Fließendes, in kontinuierlicher Veränderung Begriffenes, und auch die erfahrendsten Pädagogen tun gut daran, diese Tatsache ernst zu nehmen.

Eine Lehrerin hat sich zu Beginn ihrer Schulkarriere z.B. gewisse Routinen erarbeitet, mit ihren Schülern und Schülerinnen umzugehen. Nach zwei Jahrzehnten halbwegs geglückter Praxis muss sie feststellen, dass die „Tricks", die sich lange bewährt hatten, zunehmend weniger funktionieren. Sie bemerkt, dass die Generation von Schülerinnen und Schülern, mit denen sie heute arbeiten muss, in wesentlichen Verhaltensweisen anders reagiert als die Schüler ihrer Anfangszeit. Ruhe, Aufmerksamkeit und Konzentration im Unterricht können nur noch mühsam hergestellt werden. Sie gewahrt eine gewisse Fremdheit zwischen sich selbst und den Kindern, bemerkt auch eine zunehmende Aggression und Frustration bei sich, die sie vorher nicht kannte. Sie kann sich immer weniger in die Schüler hinein versetzen. Von Kollegen weiß sie, dass sie sogar Angst haben vor dem Unterricht. Einige stellen „Burn-out-Symptome" bei sich fest. Sie fühlen sich überfordert, und ihr pädagogischer Elan, mit dem sie einmal angetreten waren, ist verschwunden.

Solche durchaus normalen Beobachtungen haben etwas mit der traditionellen Struktur pädagogischer Professionalität zu tun. Gerade was die LehrerInnen angeht, ist diese Professionalität *zum einen* noch immer ganz eng mit den Fächern verknüpft: Der Mathematiklehrer ist eben in erster Linie „Mathematiker"; und gelegentlich merkt man das sogar seinem beruflichen Habitus an. Die Deutschlehrerin am Gymnasium fühlt sich nicht selten vor allem als „Germanistin", und auch dies erkennt man hier und da am Gestus ihres Auftretens. Der *zweite Aspekt* konventionellen Berufsverständnisses ist beinahe noch wichtiger: Die schulische Wirklichkeit wird als *Kontinuum* gedacht, mit dem man vertraut werden muss und selbstverständlich vertraut werden kann. Deshalb sind die klassischen Didaktiken so konstruiert, dass sie zwischen zwei vorgeblich feststehenden Bereichen zu vermitteln versuchen, dem Fach oder „der Sache" auf der einen Seite und der pädagogischen Situation auf der anderen. Dabei wird allerlei psychologisches „Halbwissen" eingesetzt, um den Vermittlungsprozess möglichst reibungslos zu arrangieren.

Gewöhnlich funktioniert dieses Modell ja auch einigermaßen gut – jedenfalls in den isolierten und ganz unrealistischen Situationen aufwendig vorbereiteter Lehrproben. Deren „Zeit-Ökonomie" bricht allerdings spätestens zusammen, wenn der „Ernst des Lebens" beginnt. Und darauf sind junge Pädagogen selten vorbereitet. In der Praxis üben sie dann ganz individuelle berufliche Überlebensstrategien ein, manche mit erstaunlicher Virtuosität (das sind dann die sogenannten „geborenen" Pädagogen), manche allerdings mit der dramatischen Konsequenz zunehmender Misserfolge.

Meine vergleichsweise radikale These ist: Sie sind professionell einfach miserabel vorbereitet. Sie verfügen eben nicht über das intensiv angeeignete und zumindest ansatzweise verinnerlichte methodische Wissen, das sie für eine langjährige Karriere als Lehrerinnen und Lehrer, aber ganz ebenso auch als Erwachsenenbildner dringend brauchen. Sie sitzen einer Fehlinformation ihrer Ausbildung auf, die der Kybernetiker und Konstruktivist Heinz von Foerster (1998, 65ff) eine *„Trivialisierung" der Schüler* genannt hat. Man könnte dieses Urteil problemlos ausweiten: Sie sitzen auch einer Trivialisierung der Schule auf, einer prinzipiellen Trivialisierung des pädagogischen Feldes.

Was ist damit gemeint? Von Foerster gibt Beispiele. Er berichtet von seinem alten Geschichtslehrer, der auf die Frage „Was waren die Griechen für ein Volk?"

immer nur die eine Antwort zuließ: „Herr Lehrer, die Griechen waren ein heiteres Volk." Oder jener Grundschüler, der auf die Frage der Lehrerin, wieviel 2 x 3 sei, geantwortet hatte: 3 x 2, und dafür nachsitzen musste, weil er die Standardantwort „6" eben verweigert hatte (vgl. 1998, 66). Der Junge hatte aber seine Antwort ganz ernst gemeint und von Foerster später die Richtigkeit sogar nachweisen können. Er hatte, wenn man so will, das kommutative Gesetz der Multiplikation bewiesen: A x B gleich B x A.

Gewiss mögen dies extreme Beispiele sein. Aber funktionieren nicht beträchtliche Teile des Unterrichts genau nach diesem Muster? Ein festgefügter Wissenskanon wird sozusagen „1 zu 1" vermittelt, und der Schüler wird unreflektiert wie eine „triviale Maschine" betrachtet, bei der ein kalkulierter Input den erwartbaren Output produziert? – Natürlich fühlt sich hier zunächst niemand angesprochen. Aber die Tücke auch der sanfteren Varianten einer solchen Trivialisierung liegt gerade darin, dass der konventionelle Pädagoge eben „weiß" oder doch zu wissen vorgibt, worum es geht, und dass er außerdem „weiß" oder eben zu wissen vorgibt, wie das, was er lehrt, bei seinen SchülerInnen ankommt. Und genau diese Haltung ist fragwürdig. Sie bezieht sich aber keineswegs nur auf die Unterrichtssituation, sondern auf die gesamte Einstellung zum pädagogischen Feld.

Ich möchte im folgenden eine alternative professionelle Disposition beschreiben und begründen, die ich die „ethnographische" nenne. Und ich will außerdem diejenigen methodischen Zugänge wenigstens knapp skizzieren, die wir zur Anwendung jener Haltung dringend brauchen. Dabei lege ich keinen Wert auf Vollständigkeit, sondern zunächst vor allem auf *Verständlichkeit*.

Die „ethnographische Haltung" als pädagogische Schlüsselqualifikation

Wenn die Trivialisierung des Schülers, die Trivialisierung der Schule, ja die Trivialisierung des gesamten pädagogischen Feldes vermieden werden soll, was wäre dann die Alternative? Betrachten wir zunächst die Problementwicklung in schulischen und außerschulischen Feldern der pädagogischen Intervention, so lassen sich zumindest zwei Entwicklungsmuster hervorheben, die prinzipiell neue Anforderungen an professionelles pädagogisches Handeln stellen:
- „Phänomene der Rätselhaftigkeit und Verschlossenheit der Lebensrealität", wie Fritz Schütze dies formuliert (1994, 193), haben auch im pädagogischen Handlungskontext drastisch zugenommen. In vielen großstädtischen Grund- und Hauptschulen beträgt der Anteil der SchülerInnen aus anderen Kulturen mehr als 50%. Nicht selten werden auf dem Schulhof mehr als zehn verschiedene Sprachen gesprochen. Dass diese Tatsache auf das Unterrichtsgeschehen unmittelbaren Einfluss nimmt, kann problemlos unterstellt werden. Aber auch in der außerschulischen pädagogischen Arbeit, z.B. im Sozialwesen, ist die Vielfalt der Problemlagen ein Faktum. Wir können längst nicht mehr voraussetzen, dass ein konventionell aus

gebildeter Sozialarbeiter/Sozialpädagoge sich umstandslos z.B. in die Situation eines alkoholabhängigen Langzeitarbeitslosen oder in die Gefühlswelt einer verarmten und vereinsamten Rentnerin versetzen kann. Menschen in solchen Lebenslagen, die von ihrer sozialen Umwelt nicht mehr als funktionierende Mitglieder akzeptiert und behandelt werden, bilden oft sehr eigensinnige und hermetische Lebensperspektiven, gelegentlich (wie bei den Obdachlosen und Nichtsesshaften) sogar eigene Subkulturen und Lebenswelten aus. Solche Prozesse sind mit den angestammten Methoden pädagogischer Intervention offensichtlich nicht mehr aufzufangen.

- Aber auch die Situation des „pädagogischen Anderen" in seiner konkreten Individualität ist komplexer geworden. Oft sind sich die Betroffenen ihrer eigenen Schwierigkeiten selbst nicht bewusst. Das gilt für den notorisch störenden und prügelnden Schüler so gut wie für die Immigrantin aus Russland, die die Verlaufskurve ihrer Migration nicht durchschauen kann und deshalb auch kein autonomes Handlungspotenzial zu ihrer Bearbeitung und Bewältigung entwickelt.

Die ausufernde „Pluralisierung von Lebenslagen" und die parallele „Individualisierung von Handlungsalternativen" führen in ein soziales Universum schwer zu durchdringender Probleme, dem Pädagogen – Lehrerinnen oder Weiterbildner – eben nicht mit routinemäßigen Bearbeitungstechniken, sondern nur mit einer neuen, durchaus wissenschaftlich fundierten Haltung und Sichtweise begegnen können: *der ethnographischen Einstellung*. Diese Einstellung ist keine Methode im üblichen Sinn, auch keine Theorie, obgleich sie auf theoretisches Vorwissen und methodische Kenntnisse angewiesen ist. Sie lässt sich am ehesten als „grundlegende Erkenntnishaltung" beschreiben (Schütze 1994, 263), als eine Disposition zur Welt, die das pädagogisch begegnende „Andere" als *Fremdes* akzeptiert. Zweifellos geht es um das Verstehen der Fremdheit, aber nicht notwendigerweise um die Überführung des Fremden in Vertrautes.

Eine solche Haltung setzt nicht nur zivile Empathiebereitschaft voraus, sondern auch professionelle Skills, also einübbare Fähigkeiten in den Umgang mit der professionellen Realität. Dabei geht es sowohl um eine Reihe methodischer Fertigkeiten im streng wissenschaftlichen Sinn wie auch um professionelle „Abkürzungspraktiken", die im beruflichen Alltag eine zentrale Rolle spielen. Die organisierende „Schlüsselqualifikation" bleibt allerdings jene ethnographische Einstellung, die Grundfähigkeit also, pädagogische Situationen, pädagogische Felder, pädagogische Zielgruppen zunächst in ihrer *Fremdheit* anzunehmen.

Dann wird eine Schulsituation plötzlich „nichttrivial" und nicht einfach die assoziative Erinnerung an die eigene Schulzeit. Dann werden Aspekte des pädagogischen Feldes zu wichtigen Aufmerksamkeitsmarkierern, die zuvor nicht einmal am Rande des Aufmerksamkeitsfeldes standen, und die Vorbereitung einer Unterrichtseinheit gerät zu einem trivialen Nebenprodukt der Ausbildung, das die Prüfungsordnungen unreflektiert vorschreiben.

Allerdings, die ethnographische Einstellung ist keine moralische Disposition, die man gewinnt, weil sie einem sinnvoll erscheint, sondern ein *professioneller Habi-*

tus. Sie muss trainiert, kommuniziert und eingeübt werden. Dazu braucht man ein Methodenrepertoire.

Methoden und „Abkürzungspraktiken" zur Realisierung der ethnographischen Einstellung

Im Folgenden werden methodische Strategien, die für eine ethnographische Pädagogik wesentlich sind, zunächst benannt und knapp beschrieben. Die Beschreibungen beanspruchen natürlich nicht, Einführungen in die Anwendung solcher Methoden zu sein. Beinahe entscheidender sind jedoch die professionellen „Abkürzungspraktiken", die im Anschluss aufgelistet werden.

Bei den methodischen Zugängen lassen sich systematisch drei gegenstandsbezogene Arrangements sinnvoll unterscheiden: (a) Analysen der Ordnungen und des Rahmens pädagogischer Situationen; (b) Analysen wichtiger Interaktionsprozesse in pädagogisch relevanten Situationen und (c) Fallanalysen.

Ordnungen und Rahmungen pädagogischer Situationen. Es ist überflüssig zu betonen, dass jede pädagogische Situation „gerahmt" ist. Der Unterricht z.B. steht in einem schulischen Kontext. Die Schule selbst ist gesellschafts- und bildungspolitisch eingebunden; und konkretes pädagogisches Handeln wird nur verständlich, wenn solche Kontexte analytisch mitgedacht und mitreflektiert werden. In der ethnographischen Beobachtung von „Ordnungen" und „Rahmungen" geht es jedoch um den rekonstruierbaren Einfluss solcher *Frames* auf die konkrete Situation. Dabei werden die sichtbaren räumlichen Ordnungen gelegentlich unterschätzt: die Analyse der Schularchitektur, das räumliche Arrangement eines Klassenzimmers, die ästhetische Ausgestaltung der Gänge – das alles sind wichtige Dokumente schulischer Ordnung, die etwa in *sequenziellen Fotoanalysen* sorgfältig herauspräpariert werden kann.

Aber es gibt auch informelle Ordnungen: der Umgang mit Hierarchien im pädagogischen Prozess z.B., die soziale und interaktive Konstruktion der Geschlechterordnung, der informelle Aufbau von Prestige in einer Gruppe. Zur Beobachtung vergleichbarer Phänomene hat die *Ethnomethodologie* eine Reihe methodischer Zugänge eröffnet (stellvertretend Garfinkel 1967, 1973). Auch Goffmans „Rahmen-Analyse" (Goffman 1980) gibt hier wichtige Anregungen. Solche Phänomene lassen sich durch *teilnehmende Beobachtung*, durch *Gruppendiskussionen* und *sequenzielle Interaktionsanalysen* methodisch kontrollieren. Damit ist bereits der Übergang zum zweiten systematischen Beobachtungsfeld markiert.

Interaktionsprozesse in pädagogisch relevanten Situationen. Wie Akteure in pädagogischen Prozessen miteinander interagieren, wirft nicht allein ein Licht auf die sozialen Ordnungen, die sie dabei herstellen, sondern auch auf die Inhalte und Deutungen, die dabei produziert werden. Hier sind methodisch die *sequenzanalytische Konversations- und Interaktionsanalyse* (Sacks 1989; Kallmeyer / Schütze 1976; Bergmann 1981; Streeck 1983) und die *„dokumentarische Methode"*

(Bohnsack 1999) besonders aussichtsreich. Auch die *symbolisch-interaktionistische Rekonstruktion sozialer Welten* (stellvertretend Strauss 1978, 1982) gehört in diesen Forschungszusammenhang.

Fallanalysen. Von herausragender Bedeutung zum Verstehen von Bildungsprozessen zumal in schwierigen Situationen ist allerdings der dritte systematische Zugang zum pädagogischen Feld: methodisch kontrollierte Fallrekonstruktionen. Dabei haben sich zwei Verfahren während der vergangenen beiden Dekaden als außergewöhnlich fruchtbar erwiesen: die *biographieanalytische Erzählanalyse* auf der Basis narrativer Interviews (stellvertretend Schütze 1983; Alheit 1994) und die „objektive Hermeneutik" mit ihrem besonderen Interesse an der Wirkmächtigkeit widersprüchlicher Einflüsse in frühen sozialisatorischen Interaktionen (stellvertretend Oevermann et al. 1976, 1979).

Diese hier nur knapp resümierten methodischen Zugänge zum pädagogischen Feld eignen sich hervorragend, gerade zunächst *nicht* sichtbare Hintergrundstrukturen aufzudecken und „das Fremde" in vorgeblich trivialen und vertrauten Situationen ernst zu nehmen. Allerdings wäre dieses umfangreiche Methodenarsenal an ethnographischen Zugängen, das durch ethnologische Forschungspraktiken zudem noch ergänzt werden könnte (vgl. Schütze 1994, 228f), wirkungslos, wenn es nur zu interessanten Forschungsprojekten führen würde. Viel entscheidender ist, dass diese Methoden auch das praktische pädagogische Handeln beeinflussen und befruchten können, also zu professionellen „Abkürzungspraktiken" führen (vgl. ausführlicher Schütze 1994, 285ff), die in konkreten pädagogischen Situationen – gleichsam selbstverständlich – angewendet werden. Dazu gehören

- die Bereitschaft, alles Vorwissen und jegliche Vorannahmen in neuen pädagogischen (Problem)Situationen zunächst einmal „einzuklammern" und mit großer Aufmerksamkeit auf „das Fremde" zu achten;
- die „persönliche Inaugenscheinnahme" (Schütze) von Lebensmilieus jenseits der pädagogischen Situation durch teilnehmende Beobachtung, z.B. die persönliche Kenntnisnahme des Lebensumfelds und der Familiensituation eines „schwierigen Schülers";
- die Wahrnehmung und einfühlende Rekonstruktion der Sichtweise und Situationsdefinition von SchülerInnen oder KlientInnen, d.h. die Bereitschaft, ein Problem auch „mit den Augen des anderen" zu sehen;
- der systematische Vergleich verschiedener Wahrnehmungsperspektiven und der Versuch, die Unterschiede zu verstehen;
- ein intensives biographisches Interesse an den Betroffenen und die Bereitschaft, sich auf thematisch offene Gespräche ohne Zeitdruck einzulassen;
- eine freischwebende und „sequenzanalytisch" orientierte Aufmerksamkeit beim Zuhören, d.h. eine sorgfältige und zuwendende Beobachtung der Art, *wie* Betroffene ihre Situation rekonstruieren, und die Geduld, erst im Anschluss durch Nachfragen einzugreifen;
- die sorgfältige und selbstkritische schriftliche Fixierung der Erkundungsergebnisse, eine Aktivität, die für die Problembewältigung, aber auch für den eigenen Lernprozess von großer Bedeutung sein kann;

- eine gewisse Skepsis gegenüber der Vorbeurteilung durch Experten (etwa in verfügbaren Aktenlagen);
- „das methodische Ausgehen von der prinzipiellen Fremdheit, von der soziokulturellen und biographischen Besonderheit und von der Eigenlogik der Lebenssphäre der betroffenen Klienten und der sozialen Prozesse und Problemkonstellationen, in die diese verwickelt sind" (Schütze 1994, 286);
- schließlich die ethnographische Neugier dem gesamten Feld gegenüber, eine habitualisierte „Forschungshaltung", die den Menschen im Feld ihren Eigensinn und ihre Autonomie zubilligt.

Eine derartige professionelle Einstellung ermöglicht eine forschende Weiterqualifizierung durch den „pädagogischen Alltag", also durch die berufliche Praxis selbst, und zwar während des gesamten Berufslebens. Sie verhindert die dramatische Erfahrung des „Veraltens" und „Austrocknens" beruflicher Fähigkeiten und Fertigkeiten.

Der Sinn dieser anderen „Reise"

Es ist zweifellos faszinierend, sich durch Reisen Neues zu erschließen. Bildung bedeutet Offensein für dieses Andere. Aber es erscheint ebenso herausfordernd, das Andere im Eigenen zu entdecken – übrigens auch bei sich selbst. „Die Befremdung der eigenen Kultur" (Amann/Hirschauer 1997) ist eine methodische Haltung, die der modernen Erziehungswissenschaft nützt, die eine Achtung vor dem Fremden wachsen lässt und eine *Kultur der Anerkennung* (vgl. Honneth/Fraser 2003) schafft. Die Idee einer „ethnographischen Pädagogik" verfolgt diese Inversion der Reisemetapher, aber ihr Ziel ist gerade nicht die pädagogische Idylle, sondern die weltoffene, zivile Bürgergesellschaft.

Anmerkungen

[1] Ich schätze die Faszination für die immer wieder unternommenen Bildungsreisen meines Kollegen Werner Lenz, dem ich freundschaftlich verbunden bin und dem dieser Essay gewidmet ist, über die Maßen. Gerade darum schlage ich hier aber einen für Pädagogen eher ungewohnten Weg vor: die kritische Reise ins vorgeblich „Vertraute".

Literatur

Alheit, Peter, 1994, Das narrative Interview. Eine Einführung (Reprint), (Voksenpaedagogisk Teoriudvikling. Arbeidstekster, nr.11), Roskilde

Amann, Klaus, und Stefan Hirschauer (Hg.), 1997, Die Befremdung der eigenen Kultur, Frankfurt am Main

Bergmann, Joachim, 1981, Ethnomethodologische Konversationsanalyse. In: P. Schröder und H. Steger (Hg.), Dialogforschung. Jahrbuch 1980 des Instituts für deutsche Sprache, Düsseldorf, 9ff

Bohnsack, Ralf, 1999, Rekonstruktive Sozialforschung. Einführung in Methodologie und Praxis qualitativer Forschung, 3. Aufl., Opladen

Foerster, Heinz von (und Bernhard Pörksen), 1998, Wahrheit ist die Erfindung eines Lügners. Gespräche für Skeptiker, 2. Aufl., Heidelberg

Garfinkel, Harold, 1967, Studies in Ethnomethodology, Englewood Cliffs

Garfinkel, Harold, 1973, Das Alltagswissen über soziale und innerhalb sozialer Strukturen. In: Arbeitsgruppe Bielefelder Soziologen (Hg.), Alltagswissen, Interaktion und soziale Wirklichkeit, Bd. 1, Reinbek, 189ff

Goffman, Erving, 1980, Rahmen-Analyse. Ein Versuch über die Organisation von Alltagserfahrungen, Frankfurt am Main

Honneth, Axel, und Nancy Fraser, 2003, Umverteilung oder Anerkennung. Eine politisch-philosophische Kontroverse, Frankfurt am Main

Kallmeyer, Werner/Schütze, Fritz, 1976, Konversationsanalyse. In: Studium Linguistik 1, 1ff

Oevermann, Ulrich et al., 1976, Beobachtungen zur Struktur sozialisatorischer Interaktion. Theoretische und methodische Fragen der Sozialisationsforschung. In: M. Auwärter et al. (Hg.), Kommunikation, Interaktion, Identität, Frankfurt am Main, 371ff

Oevermann, Ulrich et al., 1979, Die Methodologie der objektiven Hermeneutik und ihre allgemeine forschungslogische Bedeutung in den Sozialwissenschaften. In: Hans-Georg Soeffner (Hg.), Interpretative Verfahren in den Sozialwissenschaften, Stuttgart, 352ff

Sacks, Harvey, 1989, Lectures 1964-1965. In: Human Studies 12, 1ff

Schütze, Fritz, 1983, Biographieforschung und narratives Interview. In: Neue Praxis, H. 3, 283ff

Schütze, Fritz, 1994, Ethnografie und sozialwissenschaftliche Methode der Feldforschung. Eine mögliche Orientierung in der Ausbildung und Praxis der Sozialen Arbeit. In: Norbert Groddeck und Michael Schumann (Hg.), Modernisierung Sozialer Arbeit durch Methodenentwicklung und -reflexio, Freiburg: Lambertus, 189-297

Strauss, Anselm L., 1978, Social World Perspective. In: Norman K. Denzin (Hg.), Studies in Symbolic Interaction, Vol. 1, Grennwich, Conn., 119ff

Strauss, Anselm L., 1982, Social Worlds and Legitimation Processes. In: Norman K. Denzin (Hg.), Studies in Symbolic Interaction, Vol. 4, Grennwich, Conn., 171ff

Streeck, Jochen, 1983, Konversationsanalyse – Ein Reparaturversuch. In: Zeitschrift für Sprachwissenschaft 1, 72ff

Arno Bammé

The Science Debate
From "Finalization" to "Mode 2 Knowledge Production"

Prologue: an overview

There can be no doubt that contemporary science is in a crisis, that "academic science is under attack" (Ziman). The roots of the crisis are both external (sociohistorical) and internal (a product of the history of dogma) and it manifests itself in a variety of ways.

First, there is the attempt by numerous commentators to trace what are thought to be developmental trends and to define the transitions – from academic to postacademic (Ziman), from normal to postnormal (Funtowicz and Ravetz) and from Mode 1 to Mode 2 science (Gibbons et al., Nowotny et al.). The expansion of new forms of knowledge production outside academia is putting traditional academic science under pressure. The negative consequences of this competition and the excesses to which it is giving rise can no longer be ignored. "Originality at all costs" (Lyotard) manifests itself not only in "fashionable nonsense" (Sokal and Bricmont, Laermann, Henscheid), but even in deception and fraud (Broade and Wade, Finetti and Himmelrath). In the established disciplines, self-doubt is on the increase (Fritz-Vannahme, Seiler, Jung). The analysis of deception and fraud has been elevated to the status of a methodological principle – that principle by which the pathological extremes are used to draw conclusions regarding the "normal" pathology of the day-to-day business of academia. Sokal interprets this as evidence of the traditional scientific community's increasing inability or unwillingness to differentiate between sense and nonsense. Campus novels that make a laughing-stock of those who inhabit the ivory tower are very popular (Lodge, Schwanitz).

At the same time, however, the scientific community itself is busy helping to destroy its own reputation. Analyses by both historians (Hanson, Kuhn, Feyerabend) and sociologists (Knorr-Cetina, Latour and Woolgar, Collins and Pinch) show that science these days has less to do with the self-image it likes to cultivate than at any other time in history. It has become a myth. Both the external and internal influences have culminated in an epistemological relativism (Bloor, Barnes, Latour) that no longer distinguishes between the cognitive status of scientific knowledge and that of everyday knowledge. The way out of this crisis is perceived to reside in new forms of knowledge production going beyond those of established academic science (Funtowicz and Ravetz, Etzkowitz, Gibbons et al., Nowotny et al., Ziman). The "parliament of things" (Latour), "hybrid fora" (Gibbons et al.) and "agora" (Nowotny et al.) have all been posited as social locations for the production of "socially robust knowledge." The distinction between science as a subsystem of society and society as a whole, or so it would appear, is becoming blurred.

The status quo

The debate on what constitutes "good science" has become increasingly focused during the past few years. Having at times come dangerously close to the limits of political correctness, it finally culminated in the so-called "science war" – with plenty of invective on both sides. What is at issue, at least in superficial terms, are traditional conflicts such as that of the natural sciences versus the humanities, realism versus relativism, applied science versus theoretical science, the Anglo-American versus the French academic culture, science versus obscurantism etc.. As legitimate as such attributions may be, they are not in fact the core issue. Given the sheer breadth of topics covered by past debates, it is necessary to differentiate between two overlapping and mutually influential analytical levels. First, a distinction must be made on the one hand between the scientifically immanent causes of the discourse and the external causes on the other. While a paradigm shift may be a critical reaction to an existing theory and hence part of an inner-academic conflict, it may also have its origins outside the academic system – when conventional theoretical settings no longer provide a satisfactory explanation for real developments in society, for example. At the same time, however, it is necessary to decide whether the discourse analysed still belongs to the realm of traditional academic science at all, ie. whether it is subject to the rules and conditions that apply to academic science or has already departed from the same and is bound only by the norms of postacademic science, which are based on completely different quality criteria.

It was towards the end of the 1950s, just as the period of economic reconstruction was drawing to a close, that apparent discrepancies between the developmental dynamism of society and the traditional academic system first entered the public consciousness. The so-called "Sputnik shock" and "education disaster" were among the most important buzzwords of those years. In "The Two Cultures", published in 1956, C.P. Snow became one of the first to warn of the dangers that any further dichotomization of the sciences and humanities might have for social progress. In a book concerned with traditional academic science published just a short time later, de Solla Price wrote that "the emergence of new phenomena in the grey area between science and society is indicative of a development that is radically different from the characteristic growth there has been throughout history." By calling the science of this approaching period "new science", he distinguishes it from the "big science" of the past, which was historically at an end. That traditional science as we know it has entered a phase of "stable saturation" means "that we are now at the beginning of new and exciting scientific methods that will involve working according to completely new principles" (p. 42). Just as society is opening up to science, so science must open up to the democratic checks and balances of society. Nor is the outcome of this process by any means a foregone conclusion: "The scientific adulthood we are now fast approaching will either govern our civilization or destroy it, will either make us more mature – or annihilate us. Until then, we will have to fight for a general understanding of how science is growing. What we must aspire to is the assumption of extensive powers by responsible scientists who are subject to democratic controls and who know, better than any other people at any other time in history, how to keep their house in order" (p. 127).

Yet it was not the problems of postacademic science predicted by de Solla Price that became the focus of inner-academic discourse, but rather, coming in the wake of the post-Popper debate, the question of how to define what it is that makes science, science and how it differs from other forms of discourse. Whereas Hanson and Kuhn discussed society's impact not only on the institutional integration and organizational structure of science, but also on its epistemological principles, their analyses did not venture beyond the context of traditional academic science. It was left to Feyerabend to radicalize the discourse by stripping cognitive rationality of its privileged epistemological status as the putative basis of academic science. In doing so, he placed science on exactly the same footing as obscurantism. And it is here, in my view, that we should pause to take stock and draw our first dividing line on the way to postacademic science. Feyerabend's reservations and objections are legitimate to the extent that he and Kuhn have been able to prove in various historical studies that the image that science has of itself and seeks to project to the public at large does not match the reality of how it actually proceeds. That myth has therefore been destroyed. The seemingly outrageous idea of denying science its privileged status as society's primary source of knowledge can also be justified on the grounds that (post)modern society, at least in terms of how it communicates and interacts, itself demonstrates precisely those cognitive structures that closely resemble those typical of scientific interaction. In other words, the dividing line between the scientific and non-scientific worlds is becoming blurred. What cannot be accepted, however, is Feyerabend's epistemological equation of science and obscurantism. While Indian rain dances and meteorological weather forecasts may fulfil comparable social functions in those societies in which they originate, their cognitive status is completely different and in no way comparable. Of course it would be naïve to believe there were some general, non-contextual rules permitting the verification or falsification of a given theory. On this point, we can indeed concur with Feyerabend. Yet such a distinction can be made at every point in history and were this not the case, the substantiation of theories would not be bound by any rational considerations whatsoever. Here, or so it seems to me, Feyerabend is throwing out the baby with the bathwater.

Finalization. The 1970s debate

The first serious attempt to account for the ever greater importance of postacademic (natural) science – with an explanation that anticipated the 1990s debate – was that undertaken in the 1970s by Böhme et al. and Weingart. The social sciences' shift towards behavioural research and interpretative paradigms began at about the same time. Böhme et al. discuss the phenomenon using the concept of "finalization", meaning that only when the fundamental theoretical and methodological problems of a given discipline are deemed to have been solved is the development of new theories guided by external objectives. Weingart, meanwhile, posits what he calls the "reflectivization of social practice", by which he means that in terms of its everyday behaviour, society is becoming increasingly reliant on epistemological and problem-solving strategies, the function of which is closely analogous to that of rational behaviour in science. In both cases, the distinction between the social subsystem "science" and society as a whole is beginning to become blurred. What is decisive, including with a view to the debate that was to follow in the 1990s, is the way in which this development affects science's epistemological status. While the practical impact of science on the one hand casts doubt on its claim to universal validity and hence on a fundamental aspect of science's self-image, there is, on the other, an ever greater tendency to accept a knowledge of functional correlations as a legitimate objective of scientific activity. The point is no longer the cognitive reproduction of a given field as a means of understanding it, but rather its manipulation and control, by behavioural modification, crisis management and the like. Böhme et al. use a much cited example to explain the epistemological difference between traditional academic and postacademic science. Traditional (natural) science's claim to universality is based on the infinite replicability of scientific experiments. It is these experiments that secure its claim to truth. What these experiments systematically ignore, however, are the changes the *acquisition* of experience brings about in the very field under scrutiny. Postacademic science, on the other hand, exposes the limits of this traditional claim by conducting its "experiments" in the field of experience itself, ie. in *reality*. It knows that it is not only *acquiring*, but also *generating* experience. As already mentioned, Böhme et al. cite an example to illustrate the degeneralization of scientific knowledge: "The veracity of the assertion that the chemical substance DDT is an insecticide is proven by replicable experiment. Indeed, this experiment has been replicated millions of times – not in the lab, of course, but in the application of DDT in practice. Yet it is precisely this replication that renders the assertion that DDT is an insecticide untrue, for it is replication that leads to the selection of resistant species of insect" (Böhme et al., 1973, p. 141 f). But how can the replicability of an experiment be said to prove the truth of a scientific assertion, ask Böhme et al., if the very act of replication renders it untrue? In other words, in terms of both detail and scope, the generalized assertion that DDT is an insecticide is not in fact "objective" (and hence valid) at all, but rather is determined by the scope of the theory underlying it. What this means is that the causal explanation provided explains not so much the reality as an idealized correlation obtained by isolating abstraction.

The range of relevance within which scientific assertions are valid is shifting away from the subsystem "science" and into society as a whole. The interpenetration of science and society – the scientization of society and societalization of science – is changing the epistemological status of scientific assertions. While on the one hand they are acquiring a hands-on immediacy, their claim to universality is at the same time being relativized. This, however, is opening up new scope for creativity in the sciences. What we are witnessing now is the emergence not only of "hybrid communities" outside the traditional scientific community, but also of so-called secondary sciences oriented to specific social problems. Science these days has to be more firmly embedded in the everyday life of society than at any other time in the past. There is no value judgment, either positive or negative, attaching to this insight as yet. All that is happening is that social contradictions, in the causation, consideration and resolution of which science is becoming increasingly involved, are now being elevated to a new and higher stage of their historical development. In a society whose developmental dynamism is determined largely by the profit motive, however, there is a very real danger that this embedding process will be very one-sided.

The *privileged* form of science as a self-contained social subsystem that has existed up until now is unlikely to survive. The science of the future will be open to external objectives as well. It will become an integral part of the everyday life of society – at least to the extent that society itself becomes scientized (Robbins-Roth, 1998). The distinguishing feature of traditional science is the way in which, by a process of abstraction from reality, it arrives at spatially and temporally independent generalizations – at universal assertions. Finalization will cause this reductionist obsession to lose much of its significance. Which in turn means that the traditional, academic form of science, as is (still) practiced at our universities, will disappear. It will at best become marginalized and measured in terms of absolute dimensions, it may even expand. For even postacademic science needs highly qualified experts. Universities will undoubtedly have to rethink their curricula. Their graduates will have to become more communicative, not only beyond the limits of their own discipline, but also beyond the limits of the ivory tower itself. Basic training, on the other hand, will probably remain confined to a specific discipline, as it is the disciplines that promote the principles of scientific procedure. They literally discipline. In future, too, the aim will be not so much to turn out all-rounders who, when it comes down to it, cannot do anything at all properly, but rather to educate people with specific competences who, working as part of an interdisciplinary project group, for example, are on the one hand able to explain their point of view to the other members of the group in a way that is both objective and comprehensible and, on the other, are able to understand and engage constructively with the views of the others in the group. What is needed, therefore, is not a physicist who dabbles in sociology (which is torture for every sociologist) or *vice versa*, but rather a physicist who can explain his view of things to a sociologist in a way that the sociologist can understand and use in her work – and, of course, *vice versa* (cf. Ziman, 1987).

Postmodern knowledge. The 1980s debate

What is extraordinary is that six years later, a completely different theoretical tradition and discursive context produced a similar prediction, albeit worded much more radically and using much more strident diction. One reason this prediction is so remarkable is that while the author explicitly refers to what he calls the "western sociology of science", he also admits to having "little information on the German sociology of science" (1986, p. 32). The talk is of Jean-François Lyotard's "The Postmodern Condition – A Report on Knowledge", written in 1979 for the University Board of the government of Québec. According to Lyotard, the era of the grand narratives, whether speculative, or emancipatory, has come to an end. He postulates an unbridgeable difference between narrative (everyday or common) knowledge and scientific knowledge. While the "prescriptive" assertions of the former give it a practical value, he argues, the "denotative" assertions of the latter mean that its value is above all cognitive. The difference is relevant because there are basically two different ways of legitimating the validity of knowledge, depending on whether the subject is apprehended as a "hero of knowledge" according to the "criterion of truth" or as a "hero of freedom" or volition, meaning as one who determines ethical, social and political practice, who has duties and has to make decisions. For him, scientific knowledge is just one discursive form among many and has two areas of activity: the *production* of knowledge (research) and the *communication* of knowledge (teaching). Lyotard borrows Wittgenstein's definition of these two forms of knowledge as language games characterized by heterogeneity and incommensurability. Scientific "texts" follow different rules from narrative "texts". It was characteristic of postmodernism that language games are not – or rather are no longer – bound to consensus, but instead promote dissent. To speak therefore means to fight, in the sense that all games involve fighting. The aim is to confuse the "opponent", to make unexpected moves (assertions) and generate chaos by changing the rules. Only in this way can anything "new" emerge. What Lyotard is criticizing is the rigidity of both structural functionalism and Marxism. In his view, knowledge and the world are no longer at one. That certainty can only ever be local and temporary makes the "small narratives" all the more important. In this state of transition, the basis upon which scientific knowledge is legitimated is shifting from the "denotative" criterion (true/false) to the "performative" criterion (effective/ineffective). It is coming to be "governed by the rules of a different language game, in which what is staked is not truth, but rather performativity, meaning a better ratio of input to output." This does not mean the end of science altogether – on the contrary – but it does mean the end of the "era of the professor". That traditional academic science is no longer in tune with contemporary circumstances is a result not only of the ever greater influence of other language games, but also of changes in the scientific worldview itself. While Böhme et al. like to view the principle of causality as constricted by the context in which it is formulated, Lyotard pursues a completely different line of argument by alluding to the limits of predictability in science in general and in nuclear and quantum physics in particular. As the laws of nature determining the principle of causality are defined by science as the empirically proven regularity of all that happens, as confirmed by replication and experience, watertight causality, for the purposes of common language usage in physics, is the same as watertight *determinism* or predictability. The question of whether and to what extent the principle of causality is valid at all can therefore be worded as follows: Is it possible to formulate laws for *all* physical processes in such a way that once the starting conditions of a given process are known, reliable – meaning repeatedly confirmed – predictions are possible? Given what we know today, this question must be answered in the negative (*interdeterminism*). All that there are, or so Lyotard concludes, are "islands of determinism". Which is why for him, *post*modern science, meaning the science of the future, cannot be legitimated by "performance", ie. by efficiency, even if only for epistemological reasons. Postmodern science may function according to performative criteria, but it cannot be legitimated by them – at least not in the traditional academic sense. As an alternative to performance as a technocratic legitimation model, Lyotard posits the postmodernist legitimation model of "paralogy". With this model, he tries to take account of the singularity of scientific pragmatism, meaning its inherent contradictoriness and procedural dynamism. Scientific knowledge is no longer "stable", but rather has a tendency to dissolve in dissent. Certainty these days can only ever be "local" and "temporary".

As far as "new forms of knowledge generation" are concerned, both the "finalization concept" and the "paralogy model" agree in their central diagnoses. And without doing them too much violence, they are also compatible with the process that Weingart describes as the "reflectivization of social practice". The differences are more readily explained by reference to the different theoretical traditions in which these three approaches are rooted. For the purposes of the history of theory, Lyotard's postmodernist "scepticism regarding metanarratives" can doubtless be explained as an immanent reaction to French structuralism and to an excessively rigid Marxism, such as that of Foucault. That he should be ringing the death-knell of the classical intellectual and the era of the professor with such vigour is all the more charming and ironic when viewed against the backdrop of French academic culture, which has been shaped largely by the so-called "mandarins of Paris". Although the pressure being put on the sciences to open their doors to external objectives comes from outside the system, the starting point for Lyotard's line of argument, unlike that of Weingart and Böhme et al., is the inner-academic, or *epistemological* level. In his attempt to legitimate postmodern science on "paralogical" grounds, he cites examples from quantum physics, fractal geometry and chaos theory. The necessity of this is not readily apparent. Lyotard's line of argument would not lose any of its incisiveness, had he chosen to dispense with this evidence altogether, especially as it was only a matter of time before it came under attack. The doubts concerning the evidence were based on the way in which Lyotard, venturing beyond the limits of his own field, had used his models inadequately, having first removed them from their scientific context (Sokal and Bricmont, 2001, p. 155-168). Nor is reference to Wittgenstein's theory of language indispensable to a discussion of the status of postacademic science. On the contrary, it actually exacerbates the risk of reducing science to its purely textual dimension. Yet scientific theories are not novels. And this is especially true of the so-called technosciences, as Lyotard, of all people, well knows. His postmodernist successors, however, appear to have lost sight of the *differentia specifica* that science, and *technoscience* in particular, is dependent both on language and on experience. Even Luhmann, in a similar situation, admitted that today's technology is more than just applied science, that technological problems cannot be solved by "reading" alone, but rather rely on the setting up and trying out of precisely those systems that are being posited (1997, p. 408). When Lyotard describes science as a denotative language game, then what he means ideally (and can only mean) is traditional academic science. Traditional academic science, however, never lived up to this ideal – at least not as a whole and these days, to an ever lesser extent. The transition to postacademic science with all its prescriptions and performances is gradual – and not just in terms of temporality. What reducing science to the dimension of a denotative language game really amounts to, if we follow its own romanticizing self-image, is an attribution that at best holds true for just a few marginal fields of philosophy and epistemological theory. In such a self-image, one that apprehends itself primarily as a theory of knowledge, the theoretical model and the reality are deemed to concur inasmuch as the model is increasingly adapted to fit the reality. In reality, however, the approximation of theory and reality, even in traditional academic science, takes place indirectly, through technology and from both sides at once. Instead of the model being adapted to the reality, the reality that would fit the model is produced, at first by experimentation and on a small scale. Plane surfaces on which balls can roll around, for example, exist only if people produce them. Only if such an artificial reality has been created, usually at great expense, can the movements calculated in the model be observed. Theories and models that come into being in this way do not tell us anything about the "nature" of nature, although they do tell us something about the possibility of recreating reality. In this respect, meaning in the creation of new realities using technology as a medium, the classical natural sciences have been highly successful. And it is this characteristic that thwarts any attempt to reduce them to the dimension of a denotative language game. If an experiment succeeds on a small scale, then it can be realized on a large scale too – meaning as technology in society. Right now, traditional academic science is beginning to mutate into its postacademic pendant. And that this process can be adequately apprehended using the terminology of language theory, as does Lyotard, is very much open to debate, even if the process underlying this terminology has been identified correctly.

Science wars

As a counterstrategy to the "positivism of efficiency" and excessive "performativity", Lyotard recommended the invention of new "moves" and new "rules" as a means of generating creative confusion, promoting dissent, producing something "new" and generally creating chaos. The protagonists of postmodernist thought, or so it seems to me, took this understandable reaction to the rigidity of the "grand narratives" very literally. What is remarkable about the countless "small narratives" that – originality at all costs – followed, is the impossibility of establishing any clear link between the form of presentation and the content to be presented. To avoid any misunderstanding, let me make it quite clear that I, too, share the view that a given content can be presented in a variety of ways and in various types of text. The relationship between the form chosen and the content thus presented, however, should be both recognizable and comprehensible. Many postmodernist thinkers came to pay less and less attention to the quality of engagement that is the salient characteristic of scientific assertions and frequently disregarded it altogether. If, however, there is no connection at all between the form of presentation and the content to be presented, then all that is left, or so Sokal concludes, is arbitrariness, ambiguity and, ultimately, nonsense and noise. Sense and nonsense can then no longer be differentiated. It was to prove this that Sokal composed his famous nonsense hoax – a 35-page parody of postmodernist diction (which incidentally comes to 48 pages in German), which was promptly accepted for publication. That was in 1996. Ten years earlier, a professor of German literature, Klaus Laermann, had pulled off a similar feat. Having compiled a list of postmodernist essays, he added a number of absurd titles off the top of his head and then asked his readers to tell the serious essays on the list from those that were obviously nonsense – a task that proved impossible. Venturing dangerously close to the limits of political correctness, Eckhard Henscheid went even further by profiling one of the German-speaking world's chief protagonists of postmodernist thought in *Titanic* – Germany's leading satirical magazine.

As was to be expected, the "Sokal Affair" was interpreted as a "clash of two cultures", as a controversy between the scientific and humanistic traditions – a view that besides being superficial, also remained firmly rooted in traditional academic discourse. In my view, the "Sokal Affair" was a pointer to something much deeper, affecting both the natural sciences and the humanities in equal measure – this being the marginalization from society and increasing irrelevance of traditional academic knowledge production. What we are dealing with here is something that naturally manifests itself in inner-academic discourse, even though its causes are in fact exogenous and to be found instead in the development of society as a whole. The salient characteristic of postacademic research, namely the emergence of so-called secondary sciences (as opposed to the traditional disciplines) and hybrid communities (as opposed to the traditional scientific community), is putting enormous pressure on traditional academic research not only to perform, but also to justify its very existence. What has flared up is not just a battle for resources. The real bone of contention is the epistemological status of what it is that constitutes science. In traditional academic research, this has led to a great flurry of activity, all of which, it has to be said, has remained firmly embedded in standard academic practice, even if it does stretch it to its limits on occasion – when the "publish or perish" imperative, for example, gives rise to increasingly obscurantist nonsense, eccentric mannerisms and even to deception and fraud.

In the humanities, Manfred Seiler has traced this development back to the literary criticism of the 1960s. It was then that deconstructionist *Lesarten-Theorie* emerged as "a kind of sell-out aimed at ensuring the critic's survival". The entire process dubbed itself a "paradigm shift" – a term that literary criticism has insisted on using incorrectly ever since, as Seiler somewhat smugly notes. For unlike the paradigm shift that Kuhn defined and used to describe the theoretical shift taking place from an *historical* rather than a *systematic* point of view, the theoretical shift taking place in German literary criticism was not the result of an *academic* crisis. There had been no revolutionary discoveries necessitating a new theory, nor did the material itself demand such a change of gear. The crisis can rather be said to have been imported into literary criticism from society as a consequence of economic recession. These were the years in which the public's attitude to its educational establishments was for the first time beginning to change. The economic recession was thought to have been caused by an educational deficit, which would have to be corrected if Germany was to remain internationally competitive. There were plans, therefore, not only to enlarge the educational offering already available, but also to throw it open to a much broader cross-section of society. The ratio of research to teaching at Germany's universities was redefined and universities found themselves increasingly under pressure to justify their existence. Every faculty had to prove its potential and research funding, staff and professorships were allocated accordingly. And because, in those days, academic science was still deemed to be a value in its own right that did indeed deliver the innovation and social prosperity it promised, literary criticism also sought to project itself as a science. Methods were developed, but without any clear concept of where these methods should lead. The method itself and even just the claim to have a method became an end in itself and literary criticism's answer to all those awkward questions concerning its scientific value and hence its value to society at large. What did not exist, however, was any binding criterion for deciding which of these methods, all of which claimed to be scientific, was the better one. To prevent this dilemma escalating into a crisis, a deconstructionist metamethod called the *Theorie der Lesarten* was invented and the scientific dilemma posed by the multiplicity of methods recast as a quality of the text itself, which henceforth was invariably "ambiguous". Since the mid-1970s, virtually every text has been "ambiguous". The mere fact that several contradictory and mutually exclusive interpretations of a given text were possible was elevated to the status of a scientific finding and so became a kind of scientific reaction to the fundamental shortcoming of all literary texts, which is that "they simply do not tell us what we want to hear."

This potted history is by and large paraphrased from Seiler. While his focus is on the German-speaking countries, there have of course been comparable developments elsewhere. The satirical novels of David Lodge, for example, teach us a lot about academia in the English-speaking world, as does the case of John Horgan, who responded to deconstructionism by abandoning his study of literature altogether and switching to Mathematics and the natural sciences instead. What is remarkable is that deconstructionism was quickly taken up by the other humanities and went on to gain widespread currency in postmodernist discourse. Only when attempts were made to reinterpret the natural sciences in deconstructionist terms did the first problems and contradictions began to emerge. This was because the natural sciences, or at least the natural sciences as they are understood by scientists themselves, are far more than just a pool of metaphors waiting to be picked apart by postmodernist thinkers. The natural sciences cannot be reduced to the single dimension "text". Theoretical nonchalance is untenable where *decisions* have to be made, the consequences of which are not confined to discretionary language games – such as the question of whether automated machine-tools should use record-playback or NC technology (Noble, 1979). Theories may be falsified or abandoned sooner or later, to cite another example, but aircraft built according to the principles of aerodynamics must be able to fly.

The social sciences have also been guilty of excesses of epistemological relativism comparable to those of the humanities, even if these particular excesses – or at least most of them – have very different roots. In the 1970s, ethnologists and sociologists accustomed to using ethnographical methods, began to examine science in the making in the same way that they examined the everyday lives of other ethnic groups. In doing so, they found that not only are the natural sciences and social sciences much more similar than had previously been assumed, but that even the so-called scientific method itself is just another form, and at the same time an integral part, of social life. The most cogent expression of this was the claim by Collins and Pinch that "as our case studies prove, there is no logic to scientific research. Or rather, if there is such a logic, then it is the logic of everyday life" (1999, p. 174). This went right to the epistemological core of academic science, especially "hard science" – and not just with regard to its superficial constitution, but with regard to its institutional integration and organizational structure as well. This demystification, this debunking of a myth, as justifiable and long overdue as it was, nevertheless led to a case of overkill – to the baby being thrown out with the bathwater. Ethnologists, anthropologists and sociologists rushed off to what, for them, was the functional equivalent of the place where rain dances and fertility rituals are performed – namely to the lab. Communities of professional scientists provided ersatz tribal structures and scientific knowledge was at times equated with the religion of savages or, more generally, with "folklore". Radical proponents of the *Empirical Programme of Relativism* locked horns with the very scientists they were now working with, even going so far as to challenge the very existence of human perception independent of nature "out there". They, too, were of course nothing other than a social construct. Describing this development, Weingart reports how one enthusiast tried to persuade him "that the Passat winds and Cape of Good Hope were social constructs of Portuguese seafarers" (1984, p. 69). The two things that are obviously being confused here are the cognitive status of a statement on the one hand and the social function that statement fulfils as part of the larger context in which it originated on the other. There can be no doubt that Indian rain dances and meteorological weather forecasts fulfil equivalent functions in their respective social contexts. In terms of their cognitive status, or, if one so prefers, the extent to which their veracity can be empirically proven, however, they are very different indeed.

Sokal and Bricmont also take the view that scientific method does not differ fundamentally from the cognitive rationality of everyday behaviour. They also concur with those ethnologists who argue that there are no general, contextually independent rules making it possible either to verify or falsify a theory or, to put it another way, that the discovery and explanation of a scientific finding are parallel historical developments. Despite this, they insist that just such a distinction can indeed be made at every moment in history and that were this not the case, then the substantiation of theories would not be bound by any rational considerations whatsoever (2001, p. 74, 102). To be able to judge this, however, one first has to be familiar with the theories in question, because what, to an ethnologist, looks like mere power play on the part of competing scientists, may in reality be motivated by completely rational considerations, which can nevertheless be grasped only by those who have a detailed understanding of the scientific theories and experiments themselves (p. 119).

Legitimation problems. Of the precedence of the pathological in epistemological practice

The reactions to Sokal and Bricmont's analyses were interesting. Both complained that their adversaries either did not address the actual issues at all or merely touched on them, preferring instead to launch personal attacks. Bruno Latour, for example, remarked publicly that "stripped of the huge budgets they enjoyed throughout the Cold War, some theoretical physicists are apparently now searching for a new threat that will enable them once again to cast themselves in the role of heroic protector," (1997, p. 15) That the budgets available to academic science have indeed shrunk – in both the humanities and the natural sciences – is certainly true. And competition is becoming tougher too. The pressure on creativity, output and originality is increasing steadily. Both the state and the private sector, or so it appears, are gradually losing interest in the traditional academic system. Unlike in the 1960s, more and more people these days doubt whether the sums invested in classical academic research really do yield greater social prosperity. And to be able to uphold traditional standards, despite the decline in the general conditions, more and more academics – if the current literature is to be believed – are now resorting to deception and fraud. Irrespective of whether this supposition is true or not, there can be no doubt that the so-called muckrakers are expediting the demystification of academia by painting a very unflattering picture of what everyday life in academic research is really like. This is not just denunciation, however, but also – in a sense – enlightenment. Analyses of the kind of deception and fraud that goes on in academia tell us a lot about how science normally functions (Di Trocchio, 1994, p. 189), this being a standard procedure in social science research. One principle of sociopsychological theorizing to have proved its worth in recent years, for example, is the study of those extremes and deviants from the average and the norm which, because they require therapeutic treatment, of necessity come to the public's attention and so provide an insight into the nature of the average too. Much of our knowledge of personality and of the personality structures characteristic of a given society was derived from clinical research. The assumption is always that the so-called clinical cases differ from the so-called normal phenomena only in terms of the extent of the disorder – ie. in quantitative, rather than qualitative terms. Ultimately, or so Broad and Wade argue (1984, p. 8 f.), medicine owes much of the very useful knowledge of normal body functions it has to its examination of their pathological equivalents. Gehlen even went so far as to talk of the "precedence of the pathological in epistemological practice" (1957, p. 85).

It is at this juncture that there is generally some mention of science's capacity for "self-purgation" and of its successful peer review system. That this is a myth is becoming ever more apparent, thanks largely to the countless publications on this subject published in recent years. Not only are the allegedly objective referees themselves all too often part of an old-boy network or citation cartel, but we now know that they also abuse their function – and in a variety of ways. The case of the two cancer researchers, Friedhelm Herrmann and Marion Brach of the Max Planck Institute for Plant Breeding Research in Cologne is a case in point. As anonymous experts evaluating a Dutch application for research funding for the Thyssen Foundation, they turned down the application, but then translated it into German and resubmitted to the same foundation under their own names. This time, the application was approved and funding granted (Finetti and Himmelrath, 1999, p. 48). Increasing commercialization is often blamed for the decline in moral integrity in research. Yet the endogenous competition that gives rise to these pathologies appears to be most intense in the universities. The traditional mechanisms for rewarding academic performance still tend to favour individualism and the job pyramid is so rigid that it is virtually impossible to get ahead except at the expense of one's colleagues. For all these reasons, and because applications for funding are so tedious and time-consuming, more and more scientists are now switching to private research companies or even setting up shop themselves (Fröhlich, 2002). Cases such as that of Hermann and Brach, assuming they are made public at all, inevitably fan the flames of academic science's crisis of legitimacy. Not only is the reputation of academic researchers becoming increasingly tarnished, but their usefulness to society is now being called into question. The peer review system is obviously not – or rather no longer – in a position to guarantee the standards of quality and relevance society expects of its scientists. Instead, it is causing academic science to become increasingly isolated and hence is necessitating ever more external interference on the part of the agencies set up for this purpose. Self-regulation on the basis of the traditional academic ethos appears to be less and less suitable as a means of steering knowledge production. Furthermore, society is now beginning to ask itself to what extent it can still afford to invest in academic science at all (Rössler, 2002, p. 99).

The unmasking of academic fraudsters by so-called muckrakers and whistleblowers at first took place in the privacy of the ivory tower itself, where it was scarcely taken seriously. It was left up to science journalists to interpret what was happening not as pathological isolated cases, but rather as a "normal" side-effect of ever tougher competition. Only the most spectacular cases in which professors were stripped of their teaching rights or doctorates had to be returned ever attracted public attention – and gave the media a field day, of course. Academics' own doubts concerning the point and function of their own discipline rarely got beyond the limits of their own field at first, although once the media got hold of them, soon attracted massive public attention. What is the point of Sociology today? (Fritz-Vannahme, 1996), Why do we need philosophers? (Jung, 1997), Was Freud a fraudster and con-man? (Israël, 1997). It could of course be objected that the disciplines thus incriminated all belong to the humanities. The self-doubt was certainly legitimate, but it came far too late. Besides, the disciplines in question could in any case only be called sciences as a matter of courtesy or because one could get an academic degree in them.

Postacademic science. The 1990s debate

Doubtless every discipline, and not just those in the humanities and social sciences, has been racked by self-doubt at some point in its history. The crucial issue today, however, is something rather different. For what is now up for sale is the epistemological core of what it is that distinguishes academic science in general and the natural sciences in particular which, after all, the humanities and social sciences are constantly trying to emulate. While the field studies of the 1980s opened our eyes to the fact that not even the natural sciences can be said to live up to the image they like to project of themselves (Latour und Woolgar, 1979, Knorr-Cetina, 1984, Collins und Pinch, 1999, 2000), it is not only that self-image, but even the privileged position in society that academic science has hitherto enjoyed that is now under threat from new forms of postacademic knowledge generation. Yet both the demystification of science *and* its becoming obsolete at first were of interest only to scientists themselves and to those politicians who are responsible for science and research. The public at large, meanwhile, got wind of what was going on from a completely different source – namely from the highly popular muckraking novels published in huge numbers by academic insiders. These probably did more towards demystifying and debunking the "science" myth than all the sophisticated analyses on the part of academia itself put together. They are written intelligently and with great panache, they give away all kinds of secrets and make a laughing-stock of their heroes. Ordinary mortals outside the ivory tower have at last discovered that what goes on in universities and research laboratories is no different from what goes on at home or on the factory floor. Rancour, bullying, deception, fraud, love and passion, humour and all the pleasures and troubles that punctuate everyday life, from friendship and success to fear of failure – all these things have turned out to be just as much a part of academic life as they are of every other sphere of life. And the end product, whether a publication or a patent, is produced in much the same way. Of course, this has always been the case to a greater or lesser extent. Except that those outside the ivory tower were not aware of it. And just as the everyday workings of society have become increasingly scientific, so too science has for its part begun to open up to society. The two are inching ever closer together. And this really is new. It is this process of convergence, at least as far as it affects science, that science theoreticians writing in the 1990s, to a large extent ignoring the debate of the 1970s, have called the "second academic revolution" (Etzkowitz 1990), the "emergence of post-normal science" (Funtowicz and Ravetz, 1993), the "transition to postacademic science" (Ziman, 1996) and "knowledge production in mode 2" (Gibbons et al., 1994). Secondary sciences are coming to take the place of the traditional disciplines while hybrid communities are supplementing and in some cases even replacing the traditional scientific community as forums for discussion. This new type of mode 2 knowledge production is likely to replace or perhaps even displace traditional mode 1 university-based research because (1) mode 2 knowledge production is socially distributed over a much wider range of institutions than academia, (2) knowledge resources are continuously combined and recombined, (3) the contextualization, including the marketability, of knowledge will increase, (4) the boundaries between disciplines and across institutions will become blurred, (5) transdisciplinarity will no longer be confined to hot topics, (6) scientific careers will become more precarious and fungible, (7) the importance of hybrid forums, i.e. groups constituted through the interplay of experts and non-experts as social actors in the shaping of knowledge, will increase (Gibbons et al., 1994, p. 156).

While not necessarily advocating such an interpretation, the approach taken by Gibbons et al. has been widely understood to be an ideological legitimation of a neoliberal deregulation of science (Pestre, 2000). While Gibbons et al. do indeed mention marketability and cost efficiency (1994, p. 8), they also describe other criteria aimed at incorporating other social requirements as early as possible in mode 2 knowledge production. These criteria are set out much more clearly in the follow-up work, published in 2001. If the two texts are compared, it becomes clear that while Gibbons et al. (1994, p. 3 ff.) are concerned primarily with "knowledge production in the application context", Nowotny et al. (2001, p. 245 ff.) emphasize the "social transformations" that are co-evolutional with the development of knowledge and technology. While the characteristic features and key terms in the first text were (1) knowledge production in the context of application, (2) transdisciplinarity, (3) heterogeneity and organizational diversity, (4) social accountability and reflexivity, (5) quality control by intellectual, social, economic and political interests, the authors' interest in the second text has shifted to (1) the co-evolution of science and society in a mode 2 direction, (2) contextualization, i.e. the process of transforming science by the people, (3) *agora*, i.e. the public space in which science meets the public and in which public talks back, (4) the production of socially robust knowledge and (5) the construction of narratives of expertise having three characteristics, namely that they are transgressive, told in a collective voice and self-authorizing.

In the first text of 1994, it was the application context that was deemed most important. "Such knowledge is intended to be useful to someone whether in industry or government, or society more generally and this imperative is present from the beginning" (p. 4). The order in which industry, government and society are listed doubtless helped foster the reservations already outlined. In the second text of 2001, the emphasis is on the co-evolution of science and society. Here, it becomes clear that in mode 2 knowledge production, the central issue is no longer traditional application-oriented research for industry, the market or the state, but rather the way in which science, during the past few decades, has opened up to society. The quantitative increase in the number of university graduates and enormous gains technology has made in the everyday life of society have caused the scientific and practical apprehension and handling of problems to become intertwined with the result that these days, the possible consequences of knowledge production have to be justified both much earlier and much more vigorously. The sciences now are therefore much more dependent on social recognition than at any other time in the past. At the same time, the disappearance of traditional stable standards is generating insecurity, which in turn is provoking a much greater demand for scientific expertise (Robbins-Roth, 1998; Power, 1997). These experts are then required to take a stand on issues that frequently go far beyond their own area of competence. Nowotny et al. describe them as "transgressive". The creation of a "socially robust knowledge" therefore requires recourse to other sources of knowledge, in addition to that of the experts. Those places in which the process of knowledge exchange and negotiation takes place, are described by the authors as *agora* – a term borrowed from the Greek *polis*. It is here in these *agora* that those involved in the solving of a given problem encounter those affected by it – and on an equal footing too.

But we are no longer living in the age of a clearly defined Greek *polis*. Which begs the question of the social preconditions for and institutional constitution of the aforementioned *agora*. First, there are certain knowledge preconditions that have to be met before one can take part in the consultations and decisions of the *agora*. The *agora* "consists of a highly articulate, well-educated population, the product of an enlightened educational system. The forces of democratization have stimulated the growth of mass systems of education, at primary or elementary levels in the nineteenth century, at secondary level in the early and mid-twentieth century and at post-secondary and university level since 1945" (2001, p. 204). Second, there must be a readiness to accept the rules governing the workings of the *agora*, just as the members of the scientific community have always had to abide by the rules of science. "When modern science became institutionalized, one of its much envied strengths was its ability to create consensus. This was partly achieved through mechanisms of exclusion – of certain themes, for instance – and partly through mechanisms of inclusion – by admitting (non-scientific, but credible) witnesses as additional (social) sources for establishing what counted as a scientific "fact". If the *agora* calls for a widened notion of thus established reliable knowledge, by making it more socially robust, the rules to achieve this partly still need to be defined and agreed upon" (2001, p. 262). And finally, there are bound to be exacting demands made of participants' ability to organize themselves: "If the *agora* has become the space in which science meets and interacts with many more agents, where institutions overlap and interact and where interests, values and actual decisions to be taken are being discussed, negotiated, fought over and somehow settled, then the self-organizing capacity of all participants needs to be enhanced" (2001, S. 260). And there can be no doubt that the deployment of these competences will have to follow certain rules: "The call for more "participation", epitomized in an imperative ticket "participate or perish", is not to be taken as a free entry ticket into an inchoate and unstructured arena of endless (and often futile) debates. Just as "publish or perish" is underpinned by certain rules of the game, to which scientists and their peers have agreed to adhere, so the opening up of science towards the *agora* presupposes and necessitates "rules" of a game that partly still wait to be established" (p. 262).

In their use of the *agora* as a metaphor, Nowotny et al. (2001, p. 2 and 203) draw on Latour's treatment of the debate between Socrates and Callicles (1997, p. 189-240, German: 2000, p. 265-326). In his "Parliament of Things" (2001), Latour recently presented the model of an *agora* as an institutional form in which not only people, but even non-humans are allowed a say. The traditional concept of society, he argues, should be replaced by that of the collective and expanded to include non-humans or things which have, after all, become just as much actors and/or actants of society. We have now reached a point in history, he says, at which thanks to technology, nature and society have become one and hence are no longer separable. Scientific experiments have left the closed space of the laboratories and these days are performed in real time and on a scale of 1:1. Knowledge of them is therefore socially distributed and no longer confined to the universities. "The once clear-cut distinction between scientific laboratories in which theories and phenomena are examined by means of experimentation on the one hand and on the other, a political situation outside the lab in which lay people grapple with values, opinions and passions, is becoming increasingly blurred. These days, we are all involved in collective experiments in which both humans and non-humans are jumbled together and no one is responsible. There is no record of the experiments being conducted with us, by us and for us. No one has been explicitly assigned responsibility for overseeing them. Which is why the term sovereignty needs to be redefined (Latour, 2001, p. 31). The *agora*, the "parliament of things", could become the place in which the collective brings its sovereignty to bear. Because we have to do something, just as we have to make decisions. "If we really wanted to wait for the experts to reach a consensus" in an age in which "consensus and certainty are so difficult to achieve, that would, in effect, spell the end of European creativity, the end of science and technology, the end of all collective experiments". That is neither possible, nor is it necessary. Because we now know "that far more people these days concern themselves with research matters and insist on research being conducted – and not just those who have a doctorate or who wear a white lab coat" (ibid). If one adopts the viewpoint of traditional academic science, then "action follows knowledge, without adding much to it: Knowledge is applied and put into practice. The experts have put their heads together and agreed which is the best course of action. Action is not much more than the implementation of knowledge in the real world outside". This view of things stems from a now obsolete model of scientifically based, rational action – a model that is becoming less and less relevant to the present situation. Today, action no longer consists of the "putting into practice or implementation of a plan, but rather in the exploration of the unintended consequences of a provisional and correctable version of a given project. We have made the transition from *science* to *research*, from *object* to *project*, from *implementation* to *experimentation*... In this new constellation, the expert is slowly vanishing, having never in any case been a coherent entity. Neither a researcher, nor a political representative, neither an activist nor the person responsible for writing up the experiment, he performed all these roles at the same time – and none of them satisfactorily. The expert was responsible for mediating between the producers of knowledge and the rest of society, which was concerned primarily with values and objectives. Yet in the collective experiments in which we are now all implicated, it is precisely this division of labour that has disappeared. The status of the expert has therefore been undermined" (ibid). The concept of the expert should therefore be replaced by the more inclusive concept of the co-researcher. "As consumers, activists or citizens, we are all co-researchers. Of course there are differences, but the one difference there is not, is that between knowledge producer and those who are bombarded by its applications. Science policy, once a highly specialized branch of bureaucracy of interest to several hundred people, has now become a fundamental right of the new citizenry. Sovereignty over research programmes is too important to be left in the hands of specialists" (ibid).

No matter which form the *agora* is given, it is vital that a procedure for making decisions within the *agora* be defined. To do this, one can indeed draw on such tried and tested tools of microsociology and group dynamics as the planning cell (Dienel, 1992), the future workshop (Jungk and Müllert, 1983), benefits analysis (Zentrum Wertanalyse, 1995), open-space scenarios (Maleh, 19) or mediation (Breidenbach, 1995).

Epilogue: an outlook

There can be no doubt that the science of the future will be a different one. Despite all the changes, however, and whether academic or postacademic, it will still "go on theorizing and testing theories by observation and experiment". To this extent, it will also survive the "fashionable nonsense" of postmodernist philosophers. It will "resist firmly the philosophical scepticism, sociological relativism, political cynicism, ethical nihilism, and historical incommensurabilism projected onto science by some of its wilder critics". For "it is not academic science, but academic *metascience* that is in a state of intellectual anarchy, where 'anything goes'". It was John Ziman, a science theorist of the House of Physicists, who established this link between the science war incited by postmodernist thinkers and the postacademic science now looming on the horizon (1996, p. 77). And doubtless we would all agree with him on this point. And yet it would appear that in certain fundamental aspects of postacademic science, some elements of the postmodernist critique of the grand narratives – whether consciously or unconsciously – have been retained. The science of the future will no longer be a monolithic, self-contained system, but rather will have opened up to society. It will have to grapple with concrete social problems that transcend any single discipline and involve ever changing networks of actors. It will become much more firmly integrated in the lives of ordinary people. It will be pluralistic and no longer fear inconsistency. It will bring together cognitive and non-cognitive elements in a creative synthesis. It will be pragmatic. It will enter into hybrid communities with other knowledge cultures that may not share the same intellectual values or the same standards regarding what constitutes "good science". It will not, therefore, be able to ignore the dictates of society with regard to safety, profit, efficiency and the like. The fact that it will be incorporated in a network of social practices, however, does not mean it will renounce empiricism and cognitive rationality. Obscurantism will be no more a concern of the science of the future than it was of the science of the past. Which is why, bearing in mind all the "metascientific" baggage with which it has been burdened, we should follow Ziman by clearly differentiating between the serious core of postmodernist critique and the appalling jargon in which that core is all too often clad.

Sources referred to in the article

Bloor, David: Knowledge and Social Imagery. Chicago and London: University of Chicago Press 1991² (1976)
Böhme, Gernot; van den Daehle, Wolfgang; Krohn, Wolfgang: Die Finalisierung der Wissenschaft. In: Zeitschrift für Soziologie, Jg. 2, April 1973, Heft 2, S. 128-144
Broad, William; Wade, Nicholas: Betrug und Täuschung in der Wissenschaft. Basel, Boston, Stuttgart: Birkhäuser 1984 (1982)
Collins, Harry; Pinch, Trevor: Der Golem der Forschung. Wie unsere Wissenschaft die Natur erfindet. Berlin: Berlin Verlag 1999 (1998, 1993)
Collins, Harry; Pinch, Trevor: Der Golem der Technologie. Wie die Wissenschaft unsere Wirklichkeit konstruiert. Berlin: Berlin Verlag 2000 (1998)
Finetti, Marco; Himmelrath, Armin: Der Sündenfall. Betrug und Fälschung in der deutschen Wissenschaft. Stuttgart: Raabe 1999
Fritz-Vannahme, Joachim (Hrg.): Wozu heute noch Soziologie? Opladen: Leske + Budrich 1996
Gibbons, Michael; Limoges, Camille; Nowotny, Helga; Schwartzman, Simon; Scott, Peter; Trow, Martin: The New Production of Knowledge. The Dynamics of Science and Research in Contemporary Societies. London, Thousand Oaks, New Delhi: Sage 1994
Jung, Joachim: Zur Krise der deutschsprachigen Philosophie. In: Berliner Debatte, Heft 3, 1997, S. 3-10
Knorr-Cetina, Karin: Die Fabrikation von Erkenntnis. Zur Anthropologie der Wissenschaft. Frankfurt am Main: Suhrkamp 1984 (1981)
Latour, Bruno; Woolgar, Steve: Laboratory Life. The Social Construction of Scientific Facts. Beverly Hills and London: Sage 1979
Lodge, David: Ortswechsel. München: List 1986 (1975)
Lodge, David: Schnitzeljagd. Ein satirischer Roman. Berlin: Ullstein 19976 (1984)
Lyotard, Jean-François : Das postmoderne Wissen. Ein Bericht. Graz und Wien: Böhlau 1986 (1979)
Nowotny, Helga; Scott, Peter; Gibbons, Michael: Re-Thinking Science. Knowledge and the Public in an Age of Uncertainty. Cambridge: Polity Press 2002 (2001)
Schwanitz, Dietrich: Der Campus. München: Goldmann 1996 (1995)
Seiler, Manfred: Von der Halbwertzeit der Philosophie. Anmerkungen zur Krise einer schönen alten

Disziplin. In: Die Zeit, Nr. 10, 27.2.1987, S. 22
Sokal, Alan; Bricmont, Jean: Eleganter Unsinn. Wie die Denker der Postmoderne die Wissenschaften missbrauchen. München: dtv 2001 (1997)
Weingart, Peter: Wissensproduktion und soziale Struktur. Frankfurt am Main: Suhrkamp 1976
Weingart, Peter: From „Finalization" to „Mode 2": old wine in new bottles? In: Social Science Information, 36, 1997, 4, S. 591-613
Ziman, John M.: Real Science. What it is, and what it means. Cambridge: University Press 2002 (2000)
Ziman, John M: "Postacademic Science": Constructing Knowledge with Networks and Norms. In: Science Studies, Vol. 9 (1996), No. 1, S. 67-80

Further Literature

Breidenbach, Stephan: Mediation – Strukturen, Chancen und Risiken von Vermittlung im Konflikt. Köln: Schmidt 1995
Cozzens, Susan E.; Healey, Peter; Rip, Arie; Ziman, John (eds.): The Research System in Transition. Dordrecht, Boston, London: Kluwer 1990
Di Trocchio, Federico: Der große Schwindel. Betrug und Fälschung in der Wissenschaft. Frankfurt am Main und New York: Campus 1994 (1993)
Dienel, Peter C.: Die Planungszelle. Eine Alternative zur Establishment-Demokratie. Opladen: Westdeutscher Verlag 1992³ (1978)
Etzkowitz, Henry: The Second Academic Revolution: The Role of the Research University in Economic Development. In: Susan E. Cozzens, Peter Healey, Arie Ripp, John Ziman (eds.), a.a.O., S. 109-124
Fischbeck, Hans-Jürgen; Schmidt, Jan C. (Hrg.): Wertorientierte Wissenschaft. Perspektiven für eine Erneuerung der Aufklärung. Berlin: edition sigma 2002
Fröhlich, Gerhard: Anonyme Kritik. Peer Review auf dem Prüfstand der Wissenschaftsforschung. In: Eveline Pipp (Hrg.): a.a.O., S. 129-146
Funtowicz, Silvio; Ravetz, Jerome: The Emergence of Post-Normal Science. In: René von Schomberg (ed.), a.a.O., S. 85-123
Gehlen, Arnold: Die Seele im technischen Zeitalter. Hamburg: Rowohlt 1957
Horgan, John : An den Grenzen des Wissens. Siegeszug und Dilemma der Naturwissenschaften. Frankfurt am Main: Fischer 2002² (1996)
Israëls, Han: Sigmund Freud – ein pathologischer Lügner? In: psychologie heute, September 1997, S. 46-49
Jungk, Robert; Müllert, Norbert R.: Zukunftswerkstätten. Wege zur Wiederbelebung der Demokratie. München: Goldmann 1983 (1981)
Krohn, Wolfgang; Küppers, Günter; Nowotny, Helga (eds.): Selforganization. Portrait of a Scientific Revolution. Dordrecht: Kluwer 1990 (Der Band ist nur zu einem sehr geringen Teil textidentisch mit Wolfgang Krohn, Günter Küppers [Hrg.]: Selbstorganisation. Aspekte einer wissenschaftlichen Revolution. Braunschweig und Wiesbaden: Vieweg 1990)
Latour, Bruno: Aufstand der Dinge (Ein Interview). In: Die Tageszeitung (taz), 12.10.1995, S. 15
Latour, Bruno: Der Berliner Schlüssel. Erkundungen eines Liebhabers der Wissenschaften. Berlin: Akademie Verlag 1996 (1993)
Latour, Bruno: From the world of science to the world of research? In: Science, 280, 1998, S. 208-209
Latour, Bruno: Das Parlament der Dinge. Für eine politische Ökologie. Frankfurt am Main: Suhrkamp 2001 (1999)
Latour, Bruno: Ein Experiment von und mit uns allen. Tierseuchen und Klimawandel zeigen: Wir müssen unsere repräsentative Demokratie durch eine technische ergänzen. In: Die Zeit, Nr. 16, 11.4.2001, S. 31
Latour, Bruno: Socrates' and Callicles' Settlement – or, The Invention of the Impossible Body Politic. In: Configurations, 5, Frühjahr 1997, No. 2, S. 189-240 (deutsche Übersetzung in zwei Artikeln "Die Erfindung des Kriegs der Wissenschaften" und "Eine von der Wissenschaft befreite Politik", in: Bruno Latour, a.a.O., 2000, S. 265-289)
Latour, Bruno: Die Hoffnung der Pandora. Untersuchungen zur Wirklichkeit der Wissenschaft. Frankfurt

am Main: Suhrkamp 2000 (1999)

Latour, Bruno: On actor-network theory. A few clarification. In: Soziale Welt, 47, 1996, S. 369-381

Lorenzen, Kai F.: Luhmann goes Latour – Zur Soziologie hybrider Beziehungen. In: Werner Rammert und Ingo Schulz-Schaeffer (Hrg.), a.a.O., S. 101-118

Luhmann, Niklas: Die Gesellschaft der Gesellschaft. Zwei Teilbände. Frankfurt am Main: Suhrkamp 1998

Maleh, Carole: Open Space. Effektiv arbeiten mit großen Gruppen. Weinheim und Basel: Beltz 2000

Noble, David F.: Maschinen gegen Menschen. Die Entwicklung nummerisch gesteuerter Werkzeugmaschinen. Stuttgart: Alektor 1981 (1979)

Nowotny, Helga: Actor-Networks vs. Science as a Self-Organizing System: A Comparative View of Two Constructivist Approaches. In: Wolfgang Krohn et al. (eds.), a.a.O., 1990, S. 223-239

Pestre, Dominique: The Production of Knowledge between Academies and Markets: A Historical Reading of the Book The New Production of Knowledge. In: Science, Technology & Society, 5, 2000, 2, S. 169-181

Pipp, Eveline (Hrg.): Drehscheibe E-Mitteleuropa. Information: Produzenten, Vermittler, Nutzer. Die gemeinsame Zukunft. Wien: Phoibos 2002

Power, Michael: The Audit Society: Rituals of Verification. Oxford: Oxford University Press 1997

Rammert, Werner; Schulz-Schaeffer, Ingo (Hrg.): Können Maschinen handeln? Soziologische Beiträge zum Verhältnis von Mensch und Technik. Frankfurt am Main und New York: Campus 2002

Robbins-Roth, Cynthia (ed.): Alternative Careers In Science. Leaving the Ivory Tower. San Diego: Academic Press 1998

Rößler, Ernst: Das Ende der letzten Großen Erzählung. Von akademischer zu post-akademischer Wissenschaft. In: Hans-Jürgen Fischbeck und Jan C. Schmidt (Hrg.), a.a.O, S. 93-106

Schomberg, René von (ed.): Science, Politics and Morality. Scientific Uncertainty and Decision Making. Dordrecht, Boston, London: Kluwer 1993

Schulz-Schaeffer, Ingo: Akteur-Netzwerk-Theorie. Zur Koevolution von Gesellschaft, Natur und Technik. In: Johannes Weyer (Hrg.), a.a.O., S. 187-210

Snow, Charles Percy: Die zwei Kulturen. Literarische und naturwissenschaftliche Intelligenz. Stuttgart: Klett 1967 (1956)

Sokal, Alan: Transgressing the boundaries: Toward a transformative hermeneutics of quantum gravidity. In: Social Text 46/47, Vol. 14, Nos. 1 and 2, Spring/Summer 1996, S. 217-252 (Eine deutsche Übersetzung mit dem Titel "Die Grenzen überschreiten: Auf dem Weg zu einer transformativen Hermeneutik der Quantengravitation" findet sich in Sokal und Bricmont, a.a.O., S. 262-309)

Solla Price, Derek J. de : Little Science, Big Science. Von der Studierstube zur Großforschung. Frankfurt am Main: Suhrkamp 1974 (1963)

Weingart, Peter: Anything goes – rien ne va plus. Der Bankrott der Wissenschaftstheorie. In: Kursbuch 78, Dezember 1984, S. 61-75

Weyer, Johannes (Hrg.): Soziale Netzwerke. Konzepte und Methoden der sozialwissenschaftlichen Netzwerkforschung. München: Oldenbourg 2000

Weyer, Johannes: Weder Ordnung noch Chaos. Die Theorie sozialer Netzwerke zwischen Institutionalismus und Selbstorganisationstheorie. In: Johannes Weyer, Ulrich Kirchner, Lars Riedel, Johannes F.K. Schmidt, a.a.O., S. 53-59

Weyer, Johannes; Kirchner, Ulrich; Riedel, Lars; Schmidt, Johannes F.K.: Technik, die Gesellschaft schafft. Soziale Netzwerke als Ort der Technikgenese. Berlin: Sigma 1997

Zentrum Wertanalyse der VDI-Gesellschaft „Systementwicklung und Projektgestaltung" (Hrg.): Wertanalyse. Idee – Methode – System. Düsseldorf: VDI 19955

Ziman, John: Knowing everything about nothing. Specialization and change in scientific careers. Cambridge: Cambridge University Press 1987

50

Martha Friedenthal-Haase

Alexis de Tocquevilles Amerika
Anmerkungen zum Ergebnis einer großen Reise aus der Perspektive des 'Lebenslangen Lernens'

Einleitung

„Reisen liefern Argumente" meinte Ralf Dahrendorf im Vorwort zu seinem vielgelesenen Werk „Gesellschaft und Demokratie in Deutschland" von 1965, das nicht nur in der Titelgebung an Alexis de Tocquevilles große Erfolgsschrift „Demokratie in Amerika" anklingt, die in ihrem ersten Teil 1835, als Frucht einer einjährigen Amerikareise, veröffentlicht wurde. In der Tat war es Tocqueville, der für Dahrendorfs Anspruch an sein eigenes Werk maßgebend war, wie es aus seinem Vorwort entnommen werden kann. Das Gemeinsame in der Idee beider Werke sah Dahrendorf in dem Versuch einer sozialen Gesamtanalyse, die nicht etwa katalogartig die Vielfalt der sozialen Erscheinungen verzeichnet, sondern die an einem Leitproblem orientiert ist. Während Tocqueville in seiner „Demokratie in Amerika" nach der Gleichheit gefragt habe, sei das Leitthema von „Gesellschaft und Demokratie in Deutschland" durch die Frage nach der Liberalität gegeben. Scharfsinnig hat Dahrendorf hier eine spezifische Leistung von Tocqueville hervorgehoben: Die Fähigkeit zu einer tiefdringenden Gesamtanalyse. Wo nun aber von Gesellschaft, Kultur und Staat insgesamt die Rede ist, da ist auch implizit oder explizit die Rede von Lern- und Bildungsprozessen aller Altersstufen. Es ist in diesem Sinne kein Zufall, dass die Analyse von „Gesellschaft und Demokratie in Deutschland" seinerzeit von Aktivitäten des Verfassers begleitet war, die von der Devise „Bildung ist Bürgerrecht" motiviert wurden. Und Tocquevilles lebendige und tiefdringende Gesamtansicht der amerikanischen Demokratie bietet ebenfalls Aussagen zu Bildung und Selbstbildung, zu Kommunikation und Lernen der amerikanischen Bevölkerung. Im folgenden sei an Beispielen gezeigt, wie Tocqueville die Wechselwirkung zwischen Lernen, Bildung, Denken, Lebensweise und politischen Institutionen auffasst.[1]

Tocquevilles Buch hat nicht nur Argumente geliefert, sondern hat das geleistet, was der Autor selbst als Desiderat feststellte, als er schrieb: „Eine völlig neue Welt bedarf einer neuen politischen Wissenschaft."[2] Diese neue Wissenschaft, deren Material aus einer einjährigen Reise kreuz und quer durch die Vereinigten Staaten hervorging, hat in seiner großen stilistischen und gedanklichen Lebendigkeit seinen Reiz als Reisebericht und als Lektüre von Reisenden bis heute nicht verloren. Dafür sprechen nicht zuletzt auch die Spuren der Tocqueville-Lektüre in dem erwachsenenbildnerischen Werk des Amerikareisenden Werner Lenz.[3] Aber nicht nur für die Außenperspektive ist Tocquevilles Amerikabild nach wie vor faszinierend, sondern auch und besonders für die Bereisten selbst, für die amerikanische Öffentlichkeit vom 19. bis zum 21. Jahrhundert. Identitätsfindung und sozialwissenschaftliche Selbsterforschung in den USA beziehen sich bis heute auf Tocquevilles Analysen als auf einen Maßstab von Rang und Prägnanz. Als Beispiele genannt seien das auch in Europa bekannt gewordene Werk von Robert Putnam, der am Beispiel des Vereinswesens für das ausgehende 20. Jahrhundert tiefgreifende Veränderungen der amerikanischen Gesellschaft im Vergleich zu dem Bild aufzeigt, das Tocqueville in den dreißiger Jahren des 19. Jahrhunderts entworfen hat. Als weiteres Beispiel für die aktuelle teils direkte, teils indirekte Rezeption Tocquevilles in den USA sei die Arbeit der Autorengruppe um den Soziologen Bellah genannt. Diese bietet in erklärter Nachfolge von Tocqueville eine moderne, breit angelegte soziologische Untersuchung über den Zustand von Kultur und Gesellschaft in den USA. Leitfragen der Untersuchung sind Individualismus und Bindung im amerikanischen Leben, präsentiert unter dem bezeichnenden Titel „Gewohnheiten des Herzens", ein direktes Zitat aus Tocquevilles beispielgebendem ersten Bericht über Regierung, Kultur und Gesellschaft der Vereinigten Staaten. Als dieser die USA bereiste, hatte das Land knapp 13 Millionen Bürger. Als etwa 80 Jahre später John Dewey sein einflussreiches Werk „Democracy and Education" verfasste, war seine Nation auf 92 Millionen angewachsen, und heute hat sich diese Bevölkerung auf über 280 Millionen vergrößert. In diesem hochdynamischen Gebilde, zusammengehalten durch Kommunikation, Sozialisation, Kooperation, Erziehung und Bildung, ist der Tocquevillesche Bericht als Tradition überliefert und spielt bei den sich immer wieder erneuernden Versuchen zur Selbstvergewisserung, „Wer sind wir?" und „Wie wollen wir werden?" bis heute eine Rolle. In all diesem sind Aspekte der Erwachsenenbildung und der Bildung im Erwachsenenalter thematisch vielfach berührt: sowohl in der folgenreichen Bildungsreise des damals siebenundzwanzigjährigen französischen Juristen durch die USA, als auch in der Wirkungsgeschichte dieses Werkes für die Selbstaufklärung der Amerikaner bis heute wie auch für das Amerikabild in Frankreich und in vielen anderen Ländern. Schließlich wirkt auch, abgelöst von dem konkreten Hintergrund der USA, die systematisch-analytisch-synthetische Methode Tocquevilles, mit der Gesamtanalysen einer Gesellschaft erarbeitet werden können, in den modernen Staats- und Sozialwissenschaften nach. Das unmittelbarste Interesse aus der Sicht der Erwachsenenbildung verdient jedoch der Text aus der Feder von Alexis de Tocqueville selbst. Angesichts der umfassenden internationalen Forschungsliteratur über Tocqueville und sein Amerikabuch sei vorab bemerkt, dass es hier nur um denHinweis auf einen begrenzten und im allgemeinen vernachlässigten Aspekt geht: Um den der Andragogik. Wie hat Tocqueville das Erwachsenenbildungsrelevante in der amerikanischen politischen Kultur aufgespürt, beleuchtet und gewichtet? Dazu seien im folgenden einige wenige Streiflichter geboten, denen ergänzende Hinweise zum Autor und zum Text vorangestellt seien.

Zu Autor und Werk

Der Autor, mit vollem Namen Alexis Charles Henri Clérel, Comte de Tocqueville, lebte vom 29. 7. 1805 bis zum 16. 4. 1859.[4] Von seiner Ausbildung her Jurist, von der Stellung her im Staatsdienst, bereiste er im Alter von 27 Jahren – 1831/32 – gemeinsam mit seinem Freund und Fachkollegen Gustave de Beaumont im Auftrag des französischen Innenministers die Vereinigten Staaten von Amerika, um das als fortschrittlich geltende Gefängniswesen des demokratischen Staats in der Neuen Welt zu studieren. Dieser Aufgabe widmeten sich beide während umfassender Besichtigungsreisen im ganzen Land mit Ernst, und nach ihrer Rückkehr veröffentlichten sie gemeinsam einen Fachbericht dazu.[5] Tocqueville hat jedoch seine Beobachtungen weit über den Sonderaspekt der Strafrechtspflege ausgedehnt und als Reisender eine systematische Bestandsaufnahme der politischen Verfassung, der Lebensweise und des geistigen „Nervensystems" dieses komplexen Gebildes USA geleistet. 1835 erschien der erste, 1840 der zweite Teil des Werks unter dem Titel „De la Démocratie en Amerique", das schlagartig den Ruhm des Autors als politischen Denkers und Schriftstellers etablierte. Tocqueville verfasste später außerdem eine umfangreiche, nicht abgeschlossene Darstellung zur Französischen Revolution unter dem Titel „L'Ancien Régime et la Révolution", war von 1849 – 1851 französischer Außenminister und zog sich nach dem Staatsstreich von 1851, durch den Louis Napoléon Bonaparte, ein Neffen Napoleons I., fast unbeschränkte Vollmachten erhielt, in das Privatleben zurück. Seine Schriften beeinflussten den Liberalismus des 19. und 20. Jahrhunderts. Die deutsche Wirkungsgeschichte Tocquevilles zeigt Theodor Eschenburg für die Zeit vom 19. Jahrhundert bis nach dem Zweiten Weltkrieg auf. Er referiert auch die vielzitierte Würdigung des französischen Analytikers und Staatsdenkers durch den Philosophen Wilhelm Dilthey, der Tocqueville den größten unter allen Analytikern der politischen Welt seit Aristoteles und Machiavelli genannt hatte.[6] Tocqueville hielt die Demokratie, der er mit Nüchternheit gegenüberstand, für die adäquate Organisationsform künftiger zivilisierter Gemeinwesen. Sein Interesse als Reisender galt somit der kritischen Erkundung einer auch für Europa aufkommenden neuen Ordnung - in ihren Vorzügen, ihren prekären Aspekten und ihren Nachteilen. Das in zwei Teilen erschienene Buch stellt nicht etwa einen unmittelbar dokumentierenden Bericht über die Reise der beiden Freunde dar, sondern ist die Frucht geistiger Verarbeitung der systematisch gewonnenen Reiseeindrücke durch Tocqueville, mit einem reichhaltigen sachlichen Anmerkungsteil versehen. Alle Spuren eines konkreten Reiseberichts sind dort getilgt. Sie finden sich dafür in den Reisetagebuchblättern, die im ersten Band der französischen Werkausgabe von 1991 enthalten sind[7] und von denen wenige Beispiele im Anhang der herangezogenen deutschen Ausgabe abgedruckt sind. Diese lesen sich wie ein dichter, scharfsinnig formulierter Bericht von großer Einfühlungsgabe und Überzeugungskraft, wie das Gemälde eine Künstlers, in dem das geringste Detail wahrhaftig und für die Gesamtaussage unentbehrlich ist.[8]

Viele seiner Einsichten und Beobachtungen verdankt der Reisende einer geselligen Kultur im Reiseland, in dem die Besucher aus der Alten Welt gastfrei aufgenommen wurden – in der Blockhütte der Wildnis ebenso wie im verfeinerten Haus bürgerlicher Lebenskultur. Tocqueville erlebte, was wohl auch manchem anderen Reisenden begegnet, dass sich gehütete Informationsschätze für den Fremden leichter als für den Einheimischen öffnen können, und so wurden dem französischen Reisenden im Vertrauen Mitteilungen gemacht, die für eine amerikanische Öffentlichkeit nicht bestimmt waren. Methodisch von Interesse ist, wie der Sozialforscher damit umging: „Alle diese vertraulichen Mitteilungen schrieb ich sofort nieder, nachdem ich sie erfahren hatte ..."[9] Als gewissenhaftem Forschungsreisenden und wissenschaftlichem, der Wahrhaftigkeit und Nachprüfbarkeit verpflichtetem Autor stellte sich ihm das Dilemma, wie mit diesen persönlichen Quellen bei der Veröffentlichung zu verfahren sei: den sozial- und staatswissenschaftlichen Reisebericht mit der Glaubwürdigkeit nachprüfbarer Authentizität durch Nennung von Gewährsleuten als mündliche Quellen ausstatten und dabei das ihm erwiesene persönliche Vertrauen seiner Gastgeber preisgeben oder den guten Glauben seiner Leserschaft und ihr Vertrauen in die Fundiertheit seiner Beobachtungen und Mitteilungen in Anspruch nehmen? Tocqueville entschied sich für das letztere. Über seine vor Ort niedergeschriebenen Aufzeichnungen heißt es in seiner Einleitung: „... sie bleiben in meiner Mappe verschlossen. Ich ziehe es vor, eher den Erfolg meiner Berichte zu gefährden, als meinen Namen in die Liste der Reisenden einzureihen, die ihnen gewährte Gastfreundschaft mit Ärger und Unannehmlichkeiten vergelten".[10]

Tocquevilles vielseitiges und umfassendes Werk ist von der Leitfrage bestimmt, wie die Gleichheit der gesellschaftlichen Bedingungen die Entwicklung der Gesellschaft, die öffentliche Meinung, die Gesetze, Regierungsform, ja Meinungen, Gefühle, Sitten und Gebräuche beeinflusst, hervorbringt und wandelt.[11] Dieser Frage geht er tiefschürfend, in systematischer Abhandlung, dabei in lebendigem Stil, in der soeben genannten Reihenfolge nach. Jeder der beiden Bände ist in sich wiederum in zwei Teile gegliedert, so dass es insgesamt vier Teile gibt. Der erste Band ist der Darstellung und Analyse der Verfassung, der Gesetze, der Institutionen und Parteien gewidmet. Hier wird z. B. die Gefahr der Tyrannei der Mehrheit erörtert, und es werden Gegengewichte aufgezeigt. Systematisch von besonderem Interesse sind die Kapitel über die Hauptgründe für die Erhaltung der demokratischen Republik und die abschließenden, nahezu prophetischen und in vielem durch die Geschichte bestätigten futurologischen Aussagen.[12] Der zweite Band ist dem Einfluss der Demokratie auf das geistige Leben der Vereinigten Staaten gewidmet, und in diesem finden sich erwartungsgemäß auch die meisten Hinweise auf Bildung und Erziehung, auf Selbstbildung und die politisch relevante Verfassung des Wissens. Da es Tocqueville jedoch fern liegt, die Strukturen des Verfassungs- und Gesellschaftssystems von den Ideen, den Lebensweisen und „Gewohnheiten des Herzens" strikt zu trennen, und da Geist, Bildung und Sozialisation gewissermaßen „in allem" sind, bietet auch der erste, die Normen und Institutionen behandelnde Band tiefen Einblick in sein Denken zur Relevanz von Bildung und Erziehung. Und so wird bei der folgenden Wiedergabe von Steiflichtern zum Lebenslangen Lernen auch manch ein Abschnitt aus dem ersten Band, z. B. der über die Frage, „wie die Geistesbildung, die Gewohnheiten und die praktische Erfahrung der Amerikaner den Erfolg der demokratischen Einrichtungen fördern", nicht zu vernachlässigen sein.[13]

Beobachtungen zu Bildung und Lebenslangem Lernen

Wissen und seine Verbreitung

In Europa sah Tocqueville eine seit Jahrhunderten angelegte und sich verstärkende Tendenz zur Ablösung der Feudalgesellschaft durch eine auf Modernisierung und Gleichheit hinführende Wissensgesellschaft (wobei er diesen Terminus selbst nicht gebraucht, aber gebrauchen könnte): „Seit die Arbeit des Geistes eine Quelle der Kraft und des Reichtums geworden war, konnte jede Entfaltung der Wissenschaft, jede neue Erkenntnis, jeder neue Gedanke als Keim der Macht gelten, der dem Volk erreichbar war."[14] Diese generelle Entwicklung sah Tocqueville in der Neuen *und* in der Alten Welt am Werk, unaufhaltsam, und weitgehend unabhängig davon, ob die in sie verwickelten menschlichen Akteure diese begrüßten oder ihr entgegenzuwirken versuchten. Die Neue Welt aber ist in dieser Hinsicht vorangeschritten und zeigt den Zusammenhang zwischen Wissensdynamik und gesellschaftlicher wie auch politischer Entwicklung in Richtung auf Gleichheit und Demokratisierung exemplarisch.

Über den Stand des Wissens in den Vereinigten Staaten hat sich Tocqueville empirisch begründete Urteile gebildet und zwar bezüglich aller Wissenssparten, aller sozialen Schichten und aller Einzelstaaten. Hinsichtlich der einzelnen Wissensarten (beispielsweise theoretisch versus angewandt oder ästhetisch versus politisch) und hinsichtlich der regionalen Wissensverteilung (ein Bildungsgefälle von Ost nach West und Süd) kommt er zwar zu differenzierenden Aussagen, die aber den Gesamteindruck nicht beeinträchtigen. Insgesamt erschienen ihm die Amerikaner als das geistig regsamste Volk überhaupt (dies auch verglichen mit Frankreich). Dabei durchdenkt er seine Methoden der Urteilsbildung sorgfältig und erörtert die Perspektivik des Beobachters, die je nach Methode zu einseitigen Ergebnissen führen kann. Wer den Bildungsstand der Amerikaner beurteilen wolle, komme zu unterschiedlichen Ergebnissen, je nachdem, ob er die gänzlich Unwissenden zähle („so erscheint ihm das amerikanische Volk als das bestunterrichtete auf Erden")[15] oder ob er die Gelehrten der Nation zähle („so enttäuscht ihn deren kleine Zahl")[16] . „Ich glaube, in keinem Land der Welt gibt es im Verhältnis zur Bevölkerungszahl so wenig Unwissende und so wenig Gelehrte wie in Amerika."[17] Der Primarunterricht sei jedem, der höhere Unterricht „fast niemandem" zugänglich („l'instruction primaire" versus „l'instruction supérieure"). In Amerika herrsche durchweg ein Mittelmaß allgemeinen Wissens. Alle Geister hätten sich diesem angenähert, „die einen durch Aufstieg, die anderen durch Abstieg."[18] Man treffe dort auf eine "gewaltige Masse von Menschen", die in einer großen Reihe von Wissensgebieten etwa die gleichen Kenntnisse besitzen. In dieser Tendenz zur Gleichheit sieht

Tocqueville eine Stärke der amerikanischen Gesellschaftsordnung, die neuartig und singulär sei: „Die Menschen sind dort durch größere Gleichheit an Vermögen und Geist gekennzeichnet, oder – mit anderen Worten – sie sind gleichmäßiger stark als in irgendeinem anderen Volk der Erde und zu irgendeiner Zeit, soweit das Gedächtnis der Geschichte zurückreicht."[19]

Wege des Wissensgewinns

Die Wege des Wissensgewinns, die Tocqueville beachtet, sind zahlreich und zeigen mehr den Blick des Wissenssoziologen als den des Pädagogen und Andragogen. Erörtert werden der Wissensgewinn durch Teilhabe an einer durch die Presse informierten Öffentlichkeit, das Lernen durch kulturell eingebetteten sozialen Umgang sowie durch die Notwendigkeit zum Erlernen einer beruflichen Fähigkeit für jeden (zumindest männlichen) Bürger, das Lernen in Schulen und anderen kulturellen Einrichtungen und schließlich die Art von Lernen, die eine besondere Bedeutung für das amerikanische Selbstverständnis erlangen sollte: das Lernen durch die Mitwirkung des Bürgers in einem freien Vereinswesen. Dass sich die amerikanischen Bürger ein freies Vereinswesen geschaffen hatten, beeindruckte den französischen Reisenden fast noch mehr als die Tatsache der freien Presse. Seine Analyse des amerikanischen Vereinswesens enthält implizit eine reichhaltige Lehre vom Lernen des erwachsenen Menschen in einer demokratischen Kultur. Seine Aussagen zum Vereinswesen haben fast sämtlich einen andragogischen Aspekt, nicht etwa am Rande, sondern im Zentrum des Vereinswesens, welches seinerseits – nach Tocqueville – das Herzstück der demokratischen Kultur ist.

Tocqueville unterscheidet politische und bürgerliche Vereine und behandelt die politischen vor allem im ersten, die bürgerlichen vor allem im zweiten Band seines Werks. Im übrigen wird an verschiedenen Stellen des Gesamtwerks der Zusammenhang beider Sphären – auch im Vergleich zu Frankreich und England – erörtert. Beide Zweige des Vereinswesens sind für ihn in höchstem Maß als lernrelevant beachtlich und kostbar. Die Kenntnis über das Vereinswesen gilt ihm als Grundwissenschaft: „In den demokratischen Ländern ist die Lehre von den Vereinigungen die Grundwissenschaft," und er setzt hinzu: „von deren Fortschritten hängt der Fortschritt aller anderen ab."[20] Die Mitwirkung in politischen Vereinigungen ist im allgemeinen nicht mit persönlichem finanziellen Risiko verbunden, während in den bürgerlichen Vereinen oft auch Geld der Mitglieder zum Zweck der Förderung des Vereinsziels eingesetzt wird. Die politischen Vereine nennt er daher „große unentgeltliche Schulen", in denen „sämtliche Bürger die allgemeine Lehre von den Vereinigungen erlernen."[21] Die Kennzeichnung der Vereine als Schulen ist keineswegs nur metaphorisch gemeint. Sondern tatsächlich versteht Tocqueville die von ihm beobachteten Vereine als tiefgreifende Instanzen der Sozialisation, Bildung und Erziehung, die ein Gegengewicht zu dem gleichfalls grundlegenden amerikanischen Individualismus darstellen. So heißt es über die politischen Vereine, deren Lerneffekte dann auf das bürgerliche Vereinsleben überspringen: „Ein politischer Verein reißt gleichzeitig eine Menge Menschen aus sich selbst heraus; möge das Alter, der Geist, das Vermögen sie natürlicherweise noch so sehr trennen, er führt sie zusammen und bringt sie miteinander in Verbindung. sie begegnen sich einmal und *lernen*, immer wieder zusammenzutreffen".[22] Bei diesen fortgesetzten Treffen lernt der Mensch zugleich „wie man in einer großen Menschenzahl Ordnung hält" und wie man „einmütig und planmäßig" dem gleichen Ziel zustrebt und das eigene Wollen und Tun in eine Gruppe einordnet.[23] Diese für eine Demokratie grundlegenden Lernerfahrungen und Kompetenzen werden in das zivilgesellschaftlich-bürgerliche Leben übertragen und kommen auch diesem zugute; womit Tocqueville, der im übrigen differenzierte Beobachtungen zu Verflechtungen und Wechselwirkungen anstellt, der politischen Verfasstheit einer Gesellschaft die letztlich entscheidende auslösende Kraft für die übergreifende Entfaltung einer Gesellschaft der Regsamkeit und des Lernens zuerkennt.

Motive, Triebkräfte, Konzepte des Lernens

Eine moderne Grundaussage, in der ein populäres amerikanisches Leitbild mit einer anthropologischen Zentralidee der Erwachsenenbildung zusammenfällt, ist die der Vervollkommnungsfähigkeit des Menschen. Für Tocqueville ist dieses Leitbild in der Demokratie, einem auf dem Gleichheitsprinzip aller Menschen aufbauenden System, begründet. In aristokratischen Gesellschaften werde den Menschen zwar die Fähigkeit zur Vervollkommnung nicht durchweg abgesprochen, nur halte man diese dort nicht für unbegrenzt.[24] Die Aufhebung ständischer Schranken ermöglicht, wie Tocqueville darlegt, Beweglichkeit der Anschauungen, Veränderung der Sitten und Vermischung der Menschen. Indem sich Veränderungen in raschem Wandel vollziehen, entsteht vor dem menschlichen Geist „das Bild einer idealen und stets fliehenden Vervollkommnung"[25]. Unbegrenzte Verbesserung ist die Devise, die den Menschen in seinem geistigen Streben motiviert, ihn in Krisen und bei Fehlschlägen immer wieder ermutigt und aufrichtet. Das Prinzip der Verbesserungsfähigkeit gilt nicht nur für die Wissenschaft, sondern hat auch die alltägliche Welt und alle ihre Erzeugnisse durchdrungen. Als Beispiel berichtet Tocqueville von seinem Gespräch mit einem amerikanischen Matrosen, der auf die Frage, warum die Schiffe nicht für längere Haltbarkeit gebaut würden, erklärt, dass die Kunst des Schiffbaus ständig weiter so große Fortschritte mache, dass das alte Schiff ohnehin sehr schnell entwertet werde. In dieser Dynamik erkennt Tocqueville eine „allgemeine und systematische Vorstellung", von der sich „ein großes Volk bei der Führung aller Dinge bestimmen lässt"[26].

Das Streben nach Veränderung und Vervollkommnung, das starke Lernantriebe auslösen kann, erhält Anregung und Nahrung durch zwei weitere Motive: das Selbstvertrauen einerseits und den Neid andererseits. Tocqueville, der wohl kaum einen Aspekt des Alltagslebens bei seiner Beobachtung ausgelassen hat, hat nebenbei auch dem Spielen der Kinder Aufmerksamkeit gewidmet. Auch diese sieht er von der allgemeinen Vorstellung durchdrungen, dass man sich auf sich selbst verlassen müsse, und auch die Kinder erkennen im Spiel nur selbstbestimmte Regeln an. Von Geburt an lerne der Bewohner der Vereinigten Staaten, dass er sich auf sich selbst verlassen müsse und dort, wo die Selbsthilfe alleine nicht ausreicht, sich mit anderen zusammenzuschließen und nichts vom Staat zu erwarten habe. Auf die Obrigkeit schaue er nur „mit einem misstrauischen und unruhigen Blick"[27]. Damit werden Vertrauen in die eigene Kraft und eine selbstverständliche Erfolgszuversicht von Klein auf angelegt, die zur Selbsthilfe bei Schwierigkeiten und zur Aufnahme von lernrelevanten Projekten disponieren.

Eine für den Wettbewerb herausfordernde Situation in der neuen Gesellschaft der Demokratie ist nicht nur die Erfahrung möglichen raschen Wechsels, sondern auch die Nähe der gesellschaftlichen Klassen zueinander, „wodurch Wünsche nach Verbesserung und Angleichung der eigenen Lebensverhältnisse entstehen". Da sich nun – so Tocqueville – niemand von seinen Daseinssorgen vollständig gefangen nehmen lassen will, wirkt die Welt des Geistes doch für alle Bürger verlockend. Auch der „einfachste Handwerker" nähert sich gelegentlich der Bildungswelt, und der „Kreis der Leser erweitert sich unaufhörlich und umfasst zuletzt alle Bürger"[28]. Es entstehen also Vorstellungen, Ideen und Gefühle, die die Antriebe für ein auf Veränderung zielendes Verhalten und eine Erweiterung des Weltbildes, z. B. durch Lesen, bewirken. Tocqueville stellt sich die Frage, wie über die Routinen des Üblichen und Alltäglichen hinausgehend eine Erneuerung des Denkens erfolgen kann. Für geistige und soziale Innovation und Regeneration hält er die Wechselwirkung zwischen Menschen für das Entscheidende, eine Auffassung, die ebenfalls mit grundlegenden Einsichten der Erwachsenenbildung konvergiert. Dazu braucht man für die Zeit um die Mitte des 19. Jahrhunderts nur auf den großen Volksbildner der Epoche, den Dänen N. F. S. Grundtvig (1783 – 1872), und seine Ideen zur „Wechselwirkung" hinzuweisen.[29] Während Grundtvig die Wechselwirkung in der Begegnungsform der Volkshochschule im Blick hatte, sah Tocqueville die Vereine und „Assoziationen" für die Belebung der geistigen Wechselwirkung als unverzichtbar an.

Bei dieser knappen Skizze der für die geistige Regsamkeit wichtigen Aussagen sollten die zur „Urteilskraft" und zur Macht der öffentlichen Meinung nicht fehlen. Zwischen beiden sieht Tocqueville ein Spannungsverhältnis, dessen Ausprägung zur Eigenart der Kultur in Demokratien großer Flächenstaaten (im Unterschied zu den demokratischen Stadtstaaten) gehöre. Unschwer fielen dem von außen kommenden Betrachter die Selbstbehauptungskräfte der Individualität im Denken und Handeln der Amerikaner als charakteristisch auf; die beharrende und zusammenführende Kraft der Mehrheit bemerke man dagegen nicht auf den ersten Blick.[30] Das Individuum sei sowohl zum Selbstdenken freigesetzt als auch der Macht der Gunst der Massen ausgeliefert. Die Macht der Mehrheit, die allgemeine Meinung laste „mit ungeheurem Gewicht auf dem Geist eines jeden",[31] sie lenke und unterdrücke ihn; denn „mit der Masse nicht in Einklang sein, heißt sozusagen nicht leben."[32] In diesem Beobachter spricht sich eine mit der Aufklärung aristokratischer

Gesellschaften vertraute Kritik an einer demokratischen Gesellschaft der Gleichheit aus, in der das Individuum durch zunehmende Ähnlichkeit mit seinen Mitmenschen sowohl stärker als auch schwächer und abhängiger werde. Auf der einen Seite betont Tocqueville die geistige Selbstbestimmtheit der Amerikaner als Hauptmerkmal: „… so entdecke ich, dass sich jeder Amerikaner in fast allem seinem geistigen Tun nur auf seine eigene Vernunft verlässt."[33] Auf der anderen Seite zeichnet er die Dynamiken der Vergesellschaftung dieser Vernunft in einem demokratischen System, in dem er bereits ansatzweise eine Tendenz zur Massengesellschaft entdeckt.

Besondere Aufmerksamkeit widmet er daher auch durchgehend denjenigen gesellschaftlichen Einrichtungen, die eine „Milderung der Mehrheitstyrannei" bewirken können. In diesem Zusammenhang bietet der Jurist und Gesellschaftstheoretiker auch eine Untersuchung zu den erzieherischen und instruktiven Funktionen des amerikanischen Geschworenensystems. An edukativer Bedeutung steht es für ihn wohl höher oder mindestens gleichgewichtig neben dem freien Vereinswesen. Er charakterisiert das Geschworenensystem sogar mit fast den gleichen Worten als „unentgeltliche und immer offene Schule, wo jeder Geschworene sich über seine Rechte unterrichtet…."[34] Dieses Rechtssystem wird von ihm immer wieder mit Begriffen aus der edukativen Sphäre gekennzeichnet. Es verbreite Achtung vor dem Rechtsgedanken, lehre die Menschen, sich in Rechtlichkeit zu üben, lehre einen jeden Verantwortlichkeit, verleihe jedem Bürger Richterwürde, zwinge dazu, sich mit anderer Menschen Angelegenheiten zu beschäftigen, bekämpfe die Selbstsucht, u. a. m.[35] Der hohe edukative Wert des Geschworenensystems für Bürger und Öffentlichkeit ist für die Demokratie zielführend: „Das Geschworenensystem trägt unglaublich dazu bei, das Urteil des Volkes zu bilden und seine natürliche Einsicht zu fördern."[36] Den großen politischen und sittlichen Lern- und Bildungseffekt dieses Rechtssystems hält Tocqueville für das Entscheidende, demgegenüber er der rein juristischen Seite hier geringere Bedeutung beimisst. Die Nützlichkeit dieser Institution für die Urteilsschulung der Geschworenen und der Bürger allgemein ist für ihn evident, und so schließt er diese Abhandlung auch nicht mit einem Argument der Rechtspflege, sondern mit einem der Erziehung zur Politik: „So ist das Geschworenengericht als kraftvollstes Mittel, das Volk regieren zu lassen, zugleich das wirksamste Mittel, um dieses das Regieren zu lehren."[37] Von diesen so dezidierten Aussagen Tocquevilles zur öffentlichen Wirkung des Geschworenensystems in den Vereinigten Staaten ließe sich wohl eine Verbindungslinie in die amerikanische Kultur der Gegenwart ziehen, eine Kultur, in der dem Film als Medium nicht nur der Unterhaltung, sondern auch der Identitätspräsentation und Bildung herausragende Bedeutung zukommt. Und so liegt die Frage nahe, wer wohl nicht Bilder aus dem weltweit bekannten Film „Die zwölf Geschworenen" assoziieren würde, wenn er Tocquevilles Aussagen über die erzieherische und instruktive, ja die potentiell umwendende Wirkung dieses Gerichtssystems bedenkt!

Schluss und Ausblick

Unser Ziel war es, die Konstruktion von Tocquevilles Amerika hinsichtlich ihrer edukativ-andragogischen Grundlinien aufzuzeigen. Das konnte hier allerdings nur in einer kurzen Skizze versucht werden, die zum einen vieles nur andeuten konnte und zum anderen manches überhaupt aussparen musste. Zu letzterem gehört u. a. das große Thema des Verhältnisses von Öffentlichem und Privatem, mit der Bedeutung der Familie in der Demokratie, dem Geschlechterverhältnis, der Stellung der politisch und bürgerlich nicht gleichberechtigten Frau und der Sozialisation und Bildung der Mädchen gehören. Wenn dies ausgespart blieb, so nicht deshalb, weil Tocquevilles Betrachtungen dazu nicht systematisch ergiebig wären, sondern weil sich die Verhältnisse, auf die sie sich beziehen, durch die Entwicklung der letzten 170 Jahre in so starkem Maße verändert haben, dass der systematische Gehalt seiner Beobachtungen nicht mehr unmittelbar evident ist.

Aus den hier gebotenen Streiflichtern mag hervorgehen, in welchem Maße das Moment des Lernens in das demokratische System verflochten ist und dieses in Funktion hält. Es gehört sicher zu den Qualitäten Tocquevilles als eines modernen politischen Analytikers, dies wie selbstverständlich erfasst und ihm mit dem Spürsinn sowohl eines kritischen Revisors als auch eines weitschauenden „Designers" einer politischen Kultur der kommenden Zeit nachgegangen zu sein.

Der schriftstellerische Gegenstand des großen Reisenden ist, wie er es in der Vorbemerkung zu seinem zweiten Band von 1840 ausspricht, sicher „unabsehbar", denn er umfasst „alle Gefühle und Gedanken, die der neue Zustand der Welt erzeugt".[38] So faszinierend auch die Vollständigkeit, Tiefe und Dichte sowie die Reichhaltigkeit der Muster dieses großen Gewebes für uns heutige Leser noch sein mögen, so wird vielleicht die Frage, ob Amerika aus andragogischem Blickwinkel auch gegenwärtig noch als „Schule der Demokratie" des Studiums wert ist, von vordringlichem Interesse sein.[39] Dies leitet von dem Thema der Angemessenheit der primären Wahrnehmung zu dem der sekundären Rezeption über und damit zu der Frage des durchdachten Umgangs mit übermittelten Bildern von anderen (Erwachsenenbildungs)kulturen.[40] Tocqueville hat seine Leserschaft auch in dieser Frage direkt angesprochen und bereits Kriterien der Auseinandersetzung mit anderen Kulturen expliziert, das Prinzipielle gegenüber dem Empirisch-Historischen differenzierend: „Richten wir unseren Blick auf Amerika, nicht um die Einrichtungen, die es für sich schuf, sklavisch nachzuahmen, sondern um diejenigen besser zu verstehen, die uns gemäß sind, nicht so sehr um Vorbilder als um Einsichten zu gewinnen und eher um die Grundsätze als die Einzelheiten seiner Gesetze zu übernehmen."[41] Als Tocqueville dies schrieb, im Jahre 1848, wurden viele europäische Länder von Reformbewegungen und Revolutionen erschüttert, in deren relative Erfolglosigkeit Tocqueville bereits gewissen Einblick hatte. Dies war eine Zeit. in der sich nur wenig später die Vereinigten Staaten als Aufnahmeland von Flüchtlingen, von so manchen verfolgten und verurteilten sogenannten 48ern, erweisen sollten, womit ein weiteres Kapitel der interkulturellen Anregungen und Verbindungen auf dem Gebiet des politischen Denkens und der politischen Bildung aufgeschlagen wurde, - interkulturelle Verbindungen, wie sie ohne Ortsveränderungen, freiwillige Reisen und auch politisch bedingte, notgedrungene, wohl nicht zustande kommen können.

Anmerkungen

[1] Tocquevilles Werk über die Demokratie in Amerika wird hier nach der deutschen Übersetzung von Hans Zbinden in der Züricher Ausgabe von 1987 zitiert. Alle Zitate sind mit der neuesten französischen Werkausgabe von 1992, besorgt von Jean-Claude Lamberti und James T. Schleifer, verglichen und die Fundstellen für die Zitate werden auch für die französische Werkausgabe nachgewiesen [in der Kurzform: OEuvres, Bandzahl, Jahreszahl, Seitenzahl].

[2] Vgl. Tocqueville, Über die Demokratie in Amerika, 1987, Bd. I, Einleitung, S. 15. [OEuvres, II, 1992, S. 8].

[3] z. B. in seiner Schrift "Das Gewicht der Masse," in: Ders., Zwischenrufe. Bildung im Wandel, Wien, Köln, Weimar, 1995, S. 164 – 181, dort insbes. S. 176 ff. sowie ähnlich in der Aufsatzsammlung „Lernen ist nicht genug! Arbeit – Bildung – Eigen-Sinn", Innsbruck, Wien, München, 2000, S. 110 ff. Für sachdienliche Hinweise dazu ist die Verf. Herrn Dr. Karlpeter Elis zu Dank verpflichtet.

[4] Zur ersten Orientierung über Leben und Werk sei hingewiesen auf Michael Hereth, Tocqueville zur Einführung, Hamburg 1991.

[5] Gustave de Beaumont, Alexis de Tocqueville, Du système pénitentiaire aux États-Unis et de son application en France, Paris 1833 [Davon erschien noch im gleichen Jahr eine deutschsprachige Ausgabe unter dem Titel: Amerikas Besserungs-System und dessen Anwendung auf Europa. Mit einem Anhang über Straf-Ansiedelungen ... nebst Erweiterungen und Zusätzen von N. H. Julius, Berlin: Enslin 1833].

[6] Theodor Eschenburg, a. A. S. 555 f.

[7] Tocqueville, OEuvres, 1991, Édition Gallimard, I, Voyages. Introduction et chronologie par André Jardin [enthält Berichte über Sizilien, Amerika, England, Irland, die Schweiz, Algerien und Indien].

[8] Vgl. Tocqueville a. A., (Zürich, 1987), Bd. II, S. 566 ff.

[9] a. A., Bd. I, Einleitung, S. 28 [OEuvres, II, 1992, S. 17].

[10] Ebd.

[11] Vgl. den Anfang seiner Einleitung, a. A., Bd. I, S. 9 [OEuvres, II, 1992, S. 3].

[12] a. A., Bd. I, Teil II, Kap. 9, 10, S. 416 – 605 [OEuvres, II, 1992, S. 318 – 480].

[13] a. A., Bd. I, Teil II, Kap. 9, S. 455 [OEuvres, II, 1992, S. 349].

[14] a. A., Bd. I, Einleitung, S. 12 [OEuvres, II, 1992, S. 5 f.].

[15] a. A., Bd. I, Teil II, Kap. 9, S. 456 [OEuvres, II, 1992, S. 350].

[16] Ebd.

[17] a. A., Bd. I, Teil I, Kap. 3, S. 78 [OEuvres, II, 1992, S. 56].

[18] a. A., Bd. I, Teil I, Kap. 3, S. 79 [OEuvres, II, 1992, S. 57].

[19] a. A., Bd. I, Teil I, Kap. 3, S. 80 [OEuvres, II, 1992, S. 58].

[20] a. A., Bd. II, Teil II, Kap. 5, S. 166 [OEuvres, II, 1992, S. 625].

[21] a. A., Bd. II, Teil II, Kap. 7, S. 174 [OEuvres, II, 1992, S. 631].

[22] a. A., ebd. [OEuvres, II, 1992, S. 630 f.], [Hervorhebung: M.F.-H.].

[23] a. A., ebd. [OEuvres, II, 1992, S. 631].

[24] a. A., Bd. II., Teil I, Kap. 8, S. 51 [OEuvres, II, 1992, S. 543].

[25] a. A., Bd. II, Teil I, Kap. 8, S. 52 [OEuvres, II, 1992, S. 543].

[26] a. A., Bd. II, Teil I, Kap. 8, S. 53 [OEuvres, II, 1992, S. 544].

[27] a. A., Bd. I, Teil II, Kap. 4, S. 280 [OEuvres, II, 1992, S. 212].

[28] a. A., Bd. II, Teil I, Kap. 9, S. 60 [OEuvres, II, 1992, S. 550].

[29] Vgl. dazu auch M. Friedenthal-Haase, ([1983], 2002).

[30] a. A., Bd. II, Teil III, Kap. 21, S. 386 [OEuvres, II, 1992, S. 781].

[31] a. A., Bd. II, Teil III, Kap. 21, S. 383 [OEuvres, II, 1992, S. 779].

[32] Ebd. [OEuvres, II, 1992, S. 779]

[33] a. A., Bd. II, Teil I, Kap. 1, S. 11 [OEuvres, II, 1992, S. 513 f.].

[34] a. A., Bd. I, Teil II, Kap. 8, S. 412 f. [OEuvres, II, 1992, S. 315 f.].
[35] a. A., Bd. I, Teil II, Kap. 8, S. 412 [OEuvres, II, 1992, S. 315].
[36] Ebd.
[37] a. A., Bd. I, Teil II, Kap. 8, S. 415 [OEuvres, II, 1992, S. 317].
[38] a. A., Bd. II, Vorbemerkung, S. 7 [OEuvres, II, 1992, S. 510 f.]
[39] Vgl. dazu M. Friedenthal-Haase ((1993) 2002).
[40] Vgl. dazu E. Meilhammer (2000), und M. Friedenthal-Haase (1987).
[41] Alexis de Tocqueville, Vorwort zur 12. Auflage (1848), a. A., Bd. I, S. 5.

Literatur

1. Quellen:
Tocqueville, OEuvres. Édition publiée sous la direction d'André Jardin. Band 1: Voyages, Editions Gallimard 1991. Band 2: Dé la Démocratie en Amérique I (1835). Texte établi par James T. Schleifer, presenté par Jean-Claude Lamberti et annoté par James T. Schleifer. De la Démocratie en Amérique II (1840). Texte établi, présenté et annoté par Jean-Claude Lamberti, revu par James T. Schleifer, Introduction par Jean-Claude Lamberti. Editions Gallimard 1992.
Tocqueville, Alexis de, Über die Demokratie in Amerika [De la démocratie en Amérique]. Erster Teil von 1835, zweiter Teil von 1840. Aus dem Französischen neu übertragen von Hans Zbinden. Mit einem Nachwort von Theodor Eschenburg. Zürich 1987, Bd 1, 2.

2. Sekundärliteratur
Bellah, Robert. N., Richard Madsen, William M. Sullivan, Ann Swidler, Steven M. Tipton, Habits of the Heart. Individualism and Commitment in American Life. New York, Cambridge, Philadelphia 1985
Dahrendorf, Ralf, Gesellschaft und Demokratie in Deutschland, München 1965.
Dahrendorf, Ralf, Bildung ist Bürgerrecht. Plädoyer für eine aktive Bildungspolitik. Hamburg 1968 (Neuauflage, zuerst 1965).
Dewey, John, Democracy and Education, New York 1916. Neue deutschsprachige Ausgabe: Demokratie und Erziehung. Eine Einleitung in die philosophische Pädagogik. Aus dem Amerikanischen von Erich Hylla. Hrsgg. u. mit einem Vorwort versehen von Jürgen Oelkers, Weinheim und Basel 1993.
Eschenburg, Theodor, Tocquevilles Wirkung in Deutschland, In: Alexis de Tocqueville, Über die Demokratie in Amerika. Aus dem Französischem neu übertragen von Hans Zbinden, Zwei Teile. Zürich 1987, Zweiter Teil [= Band], S. 489-562.
Friedenthal-Haase, Martha, Ein Blick nach außen für eine Historiographie der Erwachsenenbildung. Die USA als Schule der Demokratie (1993). Wiederabdr. in: Dies., Ideen, Personen, Institutionen. Kleine Schriften zur Erwachsenenbildung als Integrationswissenschaft. München und Mering, 2002, S. 439-450.
Friedenthal-Haase, Martha, „Die Bedeutung Grundtvigs für die Heimvolkshochschule in Deutschland – ein rezeptionsgeschichtlicher Beitrag zur Erwachsenenbildung in der Weimarer Republik" (1983). Wiederabdr. in: Dies., Ideen, Personen, Institutionen. Kleine Schriften zur Erwachsenenbildung als Integrationswissenschaft. München und Mering, 2002, S. 253 -308.
Friedenthal-Haase, Martha, "N. F. S. Grundtvig and German Adult Education: Some Observations on the Intercultural Reception of Theory," in: Studies in the Education of Adults, 19, 1987, pp.13-25.
Hereth, Michael, Tocqueville zur Einführung. Hamburg 1991.
Lenz, Werner, Zwischenrufe. Bildung im Wandel. Wien, Köln, Weimar 1995.
Lenz, Werner, Lernen ist nicht genug! Arbeit – Bildung – Eigen-Sinn. Mit Beiträgen von Elke Gruber. Innsbruck, Wien, München 2000.
Meilhammer, Elisabeth, Britische Vor-Bilder. Interkulturalität in der Erwachsenenbildung des Deutschen Kaiserreichs 1871 bis 1918. Köln, Weimar, Wien 2000 (Kölner Studien zur Internationalen Erwachsenenbildung. Beihefte zum Internationalen Jahrbuch der Erwachsenenbildung. 13)
Putnam, Robert D., Bowling alone . The Collapse and Revial of American Community. New York, London, Toronto etc. 2000.
Putnam, Robert D., (Hrsg.), Gesellschaft und Gemeinsinn. Sozialkapital im internationalen Vergleich. Gütersloh 2001.

Karlheinz Geißler

Reisen bildet

aber immer nur jene, die zur Bildungsreise zugelassen werden. Ehemals waren das die jungen männlichen Adligen, heute sind dies alle. Mit der Kavalierstour begann, was dann einige Zeit später als „Bildungsreise" verbürgerlicht wurde. Einstmals als Erziehungsmittel, den Adelsnachwuchs auf seine Karriere vorzubereiten, machte die Bildungsreise dann selbst Karriere. Anfänglich bildete man sich noch in Begleitung eines älteren Mentors der dafür Sorge zu tragen hatte, dass auch das richtige gelernt wurde, später dann nahm man sowohl die Reise als auch das Bildungserlebnis in die eigene Hand. Goethes Flucht nach Italien, als Bildungsreise kaschiert und im Tagebuch festgehalten, war für nachfolgende Generationen stilbildend. Das italienische Fremdenverkehrsgewerbe profitiert noch heute fleißig davon. Weniger hingegen profitieren heutige Bildungsreisende, die sich im Zeitalter der Massenbildung und des Massentourismus nicht selten damit begnügen müssen, im Führer nachzulesen, was sie hätten sehen können, wenn sie nicht in solchen Massen auftreten würden. Reisen bildet nur noch Heimweh, wenn man, wie der Autor, vor einiger Zeit im Sieneser Dom die herrlichen Marmorintarsien des Fußbodens unter Holz- und Pappplatten verschwunden vorfindet, damit sie vor der Zerstörung durch die Touristenströme geschützt bleiben. Ebensolche Frustration erweckt das penetrante Handygebimmle, das die kontemplative Atmosphäre des Raumempfindens merklich stört. Ja, in der Tat, Reisen bildet – in solchen Momenten eher Enttäuschung und Wut als Erkenntnis.

Aber auch Flugreisen bilden, zumindest jene mit der Lufthansa. Die nämlich, auch das ist wiederum durch eigene Erfahrung belegbar, verteilt zu ihrem minimalistischen Getränkeservice Papierservietten auf denen die Financial Times für ihr Produkt mit dem Hinweis wirbt: „Fliegen bildet". Na gut, das mag für diejenigen, die ehemals von der Schule flogen, zu einer nachträglichen Genugtuung reichen, darüber hinaus aber als „Bildungsschrott" noch zu positiv beschrieben werden. Merke: Dort wo Bildung draufsteht hat sie längst Reißaus genommen. Nur mehr da, wo nicht von Bildung geredet, wo nicht mir ihr geworben wird, nur dort besteht Hoffnung, noch gebildet und nicht verbildet zu werden. Zum Beispiel im Bahnhof.

Man kann sich den finanziellen und textilen Aufwand eines Beckett-Abends im Theater ersparen, wenn man den kostenlosen Lautsprecherdurchsagen am Bahnsteig lauscht. Da wird man belehrt, dass der „Oberleitungsschaden" ein Grund für die Verspätung eines erwarteten Zuges sein kann. Dass Oberleitungsschäden Probleme machen, das ist eine Erkenntnis, die für's Leben generell brauchbar ist. Man weiß jetzt jene defizitäre Situation besser zu benennen, die man in der eigenen Institution festgestellt hat. Endlich hat man den geeigneten Begriff dafür. Der Kreativität der Bahn sind keine Grenzen gesetzt. Für den gleichen Sachverhalt der Verspätung eines Zuges macht sie manchmal auch einen „Triebkopfschaden" verantwortlich. Das grenzt an große sprachschöpferische Genialität. Sigmund Freud hat Zeit seines Lebens vergeblich nach diesem Begriff gesucht. Er hat ihn nicht gefunden, der Bahn ist es gelungen. Vielleicht kommt sie deshalb auch so viel herum. Kürzlich informierte mich eine freundliche Frauenstimme auf dem Münchner Hauptbahnhof über ein Ereignis von dem ich mir nicht vorstellen konnte, dass es hätte eintreten können. Der Zug, den ich erwartete, konnte wegen eines „Böschungsbrandes" nicht rechtzeitig einfahren. Brennen Böschungen? Wie tun sie das? Und wie gefährlich ist so etwas? Fragen über Fragen, die ja von klugen Menschen als der Humus der Bildung gesehen werden (brennt Humus auch?). Auch der Terminus der „Signalstörung" ist vielseitig verwendbar – insbesondere beim Umgang mit dem Computer bringt er so manch bisher unbenanntes Ungemach auf den rechten Begriff. In Stuttgart konnte ich kürzlich sogar am Bahnsteig an einem Einführungskurs in Mengenlehre teilnehmen. Für die Fahrgäste des dort auf Gleis 12 abfahrenden Zuges wurde folgende Information verlautbart: „Aufgrund technischer Probleme befinden sich heute die reservierten Plätze des Wagens 12 in Wagen 9, die des Wagen 9 in Wagen 3, die von Wagen 3 in Wagen 6, die von Wagen 6 in Wagen 5" undsoweiterundsofort. Leicht verunsichert hörte ich mir diese Information als Nichtplatzkarteninhaber an, deshalb, weil die Mitteilung vergessen wurde, wo sich der Platz des Lokführers bei dieser ordentlichen Unordnung befindet und ob dieser seine Funktion wegen potentiellen Platzmangels überhaupt ausüben konnte. Während mir in der Hauptstadt Württembergs die Mathematik als Bildungserlebnis von der Bahn zuteil wurde, durfte ich in Frankfurt eine völlig neue Sicht auf die deutsche Kulturgeschichte genießen: „Geehrte Bahnreisende" – so dröhnte es aus den Lautsprechern auf Gleis 7; „Leo von Klenze hat heute leider 15 Minuten Verspätung, sodass der Anschluss an Hildegard von Bingen leider nicht gewährleistet ist. Wir bitten um Ihr Verständnis." Es hätte mich ja auch gewundert, wenn Leo von Klenze und Hildegard von Bingen zur gleichen Zeit am gleichen Ort zusammenträfen. Interessant aber wär's schon, die beiden mal gemeinsam anzutreffen. Vielleicht hätte die Hildegard dem Leo ein kleines Kräutersäckchen mitgebracht und der Leo sich mit einer Modellzeichnung für ein neues Frauenkloster in den Weinbergen des Rheingaus revanchiert. Vielleicht? Aber es sollte nicht sein, jedenfalls nicht an jenem Tag an dem ich unterwegs war.

 Eventuell, ja hoffentlich, klappt das Treffen von Theodor Fontane mit Marie-Luise-Fleißer besser, obgleich es die Geburtsstatistik wahrscheinlich macht, dass Frau Fleißer etwas auf Fontane warten muss. Georg Philipp Telemann jedoch kann die beiden lt. Fahrplan nur mit einstündiger Verspätung bei ihrem Treffen beobachten, um dieses, wenn er denn gut aufgelegt ist, musikalisch zu begleiten. Besser jedoch, er trifft Clara Schumann. Aber wo, und welche Verspätung würde sie tolerieren? Vielleicht klappt's ja doch, da Seppl Herberger in Göttingen wegen eines Triebkopfschadens ausgetauscht werden musste. Als Ersatzzug stand Roswitha von Gandersheim zur Verfügung. Zweifelsohne eine ganz passable Alternative.

 Ach ja, die Bahn AG, sie sorgt für viele Verbindungen, auch über die Jahrhunderte hinweg. Tausend Jahre sind für sie wie ein Tag. Die Bahn scheint in die Kirche eingetreten zu sein. Was machen da schon ein paar Minuten Verspätung aus?

Kleinigkeiten, aber oft mit großer Wirkung – denn nur so fällt das Treffen von Hildegard von Bingen und Leo von Klenze heute leider aus. Wegen 15 Minuten, das ist dann doch etwas kleinlich. Ja, nicht alles klappt eben im Leben und bei der Bahn noch etwas weniger. Vielleicht liegt das ja daran, dass wir in der Post- und nicht in der Bahnmoderne gelandet sind.

Aber – was muss ich da leider mitteilen - solche Lernmöglichkeiten wurden, zumindest in Deutschland, ab dem Jahr 2003 verunmöglicht. Das ist kein schöner Zug von der Bahn!

Deutschland, das Volk der Dichter und Denker – denkste! Die Bahn AG lässt uns wieder mal (ver-)zweifeln. Helden der Kultur und Wissenschaften waren es bisher, die als Hochgeschwindigkeitszüge durch die Republik und manchmal auch darüber hinaus fuhren. Mit Goethe nach Paris, mit Max Planck nach München und Hamburg, mit Franz Kafka nach Prag und mit Hoffmann von Fallersleben werweißwohin.

Mancherlei Mysterien der deutschen Kulturgeschichte nahmen auf deutschen Bahnhöfen ihren Anfang. „Wie sind Sie nach Frankreich gekommen?" „Gerade eben mit Goethe." Und wer im Speisewagen des Intercity „Bacchus" seinen zweiten Wein bestellte, war aller selbstquälerischen Skrupel enthoben.

Vorbei. Dieser Zug ist endgültig abgefahren. Die Bahn benennt ihre ICE-Züge künftig nach Fahrzielen und Stationen. Mit dem Fahrplanwechsel, so kündigte der Bahnchef an, will die Bahn nun ganz grundsätzlich ihre „Verbundenheit mit deutschen Städten" zum Ausdruck bringen. Na schön. Aber wo bleibt die Verbundenheit mit der deutschen Kultur? Womöglich wird Deutschland in der nächsten PISA-Studie noch weiter abrutschen. Bisher haben viele Landsleute wenigstens aus den Zug-Faltblättern erfahren, dass Max Planck „ein deutscher Physiker" war, „der als Begründer der Quantenphysik sowie des Planckschen Strahlungsgesetzes maßgeblich zur Gestaltung der modernen Physik beitrug und 1918 den Nobelpreis erhielt."

Die Trivialität, Züge nur nach jenen Orten zu benennen, zwischen denen sie hin und herfahren, ist nicht viel mehr als das Eingeständnis, dass bei der Bahn, ähnlich wie beim Flugzeug, der Transport die Reise abgelöst hat. Wem gefällt das? Einzig vielleicht Gabriele Münter, die immer die Lautsprecherdurchsage ertragen musste, sie verkehre zwischen Stuttgart und München. Schneller, schöner, pünktlicher aber machen die neuen Bahnnamen das Bahnfahren nicht.

Wer belehrt mich in der Zukunft. Keine Roswitha, keine Hildegard, kein Bacchus und kein Berthold Brecht. Unbelehrt sitzt man im ICE Berlin oder „Frankfurt". Immer nur Stationen und keine Bildung mehr. Traurig – aber wahr.

Und die Zukunft? Sie kommt auf uns zu – was soll sie auch sonst tun. Aber bitte, bitte keine Zukunft in der es Bildungsbahnhöfe gibt und wo die Bahnsteige Teil der aus dem Boden sprießenden „lernenden Regionen" werden und schließlich im örtlichen Volkshochschulverzeichnis auftauchen. Davor bewahre uns Gott und die Leitungsspitze der Bahn. Denn nur die Abwesenheit des Pädagogischen vermag uns die Freude am Reisen zu erhalten.

Und, das Resultat dieser Exkursion? Reisen bildet – ganz besonders aber bildet Reisen wenn man gar nicht wegfährt, sondern am Bahnsteig stehen bleibt.

Wird man durch Lernen klug?

Nun zur erheblich kürzeren, zweiten Lektion: Wird man durch Lernen klug?

Die bisherigen Lernanstrengungen – und es waren in der Bildungsgeschichte Mitteleuropas nicht wenige – haben belegt, dass man durch Lernen zumindest soweit klug wird, dass man meint, durch Lernen klug zu werden. Das funktioniert fabelhaft. Inzwischen lernen wir lebenslang – eher lebenslänglich. Auf jeden Fall, das belegt das lebenslange Lernen, wird man durch Lernen nicht so klug, dass man mit dem Lernen irgendwann einmal aufhören könnte. „1901 geboren - 2001 promoviert", das ist doch vorbildlich, das ist den Staatspreis „lebenslanges Lernen" wert (anstelle eines Preisgeldes werden die Preisträger mit Lernkassetten honoriert). Auf, in die Rennwägelchen mit Namen „Curricula". Auf die Plätze – fertig – los! Nicht immer erreichen die Lernenden das Ziel aber ganz sicher kommen sie ans Ende – aber nur, weil das auf sie zukommt. Und dann? Die Lerneifrigen können's zwar nicht mehr hören, aber die Überlebenden sorgen dafür, dass der Sarg mit den lobenden Worten „er hat sein Leben lang gelernt" im Grab verschwindet. Ob es wirklich klug ist, lebenslang zu lernen? Wo doch nach dem lebenslangen Lernen die Klugheit überhaupt nicht mehr gefragt ist?

Lieber Gott, lass und klug werden – ohne Lernen! So könnten wir Dich auch loben und müssten nicht, weil wir unentwegt mit Dir um Macht und Einfluss konkurrieren, so unsäglich viel lernen.

Addendum

Informierte Kreise behaupten auch weiterhin: „Reisen bildet". Ganz besonders gut informierte Kreise bestätigen das durch mannigfaltige Beweise: Diese belegen, dass es sich dabei hauptsächlich um Kapitalbildung handelt! Aber gerade dieser Sachverhalt ist es, der den Beifall der politischen Entscheidungsgremien findet. Reisen bildet „Kapital".

Satoshi Higuchi

Memories of Hiroshima and Soccer

In the year 1902, in order to develop teacher education within the Japanese educational system, the Japanese Meiji government established an institution in Hiroshima City. From this point sport's interest began to expand throughout Hiroshima City. This government established institution in Hiroshima and in Tokyo acted as a catalyst for the increase in western sports during the Meji period. The various school club and sports activities influenced the expansion and growing interest of western sports throughout Hiroshima and through all of Japan as well as.

This learning institution was first established as the Hiroshima Koto Shihan Gakko which translates into the Hiroshima Superior Normal School. This school later became what is now Hiroshima University. At this time, the same type of school had already been established in Tokyo in 1886, which later became the University of Tsukuba. While attending these schools many young men in their late teens and early twenties were introduced to new and various modern and westernized sports. These sports proved attractive and many student enjoyed active participation. Upon graduation a majority of these students became middle school teachers and contributed their knowledge and skills of these sports through the educational system. Soccer from England had been introduced and became a popular extracurricular activity. The educational system had become an essential component that acted as a medium in spreading the interest of soccer throughout Japan.

From the beginning of the Meiji period the most popular sport had been Baseball. For the game of Baseball the player had to use several different pieces of equipment and understand various rules and regulations. Soccer on the other hand, only used one ball and seemed simple in comparison to baseball. This simplicity proved to be a barrier in developing a correct understanding of the game. One could look at the complex rules and equipment used in baseball and realizes the need for complex strategies but with soccer there was only one ball. The simple, yet difficult question to answer was " how does only one ball develop into the exciting game of soccer?" To help answer this question and develop an understanding of the game the Japanese utilized the traditional Japanese game of *kemari* (kick-ball). This is a traditional ball game that was once played by the aristocrats and nobles in ancient Japanese society. Through this comparison between soccer and *kemari*, the Japanese developed a unique roundabout approach to learning the modern western game of soccer.

At the very first established high school in Japan, which later became part of the University of Tokyo, the game of baseball had become popular. The game had become so popular that often there had been several outbreaks of riots among the fans. Therefore, to eliminate baseball as a sporting event Koto Shihan Gakko began to encourage and promote the game of soccer..

Due to the strong influence of soccer from the Tokyo and Hiroshima Koto Shihan Gakko soccer began to widely spread through the country. Soon after, the area of Saitama was added to the list of Shihan Gakko which in turn began the promotion of soccer. After the Second World War, this school became Saitama University. On the Saitama J1 professional team emblem the Shihan Gakko school building is imprinted. This was though to be nothing more than a strategy to promote the localization of the team. The idea that the roots of the soccer team originated from the Shihan Gakko was accepted by the professional team.

After the Second World War these schools became Universities. If one only looks at the surface, it appears that the origin of Japanese sports, soccer included, were based on Koto Shihan Gakko or similar academic institutions. This concept had never been considered in Europe. However that does not mean that academia and soccer are considered to be joined together. While England's class formation is different, the Japanese educational system utilizes a type of character building called *Shuyo*. It is considered that soccer is a part of a physical culture where *Shuyo* is applied. In *Shuyo*, the ideals of strict effort is applied to becoming a better human being.

However, we must never misunderstand. Although to form and nationalize a modern Japan, under the policy of enhancing the national property and defense, discipline training and Olympic international activities were promoted, the players did not share the same ideas. Their motivation merely originated from the enthusiasm and love for the game of soccer rather than for the implementation of *Shuyo* or the enhancement of national property and defense. Young boys that spent an abundance amount of time day in and day out practicing soccer were happily referred to as soccer freaks.

In the Hiroshima bay there is a small island named Ninoshima. To reach this island one must take a ferry for about 20 minutes from Hiroshima Ujina port. The population of this island is approximately 1500 people. Although there is automobile transportation on this island there is but one traffic light throughout the entire island.

On this island was a former prison of war camp used in the First World War. In 1914 combined with Anglo-Japanese Alliances, Japan enters the war. At this time 700 German prisoners were assigned to this camp. An interesting situation was that just after the conclusion of the war, in 1919 a leisurely soccer game was permitted between the German prisoners and the Hiroshima Koto Shihan Gakko student soccer team.

The Japanese Koto Shihan Gakko student soccer team lost both games that were played, 0-5 and 0-8. The Koto Shihan Gakko student soccer team captain, Mr. Tanaka said that their teams kicking techniques and body size could not compare to the German team. The team captain expressed an interest to learn from the Germans and received permission from military forces to come to the island every week and receive soccer training from the German prisoners. This international game was considered a landmark event for the Japanese in receiving extend training that increased their level of ability.

During the same year the Japan soccer world received the reward of the Big Silver Cup from England. This was viewed as a chance for Japan to establish a football association. Then in 1921 the JFA (Japan Football Association) became a reality. At the same year, a national soccer championship tournament was held. From 1924 to 1925 the Hiroshima team held the champion title and was referred to as the Hiroshima soccer kingdom. The national champion team is called the *Rijo* Football Club. The word *Rijo* is another name for Hiroshima Castle. The extensive training and continual support of the Hiroshima high school and Koto Shihan Gakko had significantly influenced in the national soccer championship tournament. However, those brilliant memories had to be abandoned due to the war.

Often, to support the post war revival efforts sport actives were discussed. Baseball had become a popular revival symbol. In 1950, the Hiroshima Carp professional baseball team was established. At this time, the team was not owned by a private company but was established through contributions from the local city government, local businesses and Hiroshima citizens. This baseball team was called the city baseball team.

The Memorial Atomic Dome and the Hiroshima Carp baseball stadium was built along the Motoyasugawa River. At first we might be able to have a sense of incompatibility between the two different buildings being placed next to each other. Of course the baseball stadium had been built after the Atomic Dome. Although there was protest against the construction of this stadium, the protest was not because of the stadium being located adjacent to the Atomic Dome, but because of the housing problem that resulted from the construction.

In 1957 the construction began for the baseball stadium. At that time there had been repeated discussion about the existence of the Atomic Dome. The Hiroshima City Mayor and Hiroshima Prefecture Governor believed that the Dome should have been removed, but there was strong resistance toward the Dome removal. The Dome was and still is a memorial symbol for peace. However, without any planned intent, the Dome later proved to be a significant resource for tourism.

Now days the general consensus surrounding the baseball stadium's construction around the Atomic Dome is not a sense of incompatibility. For many people the Dome points toward a time of difficulty and hardship, but on the other hand the stadium and baseball Carp team's activities create a sense of togetherness. Walking through the area one can get the power to obtain ones dreams of the future. Although accidentally, contrast between the difficulties of the past and hopes for the future is represented effectively in this area.

It has been decided that the Atomic Dome will exist forever as a world heritage. Through the acceptance of this honorable inheritance it is thought that a holy or spiritual place has been born at the Atomic Dome. Within this holy place the baseball stadium holds a special position. When going to watch a baseball game one must exit the street car at a stop titled *genbaku domu mae*, which translates into "in front of the Atomic Dome". When going to watch a game one receives either the message that peace and sports can exist together or they may be reminded of the importance of peace. Every year in May, there is the flower festival on a street named *heiwa dori* which is translated into "peace road". This annual festival began when a parade was held to honor the Hiroshima Carp baseball team for becoming league champions in 1975. Therefore, it is said that the stadium's symbolization and involvement in the community has created a position in the holy space of the Atomic Dome.

Now returning back to the topic of soccer. The former Japanese soccer association chairman, Mr. Ken Naganuma, is from Hiroshima. He was a proud representative of the Japanese soccer players and was the manager of the bronze medal Japanese soccer team for the Mexico Olympics. At the Olympics, the team gave him a group toss in the air upon receiving the bronze medal. At that time he had a view of the deep blue Mexico sky. This view of the deep blue sky mystically overlapped and transfigured into his memory of the deep blue Hiroshima sky the morning of August the 6th 1945. At that time he was a 15 year old student at the middle school attached to Hiroshima Koto Shihan Gakko. He reflects, "bomb explosion, ruins city, scorched fields, a hand made soccer net, lack of food, eggs for nutrition, akashia trees used for soccer goal posts, old patched soccer ball, and a friend with burns on his face". This was where his love for soccer originated.

During the mist of this very troubled time Mr. Naganuma continued to play soccer with his friends. He was able to maintain and provide support by continually expressing his love for the game of soccer. He literally had no other choice but to stand on the mountain of ashes from a ruined city and cultivate his pure love for soccer.

The first Japanese soccer team to compete in the Olympics was in the 1936 Berlin Olympics. At the Olympics the Japanese were surprised to have won an upset between the favored Swedish team 3-2. After the Second World War, the Japan soccer team continued to suffer from difficult times. In the 1956 Melbourne Olympics and the 1958 Asian games the Japan soccer team suffered defeat and then was unable to compete in the 1960 Rome Olympics. Mr. Naganuma referred to this time as the darkest era for Japanese soccer. To break away from this down fall Japan sought assistance from West Germany. Mr. Naganuma went to West Germany to meet with Duisburg Sportschule's Mr. Dettmar Cramer. For the 1964 Tokyo Olympics, Coach Cramer was invited to Japan. Mr. Naganuma referred to Mr. Cramer as the father of Japanese soccer. •@ The serious soccer training that Mr. Naganuma received from Mr. Cramer was a reminder of the training Mr. Tanaka received from the prisoners of war at the Ninoshima camp in 1919. This great effort proved successful in 1968 when Japan won the bronze medal at the Mexico Olympics. A significant point of interest is that the Japan soccer team achieved this international recognition seven years prior to the championship title won by the Hiroshima Carps in 1975. In contrast to the localization influence of the Hiroshima Carps, the heroic efforts by a local Hiroshima citizen, Mr. Naganuma, were never considered to be an influence in the locality of Hiroshima.

In 1991 the Japan professional soccer league birthday was celebrated. The following year the Sanfrecce Hiroshima professional soccer team was established. The title Sanfrecce means three arrows, which represent citizens, administration and finance. This is the moral of an old Japanese story, which basically means that one arrow can be easily broken but three arrows together are strong and cannot be broken. These ideals are also instilled within the Hiroshima Carps baseball team. A distinct area of difference between the Hiroshima Carps and Sanfrecce Hiroshima soccer team lies in the localization influences. There is no Hiroshima legacy created through the locality in the memory of the Sanfrecce soccer team. The Sanfrecce Hiroshima soccer team was established based upon the J league ideals. To establish a new shape in sports organizations, the soccer team took a daring step to remove past local legendary influence in hopes to look toward the future. Of course this created resistance among many local people.

The Hiroshima Carp team's locality may be limited to the space around the Atomic Dome. Hiroshima City's geographic administration district is very large. The locality sense is similar to the sense that people obtain when attending the traditional Japanese festivals such as *Ebbessan* and *Tokasan*. The "Hiroshima" in the Hiroshima Carps has been formed as an indigenous memory. Is it expected that the Sanfrecce soccer team also develop the same rival sense of locality for Hiroshima? It could be possible that Sanfrecce develop a sallower sense of locality for Hiroshima, far from the deep established sense of Hiroshima locality created through the Hiroshima Carp. Regardless of the outcome, now, it is important that the Sanfrecce team and all Japanese citizens remember that the love of soccer extends beyond Hiroshima. This representation can be seen through the primitive, wild love and compassion for soccer that was expressed by Mr. Tanaka and Mr. Naganuma and is still expressed by younger and older generations today.

Wolfgang Jütte

Grenzüberscheitende Suchbewegungen
*Zum Studium der Erwachsenenbildung
in einer sich globalisierenden Welt.*[1]

> "Institutions of higher education are ideally placed
> to use globalization as a tool for bridging the knowlede gap
> and in order to enrich the dialogue
> between peoples and between cultures"
> Jacque Delors (1996, S. 135)

> „Reisen heißt, sich auf andere Kulturen einzulassen.
> Das scheint mir wichtig, den jungen Menschen zu vermitteln.
> Aber nichts scheint mir wichtiger,
> als selbst die Erfahrung des Reisens zu pflegen."
> Werner Lenz (1999, S. 113)

Metaphern sind geeignet, die Mehrdeutigkeit einer Problematik zum Ausdruck zu bringen. Die Metapher der Grenzüberschreitung ist eng verbunden mit dem Thema der Reise und des Umstand des „on the road again" (Lenz 1999) - Seins. Bei grenzüberschreitenden Suchbewegungen geht es darum – essayistisch ausgedrückt –, die Angst vor der Fremde und dem Unbekannten zu verlieren, fremde Welten zu entdecken und intellektuelle Horizonterweiterungen zu erfahren. In diesem Sinne hat wissenschaftliches Arbeiten *per se* schon eine grenzüberschreitende Intention. „Eine neue Theorie oder ein neues Themengebiet zu erkunden, erfordert etwa ebensoviel Mut, wie auf Reisen ein fremdes Land selbständig zu erschließen. Wie dort muß man bereit sein, sich mit Neuem, Überraschendem, Fremdem zu konfrontieren und den Boden des Bekannten zu verlassen" (Kruse 1995, S. 59). Dies soll nun für das Studium der Erwachsenenbildung ausgeleuchtet werden.

Internationalisierung des Wirtschaftens und der Lebens- und Bildungsräume

Die Aufgaben der Erwachsenenbildung sind in den letzten beiden Jahrzehnten immer umfassender geworden. Dies kann für die Praxis, für die Disziplin und mittelbar auch für das Studium der Erwachsenenbildung reklamiert werden. Internationalisierungs- und Globalisierungsprozesse – die vorherrschenden Zeitsignaturen im öffentlichen Diskurs – fügen weitere hinzu. Zunächst gilt es sich die Unterschiedlichkeit beider Begriffe zu vergewissern. In Rückgriff auf Reichert/Wächter (2000, S. 33) verstehen wir die Globalisierung eher als den ungeordneten Prozess der Auflösung nationaler Grenzen und Hegemonien durch den internationalen Wettbewerb und die Integration der Weltmärkte. Demgegenüber kann Internationalisierung als die gezielte Antwort auf die wahrgenommenen Unzulänglichkeiten nationaler Definitionsversuche in den zentralen Funktionen des Hochschulbereichs betrachtet werden. Europäisierung wird dabei als ein geographischer Unterbegriff der Internationalisierung verstanden (ebda.).

Internationale Vernetzungsprozesse üben einen Einfluss auf die Arbeits- und Lebensverhältnisse breiter Bevölkerungsgruppen aus. Dies ist zwar an sich keine neue Entwicklung, aber seit dem letzten Jahrzehnt gewinnen die „Globalisierung" des Wirtschaftens und die damit einhergehenden Konkurrenzmechanismen spürbar an Gewicht. Durch Internationalisierungsprozesse wird der einzelstaatliche Kontext zunehmend überschritten. Die stete Zunahme der Austauschbeziehungen von Gütern und Informationen und die Mobilität von Menschen über die nationalen Grenzen hinweg und die weltweite Verflechtung von Finanz- und Arbeitsmärkten verlangen eine verstärkte internationale Ausrichtung der Bildungseinrichtungen. insbesondere auch im Hochschulbereich. Europa entwickelt sich zu einem Bildungs- und Qualifikationsraum, der nicht auf nationale Grenzen beschränkt bleibt. Neue Mobilitätsmöglichkeiten für grenzüberschreitende Bewegungen entstehen, die jedoch „gefüllt" werden müssen. Zwar findet eine Internationalisierung und Europäisierung individueller Bildungskarrieren eher zögerlich statt, aber immer mehr Studierende verbringen eine Zeit ihrer Ausbildung im Ausland.[2]

Was diese zunächst auf der gesellschaftlichen Ebene stattfindenden Prozesse für die Erwachsenenbildung und ihr Studium bedeuten könnten, möchte ich in diesem Beitrag schlaglichtartig ausleuchten. Dabei stellt dieser Versuch insofern eine Gratwanderung dar, weil auf der einen Seite die Gefahr lauert, die wissenschaftliche Disziplin der Erwachsenenbildung aufgrund ihrer vermeintlichen nationalen Begrenztheit allzu leichtfertig zu „schelten" und auf der anderen Seite, sich als Befürworter einer unkritischen „Europa-Euphorie" zu generieren und zur Mythenbildung wie der „Mobilitätskompetenz für alle" beizutragen.

Internationalisierung des Gegenstandes und Notwendigkeit grenzüberschreitender Kommunikationsstrukturen

So wenig neu die Internationalisierung des Wirtschaftens an sich ist, so wenig neu ist die Internationalität der Erwachsenenbildung (vgl. Knoll/Künzel 1981). So war der „Prozeß früher fachlicher Artikulierung und Entwicklung (...) in starkem Maße durch grenzüberschreitende Diskurse, Konferenzen, Reisen, Begegnungen mit dem Ausland bestimmt" (Friedenthal-Haase 2002, S. 424).

Jedoch wird der internationale Forschungsstand zur Erwachsenenbildung eher ungenügend zur Kenntnis genommen. Die mangelnde Rezeption internationaler Literatur und Theorieansätze ließe sich gerade auch für viele der gegenwärtig gehandelten *„hot topics"*, z.B. „lebenslanges Lernen" oder „selbstgesteuertes Lernen", belegen. Auch die Arbeit supranationaler Einrichtungen und internationaler Nichtregierungsorganisationen (NGO's) im Feld der Erwachsenenbildung ist eher unbekannt – wenngleich sie mit den Globalisierungsprozessen einen Bedeutungszuwachs erfahren.

Dennoch finden Veränderungen in der Informations- und Kommunikationsstruktur statt. Fachzeitschriften berücksichtigen zunehmend internationale Diskussionen, und dies nicht mehr nur im Rezensionsteil. Im Rahmen der europäischen Bildungszusammenarbeit entstehen zugleich vermehrt deskriptive Ländermonographien (vgl. z.B. für Österreich Lenz 1997) und vergleichende Arbeiten, die insbesondere für Studierenden aufgrund ihres Einführungscharakters einen hohen Orientierungswert haben.

Eine stärkere Kooperation in der europäischen Weiterbildungsforschung ist zu beobachten. Zunehmend bilden sich grenzüberschreitende Forschungsnetzwerke heraus, wie z.B. die European Society for Research in Adult Education (ESREA), die eine wichtige Rolle in der internationalen Fachkommunikation übernehmen. Es zeichnet sich hier ein Aufbrechen der noch sehr nationalen Organisiertheit der Wissenschaft von der Erwachsenenbildung und das Entstehen einer europäisch verfassten Weiterbildungsforschung heraus.

Das universitäre Studium der Erwachsenenbildung lässt sich – wenn man vom Junktim der „Einheit von Forschung und Lehre" ausgeht – nicht hinreichend erklären, ohne die Forschungsschwerpunkte der dort Lehrenden mit in den Blick zu nehmen. „Die Wissenschaftler befinden sich in einem neuen Wettbewerb: Internationale Kontakte schaffen, in internationalen Projekten mitarbeiten und sich international fachlich bewähren" (Lenz 1999, S. 113). Nicht wenige hegen gegen internationale Kooperationen auch Vorbehalte. So sind es oft andere nationale Wissenschaftstraditionen mit ihren unterschiedlichen Strukturen und intellektuellen Stilen (vgl. Galtung 1983), die Befremden und Abwehr hervorrufen. Dagegen bieten internationale Forschungszusammenhänge m.E. auch die Chance, nationale Wissenschaftskulturen zu reflektieren und zur Selbstvergewisserung beizutragen. Desgleichen sind Irritationen zu beobachten, dass die „Aufwand-Ertrags-Relationen" in einem ungünstigen Verhältnis zueinander stehen. Der persönliche Gewinn, der aus internationalen Begegnungen entstehen kann, wird in diesem Zusammenhang zumeist aber nicht thematisiert.

Entscheidender scheinen mir jedoch einige grundsätzliche Überlegungen zu sein, die ich in drei Thesen zuspitzen möchte:

- *These 1*: Die internationale Fachkommunikation wird durch Sprachgrenzen behindert. Die festzustellende Tendenz der Durchsetzung der englischen Sprache als *Lingua franca* im internationalen Kontext erleichtert zwar vielfach die Fachkommunikation, hebt aber das tieferliegende Verständigungsproblem letztendlich nicht auf.

- *These 2*: Es herrscht Skepsis gegenüber internationalen Themen vor, da bisher nicht genügend und überzeugend aufgezeigt worden sei, dass internationale Erwachsenenbildung zum Fortschritt der Disziplin beigetragen habe. Die Erträge internationaler Forschung für nationale Fragestellungen lassen sich zweifelsohne nicht einfach gewichten.

- *These 3*: Noch ist die Annahme – wenngleich nicht immer explizit – weit verbreitet, dass die Internationalität nur dann einen Sinn mache, wenn sie an das „borrowing" orientiert sei: die Übernahme von „progressiv" wahrgenommenen ausländischen Erfahrungen, die für die Fortentwicklung eigener nationaler Systeme einen Beitrag leisten könnten.

ad 1) Übersetzungs- und Terminologieproblematik

Das Gelingen fachsprachlicher Kommunikation im internationalen Kontext ist auf Übersetzung angewiesen. Jede Untersuchung zur Erwachsenenbildung in einem anderen Sprach- und Kulturraum sieht sich in besonderem Maße mit der Übersetzungs- und Terminologieproblematik konfrontiert. Die Übersetzungsproblematik tritt erst dann in den Vordergrund, wenn die Sprachmittlung offensichtlich versagt und Fachkommunikation verhindert wird. Damit wird man mit dem „Elend" der Übersetzung konfrontiert. Diese Problematik bedarf kurz der Reflexion.

Der Laie stellt sich die übersetzungspraktische Handlung zumeist so vor, dass solide Kenntnisse in der Ausgangs- und der Zielsprache und – für alle Fälle – ein gutes Wörterbuch als Ausgangsbedingungen ausreichend seien (Wills 1988, S. 8). Diese sind zwar eine *conditio sine qua non*, aber in der fachsprachlichen Übersetzung keinesfalls ausreichend. Es muss dagegen von einem erweiterten Übersetzungsbegriff ausgegangen werden.

In der übersetzungswissenschaftlichen Diskussion kommt dem Begriff der „Äquivalenz" eine zentrale Schlüsselrolle zu. Er drückt die inhaltliche Entsprechung von Begriffspaaren der Ausgangs- und Zielsprache aus. Angestrebt wird die funktionale Gleichwertigkeit von Begriffen. Übersetzerisches Handeln bedeutet also nicht, eine wörtliche Übersetzung von Begriffen aus der Quell- in die Zielsprache vorzunehmen; vielmehr müssen die Begriffs*inhalte* übertragen werden. Im Übersetzungsprozess geht es um die Herstellung funktionaler Äquivalenz zwischen zwei Begriffen.

Da die Bedeutung eines Begriffes erst aus dem Kontext vollständig erschlossen werden kann, handelt es sich letztendlich immer um ein interpretierendes Übersetzen, dem Deutungen und Bewertungen zugrunde liegen. Übersetzen stellt einen Problemlösungsprozess dar, in dem es eine große Vielfalt von Deutungsmöglichkeiten gibt. Das Finden einer adäquaten Übersetzung bedeutet daher zumeist auch das Vorgedrungensein zum „Kern der Sache". Im Umkehrschluss kann von begrifflichen Unschärfen oft auf ein mangelndes Verständnis des Untersuchungsgegenstandes geschlussfolgert werden.

Aus der Mehrdeutigkeit der Begriffe resultiert das eigentliche Übersetzungsproblem. Hier besteht z.B. die Gefahr, dass es zu „Interferenzen", d.h. zu inhaltlichen Überlagerungen und Überschneidungen aufgrund der Ähnlichkeit von Sprachstrukturen kommt. Die lexikalischen Interferenzen werden in der einschlägigen Literatur häufig als „*faux amis*" (falsche Freunde) bezeichnet, da sie zu falschen Analogien geradezu verleiten. So ist z.B. eine amerikanische „*Highschool*" durchaus nicht mit einer deutschen „*Hochschule*" vergleichbar, wenngleich eine starke Benennungsähnlichkeit vorliegt. Wörtliche Übersetzungen suggerieren mitunter nur ein Verständnis.

Die festzustellende Tendenz der Durchsetzung der englischen Sprache als *Lingua franca* im internationalen Kontext erleichtert zwar vielfach die Fachkommunikation, hebt aber das tieferliegende Übersetzungsproblem letztendlich nicht auf. So bleiben in komparativen Untersuchungen Kenntnisse in der Quellensprache unabdingbar. Die Sachkompetenz lässt sich in diesem Fall von der Sprachkompetenz nicht trennen.

ad 2) Orientierung im Raum

Der Grund dafür, dass „die Funktion der Wissenschaft von Erwachsenenbildung als Mittel und Mediator von Internationalität" (Knoll 1996, S. XIV) so wenig in den Blick genommen wird, muss auch in der Wissenschaftskonstituierung von Erwachsenenbildung gesucht werden.

Wenn Wissenschaftssysteme jemals national verfasst waren, so kann dies gegenwärtig vor dem Hintergrund der zu beobachtenden Internationalisierungsprozesse immer weniger Geltung beanspruchen. Dennoch sind die Orientierungen von Wissenschaften im Raum höchst unterschiedlich: „Je ‚reifer' im Sinne der Ausprägung ihres Paradigmas eine Disziplin ist und je ‚abstrakter' gegenüber allem Historisch-Konkret-Einmaligem, desto größeres Gewicht bekommen die internationalen Kommunikationszusammenhänge" (Huber 1991, S. 13). Legt man das englische Begriffspaar „cosmopolitan" versus „local" zugrunde, dann muss die Erwachsenenbildung gegenwärtig eher zu den „locals" der Wissenschaftsdisziplinen gezählt werden. Wenn Erwachsenenbildung als eine handlungsorientierte, praxisbezogene Wissenschaft verstanden wird, dann ist möglicherweise der internationale Kommunikationszusammenhang nicht so ausgeprägt. Friedenthal-Haase (1990, S. 26) hat auf das Differente der Erwachsenenbildung zur allgemeinen Wissenschaftskonstituierung hingewiesen, das sich aus ihrem anwendungsorientiertem Charakter ergibt: „... die Theorie der Erwachsenenbildung als die einer anwendungsbezogenen Wissenschaft [ist] von historischen, nationalen, regionalen, lokalen und kulturellen Variablen geprägt". Diese lokale, regionale und mit Praxis einhergehende Orientierung ist für die Wissenschaft von der Erwachsenenbildung sicherlich konstitutiv und insofern ist auch ihre Kommunikationskultur eher lokal, regional und national geprägt. Aber eben diese beschworene Praxis erfährt Veränderungen, die es seitens der Forschung wahrzunehmen gilt. Auch muss die Frage aufgeworfen werden, ob die Globalisierung und Regionalisierung dichotomisch gesehen und arbeitsteilig gegeneinander „ausgespielt" werden oder ob nicht vielmehr die Gleichzeitigkeit von globalen und lokalen Zusammenhängen in den Blick genommen werden muss.

ad 3) Grenzüberschreitender Transfer oder zum Stellenwert internationaler Gestaltungsimpulse

Seit ihren Ursprüngen werden in der Erwachsenenbildung Theorien und Methoden über Grenzen hinweg vermittelt. Ungeachtet der starken Prägekraft und Traditionsgebundenheit nationaler Weiterbildungslandschaften (vgl. Seitter 1993) finden Austausch- und Adaptationsprozesse statt. Dabei ging es immer „um neu akzentuierte Verhältnisse von ‚Öffnung' und ‚Schließung' gegenüber internationalen Einflüssen und Argumenten." (Fuchs/Naumann 1994, S. 131).

Wenngleich Erwachsenenbildungs"systeme" nationalspezifisch konfiguriert sind, erfahren sie immer auch Einflüsse von außen. Zahlreiche historische Beispiele verweisen auf transnationale Austauschprozesse in der Erwachsenenbildung und auf die Wirksamkeit ausländischer Modelle..Dies reicht von den französischen Athénées, über die englische university extension bis hin zu der dänischen folkehøjskole. Die Fokussierung auf ausländische Erwachsenenbildungswirklichkeiten ist zumeist auf das „borrowing" ausgerichtet, um „Hilfestellungen" für eigene nationale Problemlagen zu bekommen (vgl. auch Titmus 1991); insbesondere seit dem 19. Jahrhundert dienten Anleihen von fortschrittlichen Nationen als Legitimationsrahmen für inländische Modernisierungsprojekte.

In der Selbstdarstellung der deutschen Pädagogik ist seit dem ausgehenden 18. Jahrhundert die These des „(nationalen) Sonderweges" weit verbreitet. Damit wird zumeist von einer generellen Abschottung ausgegangen, die den Blick für grenzüberschreitende Austauschprozesse trübt (vgl. auch Tenorth 1997). Trotz eines häufigen Beharrens auf einen „Sonderfall" der deutschen Erwachsenenbildung und der geringen Wahrnehmung der Erwachsenenbildung des Auslandes, ist in den letzten Jahren – und dies ist kein Widerspruch – in dem bildungsreformerischen Bemühen eine Renaissance des „internationalen Arguments" (vgl. Knoll 1995 und Gonon 1998) zu beobachten. Insbesondere die historische Bildungsforschung hat gezeigt, wie sehr der Auslandsbezug immer auf die inländische Problemlage zielte (vgl. Dräger 1991 und Seitter 2000). Der bildungspolitische und -praktische Wert einer verstärkten Außenwahrnehmung liegt in seiner „Impulsgeberfunktion", die zur eigenen Positionsbestimmung herausfordert.[1] „Der „Umweg" über ausländische Erfahrungen ermöglicht ein vertieftes Verständnis der Ausgangsproblematik in der eigenen Gesellschaft und eine Reformulierung der Problemdefinition" (Georg 1997, S. 164). Der komparative Blick weist damit Züge des „Benchmarkings" auf, wenn man darunter zunächst den ursprünglichen, aus der Geographie stammenden Begriff des „Bezugswertes" fasst, der als Orientierungshilfe bei Messungen im Gelände dient. Aus der vergleichende Perspektive, gleichsam als Kontrapunkt, treten die Charakteristika der nationalen Bildungslandschaft hervor.

Hörner (1997) hat verschiedenen Funktionen vergleichender Forschung aufgezeigt. Bezieht man sich lediglich auf das praktische Interesse des Vergleichs, so können eine melioristische auch eine evolutionistische Funktion ausgemacht werden. Die *melioristische Funktion* als „die Suche nach dem besseren Modell ist das bildungspolitisch-praktische Motiv, das den Vergleich für den Bildungspolitiker attraktiv macht: das Bestreben, positive fremde Erfahrungen zu nutzen, aus den Erfahrungen anderer zu ‚lernen'." (Hörner 1997, S. 70). Die „*evolutionistische Funktion* als Suche nach dem Entwicklungstrend hat als Ziel nicht das Herausstellen des Besonderen, sondern des allgemeinen Trends, einer gewissen Eigengesetzlichkeit der Entwicklungsdynamik. Dabei lässt sich oft eine bildungspolitische (Neben-)Absicht erkennen: Die Frage nach der eigenen Position auf dieser verborgenen Entwicklungsskala verleiht der herausgearbeiteten Entwicklungsdynamik oft eine ‚kryptonormative' Funktion; der (vermeintliche) Trend wird zur Richtschnur der eigenen Reformpolitik." (ebd, S. 71). Hierfür lassen sich auch gegenwärtig für die bundesdeutsche Situation einige Beispiele finden. Dies betrifft z.B. Konzepte des lebenslangen oder des selbstgesteuerten Lernens. Das Internationale Argument dient der Plausibilisierung von Reformvorhaben. So darf auch geschlossen werden: „Internationale Verweise können demgemäß als Indiz dafür genommen werden, dass Reformen größeren Ausmaßes anstehen" (Allemann-Ghionda/Gonon 1996, S. 30).

Noch wissen wir wenig über die Möglichkeiten eines Innovationentransfers für die nationalen Weiterbildungssysteme durch internationalen Austauschprozesse. Erforderlich wäre eine systematische Transferforschung, die sich mit den Potenzialen und Hindernissen des Transfers beschäftigt. Ob hierbei nicht vielfach funktionalistische Übertragungsmechanismen unter Missachtung nationalspezifischer Traditionen zugrundegelegt werden (vgl. Knoll 1996, S. 209), ob die Übertragung vom Konzepten und Modulen beispielhafter Praxis so umstandslos erfolgt, ob der fachliche Erfahrungsaustausch über den Kreis der unmittelbar beteiligten Akteure hinausgeht, inwieweit durch die internationale Vernetzungsmöglichkeiten sich neue Erfahrungsbereiche für Weiterbildner erschließen, inwiefern der Transfer kontextualisiert, d.h. auf die ordnungspolitischen Rahmenbedingungen bezogen wird, – dies sind einige der zu beantwortenden Fragen.

Nationale Traditionen in der Erwachsenenbildung verbinden sich mit europäischen Perspektiven. Wenngleich nationalspezifische Faktoren zugunsten länderübergreifender Entwicklungsverläufe in den Hintergrund treten, wird die Traditionsgebundenheit der Institutionalformen aber nicht damit aufgehoben.

Studium als Ausbildung grenzüberschreitender Suchbewegungen

Internationalisierung der Praxis und Anforderungen an berufliches Handeln

Die internationale Orientierung der Wissenschaft von der Erwachsenenbildung hat, wie Knoll aufzeigt, seit der Weimarer Republik bedeutende Verschiebungen erfahren: Während die Praxis der Erwachsenenbildung, im Gegensatz zur pädagogischen Disziplin, in der Weimarer Republik noch sehr auf nationalem Terrain verhaftet war, könnte heute „im Blick auf internationales Bewusstsein die Praxis von der Erwachsenenbildung gewiss einen internationalen Vorsprung gegenüber der Wissenschaft reklamieren" (Knoll 1996, S. 222). Wenn die Erwachsenenbildungspraxis sich vor dem Hintergrund der europäischen Integration verändert, muss auch die Wissenschaft von der Erwachsenenbildung sich dazu verhalten und ihren Fragehorizont erweitern.

Weiterbildungseinrichtungen befinden sich im Wandel. Internationalisierungsprozesse spiegeln sich im Lernen der Institutionen und ihrer Mitarbeiter wider. Internationaler Erfahrungsaustausch nimmt vor allem im Kontext der europäischen Bildungszusammenarbeit zu. So wie Verbände ihren Arbeitsbereich „Internationales" ausbauen, beginnen auch Weiterbildungsträger und -einrichtungen das Feld „Internationales" zu bearbeiten. Aus diesen bi- und transnationalen Kontakten und Kooperationen ergeben sich besondere Anforderungen an berufliches Handeln. Grenzüberschreitende Kommunikation und Interaktion ist erforderlich. Welcher Verband oder welche größere Bildungseinrichtung hat heute keine internationalen Kontakte, die gepflegt werden müssen? Dies reicht von Zusammenkünften auf europäischer Ebene bis hin zum Empfang von Besuchsgruppen. Die Notwendigkeit eines europäischen Projektmanagements ergibt sich vor allem aus der Orientierung an veränderten Finanzierungsströmen. Die Kenntnisnahme von EU-Fördermitteln, die Erarbeitung von Projektvorschlägen und die Erstellung von Anträgen gewinnen an Stellenwert.

Auch das Personalmanagement internationalisiert sich. In der Personalentwicklung, insbesondere multinationaler Betriebe, wird der Vermittlung sogenannter internationaler Qualifikationen (vgl. Götz 1999) zunehmend Aufmerksamkeit geschenkt. Hierbei geht es vor allem um interkulturelle Kompetenz als strategische Ressource, um auf dem Weltmarkt erfolgreich zu sein.

Diese skizzierten Beispiele deuten auf Veränderungen der Weiterbildungspraxis und der Anforderungen an berufliches Handelns hin. Wenn man den Katalog erwachsenenpädagogischer Schlüsselqualifikationen erweitern möchte, gehört die internationale Dimension zunehmend dazu. Zu den Merkmalen von Professionalität zählt heute immer stärker auch das Wissen über internationale Zusammenhänge, z.B. über die Arbeit supra- und internationaler Organisationen, die Wirtschafts-

und Sozialstrukturen benachbarter Länder und das Verständnis von Kultur und Sprache anderer Nationen.

Die interkulturelle Dimension des Studiums

Arbeitsplätze in europäischen Nachbarländern stellen zunehmend eine begründbare Alternative für mobilitätswillige Hochschulabsolventen dar. Auch für WeiterbildnerInnen ergeben sich neue grenzüberschreitende Arbeitsmöglichkeiten, z.B. freiberuflich als TrainerIn für interkulturelles Management, als MitarbeiterIn eines Verbindungsbüros in Brüssel oder in internationalen Organisationen. Dennoch sind und werden WeiterbildnerInnen zukünftig nicht die Global Players und insofern wird die Ausbildung des polyglotten Weiterbildungsmanagers nicht das vorrangige Ziel sein.

Die Notwendigkeit einer Internationalisierung des Studiums der Erwachsenenbildung sehe ich insofern primär weniger auf die erweiterten Berufschancen im europäischen Arbeitsmarkt bezogen – eine Argumentationsfigur, die in vielen Studiengängen, z.B. den Wirtschaftswissenschaften vorherrscht – als vielmehr hinsichtlich der Internationalisierung des Gegenstandes, d.h. die Rückwirkungen einer sich zunehmend vernetzenden Welt auf Erwachsene und Erwachsenenbildung. Das Potenzial grenzüberschreitender Dimension liegt für mich vorrangig im angemessenen Umgang mit dem Fremden und im interkulturellen Lernen als wichtiges Kriterium professionellen Handelns.

Die Beschäftigung mit Interkulturalität wird vielfach als eine pädagogische Antwort auf die Internationalisierung der Lebensräume und der kulturellen Pluralität der europäischen Gesellschaften interpretiert. Damit wurde anfänglich vor allem die Zuwanderung in den zumeist sozialpädagogisch gefärbten Blick genommen. Zunehmend wird jedoch auch der intranationale Aspekt von Interkulturalität betont (vgl. Schäffter 1997).

Bildung beinhaltet seit je her eine grenzüberschreitende Funktion im Sinne der Vermittlung zwischen unterschiedlichen Menschen und Kulturen. Für die Erwachsenenbildung gilt Interkulturalität als konstitutives Element (vgl. Arnold/Siebert 1995). Während des Studiums lassen sich beispielsweise bei der Beschäftigung mit dem Konstruktivismus, mit der Auseinandersetzung mit eigenen und fremden Deutungen und Wirklichkeitskonstruktionen, interkulturelle Bezüge herstellen.

Generell zeichnet sich die multikulturelle Hochschule im Gegensatz zur Schule bei weitem noch nicht ab. Ausländische DozentInnen und Studierende bilden eher die Ausnahme. Dies ist weniger eine Gefährdung des Hochschulstandortes als vielmehr eine „Verarmung" an interkulturellen Begegnungsmöglichkeiten während des Studiums.

Interkulturelle Lernprozesse im Lernfeld Universität können in vielfältiger Form stattfinden (vgl. dazu auch Sprung 2002). Wenn man von einem weiteren Begriff von Interkulturalität ausgehen, dann können mit Friedenthal-Haase (2002, S. 421) eine Reihe von Schlüsselbegriffen angeführt werden wie „Kooperation, Begegnung,

Verstehen und Verständigung, Übersetzen und Vermitteln, Mutualität und Vernetzung, Dialog und Toleranz", die u.a. besondere soziale und kulturelle Fähigkeiten verlangen. „Unter anderem würden auch Leistungen des Verknüpfens und Vermittelns, des Vereinfachens und ‚Übersetzen' im wörtlichen und übertragenen Sinn zu den spezifischen fachwissenschaftlichen Standards." (Friedenthal-Haase 2002, S. 425). Dieser Aspekt soll im folgenden ausgeleuchtet werden.

In vielen pädagogischen Feldern steigt der Bedarf an integrierten Problemlösungen. Dies verlangt eine beständige Kommunikation zwischen den verschiedenen Akteuren, um inhaltliche und organisatorische Barrieren zu überwinden. Entsprechend entsteht das Berufsbild des/der „Netzwerkers/in", ein Funktionsträger von Vernetzungsprozessen, also eine Person, die Netzwerke aufbaut und organisiert. Netzwerker/innen können als interorganisatorische Beziehungsstifter bezeichnet werden, die den systematischen Aufbau von Beziehungen selbst vorantreiben oder dabei die Rolle eines Maklers einnehmen.

Vom pädagogisch Handelnden wird eine funktionale Integration verschiedener Dienstleistungen erwartet. Damit bewegt man sich häufig in mehr als nur in einem System. Dies verlangt eine professionsübergreifende Zusammenarbeit und damit auch eine Verständigung zwischen unterschiedlichen Unternehmenskulturen und beruflichen Selbstverständnissen, sei es nun innerhalb eines Teams, innerhalb der eigenen Einrichtung oder zwischen verschiedenen Akteuren. Die Kooperation zwischen unterschiedlichen Berufsgruppen mit unterschiedlichen Status und Professionskulturen erfordert „Übersetzungsarbeit". Es steigt der Bedarf an „Dolmetschern", die die jeweilige Sprache, Wahrnehmung und Interpretation allen Beteiligten erläutern können.

Sozialen Kompetenzen wie Moderationsgeschick, Sensibilität für Kommunikationsprozesse und Konfliktlösungsfähigkeit kommt bei der professionellen Gestaltung von Vernetzung ein hoher Stellenwert zu. Die Vernetzung muss „bewältigt" werden und ist zu „managen". So zählt zu den Aufgaben des Koordinators die Anbahnung von Kontakten, aber auch die Schlichtung bei Konflikten. Mit der Zunahme interorganisatorischer Aushandlungsprozesse steigen die Anforderungen an kommunikative Verständigungsleistungen. Beteiligungsverfahren und kooperative Aushandlungsprozesse räumen dem Konzept des „Dialogs" als Verständigung zwischen Gruppen und Bereiche einen breiteren Raum ein. Damit rückt auch die Funktion der Moderation und Mediation in den Blick.

Grenzüberschreitenden Suchbewegungen von Studentinnen und Studenten liegen vielfältige Motive zugrunde: kulturelle, soziale, politische, intellektuelle etc. konfundieren; sie sind zumeist lebensgeschichtlich geprägt und wirken sich nachhaltig auf die weitere Lebensplanung aus. Der Student, der im Urlaub eine Freundin in Griechenland kennengelernt hat; die Studentin, die in der internationalen Entwicklungsarbeit engagiert ist und im Rahmen einer Städtepartnerschaft nach Nicaragua reist; die Studentin, die ein Praktikum in einem Hospiz in Schottland macht; die Studentin, die nach dem Abitur als au-pair in den USA gearbeitet hat; die Studentin türkischer Nationalität, die sich für interkulturelle Bildungsansätze in der internationalen Jugendarbeit interessiert etc. Jeder Lehrende wird diese Liste mit seinen Erfahrungen um ein Vielfaches ergänzen können. Diese zum Teil noch diffusen Suchbewegungen der Studierenden im internationalen Kontext können von Lehrenden begleitet und unterstützt werden. Wenngleich dies häufig geschieht, geht es aber darum, in programmatischer Absicht strukturelle Bedingungen im Sinne hochschuldidaktischer Arrangements herzustellen, die internationale Suchbewegungen ermöglichen, ermuntern und erzeugen.

Hochschuldidaktische Arrangements zur Förderung grenzüberschreitenden Lernens

Ein Anfang wäre schon gemacht, wenn Seminarthemen nicht nur im einzelstaatlichen Kontext behandelt werden. Warum ein Seminar zum Thema „Alphabetisierung" nicht als „Alphabetisierung in Europa" anbieten? Vielleicht fühlt sich eine Studentin eher ermuntert, ihre französischen Sprachkenntnisse oder ihr kulturelles Interesse für Frankreich mit dem Thema zu verbinden.

Der Bedarf an Sprachkenntnissen steigt und der Erwerb von Fremdsprachen stellt eine wichtiger werdende Zusatzqualifikation dar. Im Rahmen der europäischen Bildungszusammenarbeit wird die Beherrschung von Fremdsprachen eine selbstverständliche Vorbedingung sein. So lautet die Empfehlung der Europäischen Union, dass jeder Bürger in Europa neben seiner Muttersprache mindestens zwei weitere europäische Sprachen sprechen sollte. Ein Ziel wäre es, zum Lernen von Fremdsprachen durch Angebote zu „ermuntern", z.B. in dem englische Fachtexte für Referate „reingegeben" werden. Auch sollte der internationalen Terminologieproblematik in der Erwachsenenbildung Rechnung getragen werden, z.B. indem relevante internationale Begriffe mit angeführt werden.

Grenzüberschreitende Suchbewegungen Studierender können ebenfalls bei der Prüfungsvorbereitung unterstützt werden. Die Ergebnisse eigenständiger Themensuche und -auswahl von mündlichen Prüfungsthemen und schriftlichen Abschlussarbeiten, z.B. zur Volksbildung in Lateinamerika oder Rolle der Migranten in Graz, sollten dann auch wohlwollend Akzeptanz finden.

Aufbrüche in "terra aliena"

Hochschuldidaktische Arrangements zur Förderung interkulturellen Lernens können das unmittelbare „Erfahren" anderer Gesellschaften und Kulturen nicht ersetzen. Internationalität entwickelt sich nur im Umgang mit anderen Menschen. Das Ziel muss das Lernen in der Fremde sein. Damit kommt der Entwicklung von Mobilitätskompetenz, der Bereitschaft sich in fremden Räumen zu bewegen, eine wachsende Bedeutung zu.

Über die Mobilitätsmuster von Studierenden der Diplom-Pädagogik ist wenig bekannt. Studien- und Praxisaufenthalte in europäischen Nachbarländern werden dringlicher denn je, und sie sollten eher die Regel als die Ausnahme bilden. Diese können nicht nur die Ergebnisse individueller Mobilitätsentscheidungen sein. Grenzüberschreitende Bewegungen werden durch Impulse von Lehrenden gefördert.

Alle Bemühungen im Lernfeld Universität können direkte Kontakte zu ErwachsenenbildnerInnen in anderen Ländern nicht ersetzen. Die Durchführung von Studienreisen zur Erwachsenenbildung anderer Staaten, die Beteiligung von Studierenden an internationalen Tagungen – und wenn nur im Rahmen der Tagungsorganisation – und internationale Forschungsprojekte eröffnen diese Möglichkeiten. Gegenseitige Besuche und Erkundungen füllen erst Begriffe, machen die theoretisch zu erfassende Realität „be-greif-barer". Angestrebt wird – bildlich gesprochen – das sprach- und kulturgrenzenüberschreitende „über-setzen" zum anderen Ufer. Grenzüberschreitendes „Erfahren" kann durch Möglichkeiten virtuellen Studiums nicht ersetzt werden, wenngleich die erweiterten technischen Möglichkeiten (Electronic Mail etc.) helfen, einmal hergestellte soziale Kontakte im „global village" zu pflegen.

Anmerkungen

[1] Bei dem vorliegenden Beitrag handelt es sich um einen überarbeiteten Beitrag von Jütte (1997), in dem auch Ausführungen aus Jütte (1992 und 2000) eingeflossen sind.
[2] Die Europäische Union strebt an, dass 10% der Studierenden zeitweise im Ausland studieren sollen.
[3] Beispielsweise zeigt Vogel (1994, S. 297) dies für die Rezeption des dänischen Volkshochschulmodells in Deutschland auf.

Literatur

Allemann-Ghionda, C./Gonon, P.: Chancen einer qualitativen, international vergleichenden Bildungsforschung. In: Bos, W./Tarnai, Ch. (Hrsg.): Ergebnisse qualitativer und quantitativer Empirischer Pädagogischer Forschung. Münster u.a. 1996, S. 17-39
Arnold, R./Siebert, H.: Konstruktivistische Erwachsenenbildung. Von der Deutung zur Konstruktion von Wirklichkeit. Baltmannsweiler 1995.
Delors, Jacques u.a (1996), Learning: The Treasure within. Report to UNESCO of the International Commission on Education for the Twenty-first Century. Paris: UNESCO Publisher, 1996.
Dräger, H: Der interessierte Blick in die Fremde. In: Friedenthal-Haase, M. u.a. (Hrsg.): Erwachsenenbildung im Kontext. Beiträge zur grenzüberschreitenden Konstituierung einer Disziplin. Günther Dohmen zum 65. Geburtstag. Bad Heilbrunn/Obb, Klinkhard, 1991, S. 208-225
Friedenthal-Haase, M.: Erwachsenenbildung als Problemfeld einer anwendungsorientierten Integrationswissenschaft. In: Kade, J. u.a.: Fortgänge der Erwachsenenbildungswissenschaft. Frankfurt a.M. 1990, S. 21-27.
Friedenthal-Haase, M.: Interkulturalität als Idee und Form von Bildung. Zu Wegmarken aus der geschichtlichen Entwicklung vom 18. zum 20. Jahrhundert. In: Internationalität der Erwachsenenbildung. Dokumentation der Jahrestagung 1999 der Sektion Erwachsenenbildung der Deutschen Gesellschaft für Erziehungswissenschaft. Beiheft zum Report., Hrsg. v. P. Faulstich/G. Wiesner/J. Wittpoth. Bielefeld: Bertelsmann, 2000, S. 133–144.
Friedenthal-Haase, M.: Erwachsenenbildung und Interkulturalität. Zu zeitgemäßen Perspektiven einer jungen Disziplin. In: Ideen, Personen, Institutionen. Kleine Schriften zur Erwachsenenbildung als Intergrationswissenschaft. München; Mering: Hampp, 2002.

Fuchs, J./Naumann, J.: Die internationale Dimension: Europa und die Welt. In: Arbeitsgruppe Bildungsbericht am Max-Planck-Institut für Bildungsforschung: Das Bildungswesen in der Bundesrepublik Deutschland. Strukturen und Entwicklungen im Überblick. Reinbek 1994, S. 130-177.

Galtung, J.: Struktur, Kultur und intellektueller Stil - Ein vergleichender Essay über sachsonische, teutonische, gallische und nipponische Wissenschaft. In: Leviathan 1983, H. 3, S. 303-338.

Georg, W.: Zwischen Tradition und Moderne: Berufsbildung im Internationalen Vergleich. In: Arnold, R. / Dobischat, R./Ort, B. Weiterungen der Berufspädagogik: von der Berufsbildungstheorie zur internationalen Berufsbildung. Stuttgart 1997, S. 153-166.

Götz, Kl. (Hrsg.): Interkulturelles Lernen/Interkulturelles Training. München; Mering: Hampp Verl., 1999

Gonon, P.: Das internationale Argument in der Bildungsreform. Die Rolle internationaler Bezüge in den bildungspolitischen Debatten zur schweizerischen Berufsbildung und zur englischen Reform der Sekundarstufe II. Bern u.a. 1998.

Huber, L.: Fachkulturen. über die Mühen der Verständigung zwischen den Disziplinen. In: Neue Sammlung, 31, 1991, H.1, S. 3-24.

Jütte, W.: Übersetzungsbezogene Terminologiearbeit als Herausforderung für die Weiterbildungsforschung. In: Literatur- und Forschungsreport Weiterbildung, 30, 1992, S. 46-55.

Jütte, W.: Zur grenzüberschreitenden Dimension des Studiums der Erwachsenenbildung. Suchbewegungen in sich erweiterten Kontexten. In: Nuissl, E./Schiersmann, Ch. /Siebert, H. (Hg.): Pluralisierung des Lehrens und Lernens. Frankfurt 1997, S. 145-163.

Jütte, W.: Modernisierung nationaler Erwachsenenbildungssysteme durch internationale Gestaltungsimpulse. In: Faulstich, P. / Wiesner, G. / Wittpoth, J. (Hrsg.): Internationalität der Erwachsenenbildung. Dokumentation der Jahrestagung 1999 der Sektion Erwachsenenbildung der Deutschen Gesellschaft für Erziehungswissenschaft. Beiheft zum Report. Bielefeld: Bertelsmann 2000, S. 122-132.

Knoll, J.H.: Internationale Erwachsenenbildung. Konzepte, Institutionen, Methoden. Darmstadt 1996.

Knoll, J.H.: Das Internationale Argument In der Erwachsenenbildung. Wissenschaftliche und bildungspolitische Anregungen. In: Knoll, J. H. (Hrsg.): Internationales Jahrbuch der Erwachsenenbildung 23, Köln u.a.: Böhlau 1995, S. 164-184.

Knoll, J.H./Künzel, K.: Internationale Erwachsenenbildung in Geschichte und Gegenwart. Braunschweig 1981.

Kruse, O.: Keine Angst vor dem leeren Blatt. Ohne Schreibblockaden durchs Studium. Frankfurt, New York 1995.Lenz, Werner: Erwachsenenbildung in Österreich. Frankfurt a.M. 1997.

Lenz, W.: Erwachsenenbildung in Österreich. Frankfurt: Deutsches Institut für Erwachsenenbildung, 1997.

Lenz, W.: On the Road again. Mit Bildung unterwegs. Innsbruck, Wien: Studienverlag, 1999.

Reichert, S./Wächter, B.(2000): The Globalisation of Education and Training: Recommendations for a Coherent Response of the European Union. European Commission, Directorate-General for Education and Culture.

Schäffter, O. Das Fremde als Lernanlaß: Interkulturelle Kompetenz und die Angst vor Identitätsverlust. In: Brödel, R.: (Hrsg.): Erwachsenenbildung in der Moderne. Opladen 1997, S. 89-127.

Seitter, W.: Internationalität als Referenzhorizont. Der Auslandsbezug deutscher Erwachsenenbildung zwischen 1910 und 1949 am Beispiel der Zeitschriftenfolge Volksbildungsarchiv/Archiv für Erwachsenenbildung/Freie Volksbildung. In: Faulstich, P./Wiesner, G./Wittpoth, J. (Hrsg) 2000, S. 108-121.

Sprung, A.: Interkulturalität – eine pädagogische Irritation? Pluralisierung und Differenz als Herausforderung für die Weiterbildung. Frankfurt a.M. 2002.

Tenorth, H-H: Rezeption und Transformation in der Deutschen Pädagogik. Über Offenheit und Geschlossenheit einer pädagogischen Kultur. In: Lechner E. (Hrsg.) Pädagogische Grenzgänger in Europa. Frankfurt a.M. u.a. 1997, S. 209-230.

Titmus, C.J.: Reflections on Cultural Borrowing and Cultural Imposition in Continuing Education. In: Friedenthal-Haase, M, Hake, B.J/Marriott S. (Hrsg.): British-Dutch-German Relationships in Adult Education 1880-1930. Studies in the theory and history of cross-cultural communication in adult education. Leeds 1991, S. 13-32.

Vogel, N.: Grundvigs Bedeutung für die deutsche Erwachsenenbildung. Ein Beitrag zur Bildungsgeschichte. Bad Heilbrunn 1994.

Wilss, W.: Kognition und Übersetzen. Zu Theorie und Praxis der menschlichen und der maschinellen Übersetzung. Tübingen 1988 .

Ok-Bun Lee

교육여행 – 여행교육
Prof. Lenz zum 60. Geburtstag gewidmet

들어가는말

인간은 이 세상에 태어 날때는 모두가 "백지" (tabula rasa) 상태라고 존 록 (John Lock) 은 언급하였다. 인간은 성장하는 과정에서 어떤 환경에서 어떤 경험을 하느냐에 따라서 성격형성과 인격형성의 차이가 나타난다고 한다. 그래서 이세상에는 수많은 사람이 존재하는데 인구의 존재 수만큼 그들의 성격과 취향과 생활태도가 다르다. 그것은 바로 그들의 성장환경과 경험의 세계가 달라서 서로 다른 성격과 인격형성을 한 것이라고 본다. 그래서 한국에서 태어난 사람은 한국적인 예의범절을 학습하여 한국사람의 태도를 지니고, 영국에서 태어나서 영국의 예의범절을 학습한 사람은 영국사람의 태도를 지니며, 독일 사람은 독일식의 태도, 오스트리아 사람은 오스트리아의 태도를 지닌 사람으로 제각기 조금씩 다른 삶의 태도를 지니고 살아간다. 그러나 여행을 많이 하면서 각국의 경험을 쌓은 사람들은 "세계시민"으로서 어느 나라에 가든 그들의 문화를 학습하여 그 나라 사람들과 함께 어울릴 수 있는 태도를 가질 수 있고 그들에게 맞는 매너를 가져 어색하지 않게 인간관계를 유지할 수 있다. 그리고 그들은 세계인들의 공통된 일반화된 매너를 알고 많은 사람들을 이해할 수 있는 능력을 갖추고 있기 때문에 성격이 까다롭지 않고 타인을 배려할 줄 알며 타인을 이해하는 폭이 넓으며 아주 단순하고 순수한 성격의 소유자를 좋아하며 스스로도 그렇게 되기를 원하며 또한 그렇게 단순하고 순진하게 사는 것을 좋아 하는 성격의 소유자로 되는 것 같다. 아니 나 스스로도 그렇게 경험하였으며 또한 타인이 나를 볼 때 진정 내가 그러한 사람같이 보인다고 한다.

그래서 난 오늘의 내가 있기까지 그 동안 여행을 통해서 내가 만난 인격자와 경험한 것을 바탕으로 하여 무엇을 학습하고 느꼈는가에 대하여 간략하게 언급하고자 한다.

나의 첫 교육여행

나의 첫 교육여행 (Bildungsreise) 은 1956년 3월 한국의 작은 도시인 김천시에 자리하고 있는 성의여중이었다. 이 학교는 독일의 St. Otilien Benedikt 수도원에서 한국에 설립해준 학교이다. 설립목적은 가톨릭 복음 전파였다. 이 학교에서 나는 처음으로 책에서 읽었던 가톨릭 수도자들을 만나게 되었다 학교의 교장선생님이 신부님이셨고, 교사 중에 4명의 수녀님이 계셨고, 현재 한국의 김수환 추기경님께서 그 당시 성의여중고등학교에 교장선생님으로 계시다가 내가 그 학교를 입학하던 그 해 봄에 독일로 유학을 가신다고 하여 우리 학생들은 태극기를 들고 김천역까지 나가서 김추기경님이 타고 떠나는 기차가 보이지 않을 때까지 태극기를 흔들면서 배웅하였다. 난 성의여중을 졸업하고 성의여고를 장학생으로 입학하여 은사선생님들의 권유에 따라 가톨릭신자가 되었다. 1959년 12월 24일 김천평화동성당에서 세례를 받았다. 이때 난 가톨릭 교리를 많이 알고 영세를 한 것이 아니라 영세를 받기 위한 준비시험에 합격은 하였지만 영세의 동기는 학교선생님들에 대한 체면때문이었다. 내가 중학교때 반장 급장을 하면서 대표들을 모아 회의를 할때면 신자학생들은 모두 성호를 긋고 기도를 할 줄 알았지만 난 유교 풍습이 짙은 가정에서 성장했기 때문에 나의 사고와 태도를 쉽게 바꾸기가 힘들어 많은 권유에도 불구하고 신자가 되지 않고 비신자로서 회의에 참석하게 되니까 기도시간엔 구경꾼처럼 뻘쭘하게 앉아 있는 학생이 되었다. 그러다가 본교 고등학교로 진학을 하면서 고 1학년때 가톨릭신자가 된 것이다. 난 모범학생으로서 계속 인정을 받아 학급대표와 대대장 및 전교생의 학생회장이 되는 영광을 누렸다. 고등학교를 졸업한 후 독일로 유학을 갈 수 있는 추천도 학교에서 받았다. 한국에서 대학 진학을 하느냐, 독일로 유학을 가서 넓은 세상을 경험하고 선진국의 학문을 연구하는데 전력을 해 볼까 하는 나의 생각은 쉽게 결정을 내리기가 힘들었다. 나의 부모님은 내가 막내딸이니까 외국에 유학가는 것을 반대 하셨다. 그럼에도 불구하고 난 부모님 몰래 결단을 내리고 외국유학을 가는 것을 결정하고 수속을 시작하였다. 그때가 1962년이었다. 그시기에는 외국에 가는 것이 매우 어려운 시기였다. 쇄국정책을 고수하는 우리나라에서는 될 수 있는 대로 외국가는 길을 장려하지 않았다. 그러나 그 해 수속을 하면서 부모님이 이것을 알게 되었다. 그래도 부모님께서는 나의 결단을 더 이상 반대하시지는 않고 허락을 하셨다.

외국 유학 여행 – 독일

1962 년 10 월 초에 파스포드 (Passport) 를 받고 그 이듬해 1963 년 4 월 11 일 독일 Koeln 공항에 새벽 2 시에 도착하게 되었다. 이 길이 나의 두

번째의 교육여행이었다. Koeln 공항까지 비행하는 도중 처음에 방콕공항에서 몇시간을 정착하였다. 방콕항공회사에서는 맛갈스러운 식사에 여행객들은 모두 초대되었다. 그러나 너무나도 생소한 음식들이 많아서 우리는 음식앞에 앉아만 있다가 포크와 나이프를 한번도 사용하지 않고 그대로 일어섰다. 한국에서 떠나기 전에 그림에서만 보던 나이프와 큰 서양서푼등은 우리의 작은 입에 너무나도 컸다. 그것을 가지고 식사를 할 엄두도 못냈다. 좋은 음식들은 그림의 떡이 되고 말았다.
그리고 방콕의 비행장은 얼마나 더웠는지…, 한국을 떠날때의 날씨는 조금 쌀쌀했기 때문에 봄 코트를 입었던 것이 방콕에서는너무 더워서 견디기가 힘들었다. 우리가 앉아 있는 식당에 잠자리만한 모기가 날아다녔고 우리와 피부색이 다른 사람들이 반짝이는 눈동자로 우리를 쳐다보는 그 모습은 나에게 너무나 생소하였다. 그 다음에 도착한 비행장은 카라찌 였다. 덥기는 마찬가지였다. 그리고 그 다음은 인도의 칼컷타 비행장이었다. 비행장내에 맨발의 인도여성들이 들어와서 돈을 달라고 손을 내미는 모습을 보고 너무나 놀랐다. 공항내에 일반인들이 들어와서 구걸을 하는 모습이 생소했다. 그리고 그 다음은 비행기착륙이 다마스커스 였다. 맑은 하늘, 시원한 공기가 숨통을 튀워주는듯 했다. 마치 한국의 맑은 가을 하늘을 연상케 하였다. 4월 11일 새벽 2시 Koeln / Bonn 공항에 도착하였다. Wuppertal-Baren 시로 향하는 도중 제일 먼저 고속도로에서 내 눈에 들어온 단어가 있다. 바로 Ausfahrt 라는 단어였다. 그 단어의 뜻이 무엇인가라는 질문을 하였다. 그러나 답을 하는 발음을 알아 들을 수가 없었다. 한국에서 독일로 가기전에 "Deutsch fuer Auslaender" von Schulz Griesbach 의 책을 몽땅 외웠지만 발음을 알아들을 수가 없어서 독일어를 알아듣지 못했다. 3박 4일 동안 플로펠라 비행기 (Ball Air)를 타고 많이 흔들리며 비행을 한 탓인지 기숙사방에 누워있는데 방안 천정이 왔다갔다하며 흔들리는 느낌이 일주일 동안 계속되었다. 부풀은 꿈을 안고 독일에 도착했건만 한국의 고등학교졸업은 독일에서 대학에 입학할 수 있는 자격이 안되기 때문에 간호학교를 입학할 수 밖에 없었다. 그러나 병원에서 실습을 하면서 인생살이에 대하여 많은 것을 배웠다. 환자들의 계층과 교육정도의 차이에 따른 여러 형태의 삶의 태도, 독일가정에 초대되어 갔을 때 그들의 사는 모습을 보고 느낀점들, 부유한 환경을 보고 우리나라도 언제 저렇게 부유해질 수 있올까 하고 부러워했던 것, 잘되어 있는 사회보장제도, 독일 국민의 근면함과 절약정신, 봉사정신이 투철한 삶의 모습들, 타인을 도울때 정확하게 올바른 길을 갈 수 있도록 상세한 안내를 해 주는 성의 있는 태도와 그들의 정확성 등이 다 부러웠다. 이러한 가운데

난 열심히 공부하고 환자들도 성의있게 간호해주며 나의 존재가 환자들에게 중요한 존재가 될 수 있도록 많은 노력을 하였다. 그래서 내가 휴일을 가진 날이면 많은 환자들이 나의 간호를 기대렸다고 하였다. 그리고 하루동안 성의 있는 간호를 하고 난 저녁시간엔 조용한 시간을 내어 하루의 일과를 성찰하면 정말 보람된 하루의 일과였다고 자부심을 가지는 날들이 많았다.
이러한 나의 3 년동안의 간호학교시절은 고통스러운 많은 환자들을 간호하면서 나의 일생을 어떻게 살아가야할 것인가에 대한 많은 생각거리를 가지게 해 주었고 나의 인생설계를 하는데 많은 도움이 되었다. 가장 인간적이었던 사람들이 누구였던가? 그들은 교육수준이 높으면 높을수록 우리에게 인간적으로 대해 주었고 인격대우를 해 준 분들이 타의 계층 성인들 보다 더 많았다라고 생각된다. 그래서 나는 호기심이 생겼다. 가장 인간적으로 살아가는 최고의 방법을 최고의 학부인 대학에 가서 학습해 보겠노라고…! 그리하여 계획하였다. 그리고 그다음 단계의 학교를 선택하였다. 그 학교는 바로 국제적인 연관성안에서 복지사업을 전공할 수 있는 학교라고 안내를 받은 "Fachhochschule fuer Sozialwesen in NRW", Abteilung Aachen 학교였다. 많은 학교를 안내받은 후 이학교를 선택하였다. 그리고 국제원조기관인 MISEREOR 에서 장학금 허락을 받았다. 입학후 지극히 인간적인 교수님들에게서 많은 감명을 받았다. 그리고 이 학교에서 학습을 하면서 지역주변인들을 대상으로 연구하는 프로젝트를 맡아 그룹스터디를 하면서 많은 것을 깨달았다. 즉 이 세상에 나쁜사람이 존재한다는 것을 몰랐던 나의 사고가 깨어지기 시작한 것이다.
각 사회사업기관을 견학하면서 사회의 여러분야를 알게 되었다. 그러면서 아직도 인간사회의 어두운 면이 많다는 것을 알게 되어 그들을 대상으로 사회사업을 할 것이라는 결심을 하였다. 3 년동안의 이론학습을 잘 마쳤다. 그후 일년동안의 실습을 Koeln 시청행정부서 (Stadtverwaltung) 에서 하게 되었다. 처음 3 개월은 청소년상담부서 (Jugendabteilung) 에서 그다음의 3 개월은 Koeln Nippes 에 있는 사회복지행정부서 (Sozialverwaltung) 였다. 이 시기에 많은 청소년문제는 바로 부모문제, 가정문제와 직결된다는 것을 알게 되어, 청소년교육이 부모교육과 병행되지 않으면 교육의 효과가 적다는 것을 알게 되었다. 그리고 올바르게 살아 가지 못하는 성인들의 교육문제가 얼마나 중요한 교육의 과제인가를 인식하게 되었다. 그리고 사회복지회관에서는 제 구실을 못하고 살아가는 주변인들의 문제에 대한 인식을 하였다. 그다음의 6 개월은 쾰른시의 행정실습을 마치고 쾰른교구 인성회 (Caritasverband Erzdioezese Koeln) 의 청원으로 자리를 옮기게 되었다. 이곳에서는 노르드라인 베스트팔렌주 (Nordrhein Westfalen) 의 한국노동자를 대상(광부, 간호원)으로 상담과 교육업무를 맡게 되었다. 일천여명이 넘는 대상을 상대로 하여 상담을 시작하였는데 이들이 가진 문제는 바로 한국사회문제의 축소판으로 나타났다. 헤아리기 어려운 수많은 문제들이 성인들의 무지와 미성숙한 판단력 및 생활태도 때문에 생기는 것이 많았다. 책임감 없는 행위들이 그들의 앞길을 막는 사건으로 연결되는 것, 등의 문제를 다루면서 내심 계속 놀랐다. 나는 왜 성인들이 성인으로서 제 구실을 다하지 못하고 이렇게 미성숙한 행위들로서 문제를 만들고 있는가에 대한 의문점을 떨치지 못했다. 그래서 문제해결중심의 교육세미나를 조직하여 일년에 상담역할외에 교육세미나를 4 회에 걸쳐서 개최하여 그들에게 많은 도움을 주었다. 이들의 문제를 다루는 동안 내가 가진 문제는 하나도 없을 정도로 나에 대한 반성을 할 시간이 없었다.

보통 하루의 일과가 결혼식에서 장례식으로 이동되는 경우와 불난집에 불끄는 식의 상담도 시간이 부족했던 것이다. 상담실에서 하루종일 상담을 하고 집으로 돌아오면 내 집앞에 10 여명씩 나를 기다리고 있는 외국인들이 있엇다. 그들은 모두 함께 들어와 저녁식사를 함께하며 상담을 차례차례로 하게 되면 밤 2:00 시까지 야근을 해야 하는 경우가 잦았다. 그런데 함부르그에서, 베르린에서 밤 기차를 타고 Koeln 까지 온 사람은 내가 출근하면 나를 못 만날까봐 아침 6:00 시만 되면 내 문의 벨을 울린다. 그들은 독일어도 못하고 길도 잘모르고 사람도 잘 모르니 나 아니고는 어느 누구한데도 상담을 할 수가 없다고 한다. 그래서 함께 식사를 하면서 아침상담이 시작된다. 그리고 나서 직장에 가면 밤세 테이프에 녹음되어 있는 사건들이 나를 기대리고 있다. 많은 사건들; 교통사고로 사망한 사건, 자살미수사건, 데모사건, 칼부림사건, 도둑사건 등 혼자서 그날의 일을 다 처리할 수 없을 정도로 많은 사건들이 생겼다. 그래서 하루의 일과는 계획대로 이루어지는 것이 아니고 사건에 따라 불난 집에 불끄는 식으로 근무가 전개 되었다. 이러한 문제들은 일회적인 문제가 아니고 계속 이어지는 문제였다. 이러한 아르바이트의 흐름속에서 3 년을 근무하였다. 극도로 쇄약해진 건강 때문에 후임자에게 그 자리를 물려주었다. 그리고 난 계속 Koeln 대학교에서 성인교육학을 전공하였다. 성인교육학을 전공하게 된 동기는 외국인을 상담하면서 성인들이 성인답게 성숙하게 살아가지 못하는 많은 경우를 보아왔기 때문에 한 사회가 정상적으로 잘 운영되면서 발전하려면 성인들이 제각기 자기의 본분을 정상적으로 수행할 수 있어야 한다라는 인식에 도달한 것이다. 따라서 사회에 공헌한다는 것은 자기자신의 일만이라도 충실하게 타인의 손을 빌리지 않고 할 수 있는 능력을 갖춘다면 이는 사회발전에 공헌하는 것이라고 생각하게 되었다.

그런데 내가 성인교육학을 전공할 때 우리나라 학생들은 나보고 한국에 가면 배곯은 공부를 한다고 만류한 적도 있다. 그래도 나는 타학과로 바꾸라는 그들의 권유에 동요하지 않았다. 그리고 내가 가진 신념은 철저하게 미래지향적으로 희망이 있는 것이라고 확신을 가졌던 것이다. 그런데 내가 졸업을 할 무렵 그들은 나에게 다시 말 하였다. 선생님은 선견지명이 있었노라고…! 이렇게 성인교육이 - 평생교육이 유행처럼 모두에게 필요한 교육이 될지 몰랐다고, 정말 잘 선택하였다고 하였다. 내가 공부를 하는동안 많이 느꼈다. Koeln 대학의 교수님들이 너무나 인간적이셨고 외국학생들을 잘 도와 주신것으로…! 그리고 항상 용기를 북돋아 주셔서 학습에 두려움을 없애 주셨다. 참으로 고마우신 은사님들이시다.

독일에서의 나의 경험은 나의 인격을 형성하는 과정에 많은 도움이 되었다. 독일의 환경이 한국보다 훨씬 더 좋은데 열악한 한국환경을 알고 있으면서도 난 결심하였다. 나의 이 노력을 우리 민족을 위하여 바치겠노라고…, 그리고 많은 선교사들이 좋은 조국의 환경을 뒤에 두고 열악한 환경에 처해있는 제 3 국에 가서 고통을 무릎쓰고 봉사를 하는 그 정신으로 내가 내 조국에 가서 선교사들이 참고 일 할 수 있었던 그 환경에 적응을 할 수 있다는 자신감을 가지고 20 년 동안 독일, 아니 유럽에서 갈고 닦은 이론과 경험을 바탕으로 하여 한국에서 살아보겠노라고 1982 년 3 월에 귀국을 하였다.

나는 성인교육을 전공한 덕택으로 한국에 와서 많은 일을 하게 되었다. 그 가운데 정말 중요하고 좋은것은 대학에서 이론강의를 하면서 실천적인 학습의 장인 여성교육관을 관장으로써 운영하게 된 것이다. 그러면서 박기홍 (Mgnl. Josef Platzer) 신부님을 알게 되었고 그라쯔교구 (Dioezese Graz) 와 마산교구 (Dioezese Masan) 와 자매결연을 맺어 서로간의 교육여행이 교환적으로 이루어지고 있는 과정에서 내가 세미나때 마다 대부분의 통역을 맡을 수 있는 영광을 누렸다. 그리고 1982 년 가을부터 성인교육학을 교수하게 되었고 1983 년 3 월부터 경북대학교에 재직하게 되는 영광을 누리고 있다.

그라쯔대학 교육학과와 맺은 인연

1990년대에 들어와서 Graz 대학 교육학과와 인연을 맺게 된 것도 가톨릭 교회와의 교류를 통하여 이루어졌다. 가톨릭 성인교육시설에서 종사하는 직원들과 Graz 에 교류세미나를 위하여 3 회에 걸쳐 방문을 하였다. 그로인한 인연이 오늘까지 지속되고 있다.

1996 년 Lenz 교수와 함께 Gruber 교수 등 Graz 대학에서 13 명이 한국에 스터디 여행을 와서 한국, 오스트리아 성인교육의 동향에 대한 심포지엄을 거행하게 되었다. Lenz 교수와 Gruber 교수 등의 "유럽의 성인교육의 동향" 및 타 주제에 대한 강연은 한국 성인교육연구 및 발전에 큰 전환점을 제시해 주었다. Lenz 교수는 경북대학의 심포지엄 행사 다음에 부산의 동아대학 및 마산 경남대학에 가서 발표를 하였다. 각 대학에서 모두 좋은 호응을 받았고 앞으로 서로간의 학문적 교류를 약속하게 되었다. 그 다음해 필자는 1997 년 3 월부터 1998 년 1 월 31 일 까지 그라쯔 대학교 (Graz University) 로 연구차 교환교수로 파견되었다. 이시기에 그라쯔대학과의 관계와 신뢰를 더 돈독하게 할 수 있었다. 그라쯔대학에서 연구를 하는동안 Lenz 교수 세미나에서 주관한 스터디 여행을 아일랜드 메이누쓰 대학으로 함께 가게 되어 아일랜드의 문화학습을 하게 되고 아일랜드와의 교류를 가지게 되었다. 또한 데브레젠 대학과, 로글라 슬라티나에서 중유럽 성인교육학회가 개최될 때 함께 참석하면서 그 나라의 문화를 학습하였다. 그리고 또한 헝가리 페치대학에 가서 학생들과 함께 세미나도 가지게 되었다. 이러한 나의 여행학습은 목적한 학습외에도 부가적인 학습이 많이 이루어지는 좋은 교육의 기회가 되었다.

그라쯔대학과 우리대학과의 학문적인 교류에 대한 경위를 더 상세하게 말씀드리면 그것은 Lenz 교수팀이 한국에 오시기 이전에 가톨릭 교회가 오스트리아 Salzburg 교구와 대구대교구와 자매결연을 맺었고 대구대교구에서 세간을 나가서 독립교구가 된 마산교구와 Graz 교구가 자매결연을 맺어 양국간의 교육교환활동이 활발했던 것에서 시작된다. 이러한 가톨릭교회의 국제적인 관계는 그라쯔 대학과 한국대학 및 한국성인교육학회와의 학문적 교류를 위하여 다리를 놓아주는 역할을 하였다. 이 시기에 큰역할을 했던 분들은 Dr. Karlpeter Elis, Prof. Mag. Karl Kalcsics, Ludwig Kapfer 등이다. 이분들은 한국의 가톨릭 성인교육기관의 직원들의 계속교육을 위하여 한국으로 여행을 오셔서 세미나를 주관하셨고 그 다음은 한국의 직원들이 오스트리아로 여행을 가서 그라쯔와 헝가리

솜바데이 성인교육원(옛날 가르멜 수도원)에서 계속교육세미나를 가졌다. 그리고 경북대학교에서 성인교육과 정치교육이라는 제목으로 심포지움도 개최하였다. 이렇게 여행을 통한 계속교육세미나는 동시에 그 나라의 문화학습도 함께 하게되는 이점을 가지고 있다. 특히 Mag. Monika Egger 는 한국에서 내가 Prof. Dr. Lenz 와 첫 인사를 나눌 수 있는 기회를 카드인사에 함께 싸인을 해서 보내는 것으로 다리를 놓아 주었던 것이다. 그리고 직접 우리 팀이 그라쯔에서 연수를 하고 있을 때 우리를 Graz 대학으로 안내해 주어 그라쯔대학의 여성교육에 대한 학습을 할 수 있었다. 그때 Prof. Dr. Gertrud Simon, Prof. Dr. Elke Gruber, Mag. Silvia Hojnik 우리 팀에게 오스트리아 여성교육에 대한 설명을 하셨다.. 그 다음은 한국의 대학원의 학생들과 함께 유럽견학을 할 때 Lenz 교수님과 직접연락을 하여 학술적인 교환프로그램을 몇차례 가졌다. 이러한 그라쯔대학과의 교류는 지금도 계속되고 있다.

나오는 말

 나의 여행은 시골에서 도시로, 한국에서 유럽과 미국으로 여러 나라를 보고 견학할 수 있는 기회를 가진 것이다. 프랑스 파리를 비롯하여 베네룩스 3국, 로마, 비젠짜, 덴마크, 노르웨이, 시카고, 센프란시스코, 라스베가스 등 여러 나라와 도시를 여행할 기회를 가졌다.
 대부분 조직된 여행을 하면서 많은 훌륭한 교수님들과 명사를 만나게 되었고 그들의 학문의 세계를 경험할 수 있는 기회를 가졌다. 그리고 여행을 통해서 그 나라들의 역사의 흔적을 견학할 수 있었으며 선현들의 철학과 그들의 삶의 태도에서 많은 것을 보고 느끼고 경험하며 배웠다.
 생소한 경험을 통해서 나를 통찰해 볼 수 있는 기회도 가졌고 많은 문제점에 봉착하면서 문제해결능력을 길렀고 인간살이에 대한 보편적인 진리를 터득한 듯한 느낌을 가지고 자신있게 세상을 살아갈 수 있다는 자신감에 빠지기도 하였다. 그리고 많은 여행을 통해서 내가 더욱더 인간적인 삶을 영위할 수 있게 되고, 정신적으로도 더 건강한 생활을 할 수 있다는 것을 느꼈다.
 여행을 통한 경험은 직,간접적으로 많은 교훈을 얻을 수 있는 학습이 이루어 질 수 있다는 점과 여행을 하면서 타인의 서로 다른 삶의 모습을 보고 생소한 체험을 하면서 나의 정신세계가 넓어질 수 있다는 면과

세계시민, 국제시민으로서 살아갈 수 있는 자격을 갖출 수 있다는 면에서 여행을 통한 국제적인 교류는 끊임없이 이루어져야 한다는 필요성을 가지며 따라서 여행은 참으로 교육적인 측면을 많이 내포하고 있다는 것을 실감하게 되었다.

Ingrid Lisop

Man sieht nur, was man weiß.
Bildet Reisen?
Fragende Annäherungen an eine artifizielle Lebensform

Sizilien und Brasilien – Klassik und Moderne

Anstoß

> „Die beste Bildung findet ein gescheiter Mensch auf Reisen." So Goethe.
>
> *War er gebildet, war er gescheit?*
> *Wer reicht ihm das Wasser, weit und breit?*
> *Kann Jet-Set-Tourismus mit ihm sich vergleichen*
> *Und glauben, wie er den Olymp zu erreichen?*
> *Reisen bildet - doch woran*
> *Fügt es als Prozess sich an?*
> *Ans Subjekt, ans Kollektiv,*
> *an Wissen, das noch nicht aktiv*
> *Sich mit Wahrnehmung vermählte?*
> *Oder gar an ausgewählte*
> *Vorurteile, die erstarken,*
> *Um Verständnis wegzuharken?*

Literarische Vergewisserung

Am Rande

Natürlich reist man mit großem Gepäck, das Gewicht ganzer Bibliotheken ist immer dabei: dreihundert Jahre Reiseliteratur, Tagebücher, Travelbooks, Gelehrtes und Banales. Italien war stets die klassische Landschaft Europas, und im Grunde brach man dorthin zur Pilgerfahrt auf: anfangs im ganz buchstäblichen Sinn auf spirituellen Gewinn bedacht, mit Rom als Zielort. In der Kavalierstour seit dem späten 16. Jahrhundert, die von England ihren Ausgang nahm und bald zur europäischen Kulturmode wurde, hat sich diese Vorstellung zwar veräußerlicht. Der Gewinn, den sich die Söhne vor allem des Adels von der Reise versprachen, hatte eher urbanere Lebensformen, sprachliche Kenntnisse und erotische Abenteuer im Blick. Aber die

Ahnung, von hier abzustammen, stand auch hinter dieser Wanderbewegung, selbstwenn die Aufzeichnungen, die davon erhalten sind, nicht selten von einer schwer faßbaren Banalität sind; auch von einer nie erschütterbaren Arroganz, die, wohin sie auch blickt, nur Vulgarität, Aberglauben und Faulheit entdeckt.

Erst Winckelmann hat dem Italienerlebnis wieder Ernst und Pathos verschafft und nicht nur den Begriff der »Grand Tour« mit dem hohen Anspruch zur Deckung gebracht, den er erhob. Vielmehr hat er der Reise in den Süden auch den Charakter der Pilgerfahrt, wiewohl humanistisch verweltlicht, zurückgegeben. Es war immer Arkadien, was die romantisch bewegten Reisenden seit Goethe in Italien suchten, eine ursprünglichere Daseinsform, die zugleich Befreiung von der Schwere und Verbindlichkeit verhieß, mit der überall sonst die sozialen Normen auf den Menschen lasteten. Die Beobachtungen und Gedanken, in zahllosen, oft wie erlöst wirkenden Rechenschaften festgehalten, offenbaren aber zugleich auch den inneren Widerspruch dieser Sehnsucht; weil niemand die Naivität und zugleich das Bewußtsein davon haben kann.

Noch zum Vorigen

Alexander Mitscherlich war konsterniert, als ich ihm vor Jahr und Tag von dem Plan eines Reisetagebuchs erzählte. »Was für ein lustiger Gedanke«, spottete er, »sich aus den Katastrophen des Jahrhunderts geradewegs in die Gefilde der Seligen zu retten.« Er konnte nicht begreifen, wie man noch immer im Stil der Bildungsreisenden des 19. Jahrhunderts nach Rom oder Neapel fahren könne. Er mißtraute dieser ganzen Tradition. Die Deutschen hätten sich aus Italien stets eine Phantasielandschaft zurechtgemacht. In allen »Italienischen Reisen« trete das Volk nur als fidel verarmtes Personal auf, und jedenfalls sei die deutsche Sehnsucht nach dem Süden immer blind oder gleichgültig gewesen für die Wirklichkeit gesellschaftlicher Zustände. Er erwähnte Goethe, von dem, wie so häufig, die irreführendsten Stichworte herkämen: Et in Arcadia ego. Immer nur die Sonne Homers, das milde Licht Lorrains und die Idolatrie mit der eigenen aufgetriebenen Persönlichkeit. Alles Fluchtversuche, hatte er zum Schluß gesagt.

Aber vielleicht ist die gegenwärtige Vorliebe für das Gesellschaftliche nur eine andere Art der Blindheit. Und womöglich gehört zu allem Reisen seit zweihundert Jahren das Motiv der Flucht. Die englischen Aristokraten des 17. und 18. Jahrhunderts, auch Winckelmann oder der Baron von Riedesel, reisten noch irgendwohin; seit Goethe reist man von irgendwo weg. Aber man hat schon bessere Gründe dafür, als die Augen zuzumachen.

Auch soll man nicht übersehen, daß Arkadien, seit der Wiederentdeckung im Barock, weniger ein Flucht- als ein Vergänglichkeitsmotiv war. Sehnsucht nach den Ursprüngen, aber nie ganz frei von der pessimistischen Ahnung, daß alles immer so ende. Fuimus Troes. Da war vermutlich mehr Wirklichkeitssinn im Spiel als in der gegenwärtigen Besessenheit von der gesellschaftlichen Realität und all der angestrengten Passion für die kleinen Leute.

Syrakus

Aus der Kathedrale strömt eine Menge schwarzgekleideter Menschen auf den in der Hitze liegenden Platz, viele Frauen darunter, die meisten in den sackartigen Kleidern sizilianischer Witwen und ein Tuch um den Kopf. Ein hochgewachsener Mann mit gewaltigem Körperumfang tritt ins Freie, setzt einen unansehnlichen Filzhut auf und bleibt inmitten der Leute stehen, die sogleich zurücktreten und einen Abstand aus Respekt und stummer Scheu um ihn bilden. Mit langsamen Bewegungen und während die Augen aus dem Schatten heraus über den Platz wandern, beginnt er, die Jacke aufzuknöpfen, die eng über den Leib spannt. Als sie zurückfällt, werden breite Hosenträger über dem Hemd sichtbar.

Plötzlich löst sich ein alter Mann aus den Umstehenden, stürzt auf den Gewaltigen zu und küßt ihm, einen Kniefall andeutend, die Hand. Halblaut spricht er dazu ein paar Worte. Dann verharrt ein einen Augenblick, als erwarte er eine Anweisung. Doch der andere nimmt ihn überhaupt nicht wahr, und der alte Mann tritt wieder in die Menge zurück. »Bacio le mani«,

erläutert Don Calicchio, »der traditionelle Gruß der einfachen Leute in Sizilien für die Hochgestellten.«

(Joachim Fest, 1998: Im Gegenlicht. Eine italienische Reise)

Erlebter Kontrapunkt. El Salvador 1994

In fröhlichem Bunt, imposant am Ende des Platzes aufgerichtet, ruhend und winkend lockt mich die Kathedrale weg von den Schaufenstern der Schmuckläden. Welch schöne Steine! Wie anmutig die dunkelhäutigen, weiß gewandeten Türsteherinnen!

Der Eingang zur Kathedrale führt durch die Vorhalle. Gewimmel, Geschrei, hochgereckte Kinderarme. Wahrnehmungssperre. Da erkenne ich, dass die Frauen hinter den Tischen Brotstücke verteilen.
Ich stürze hinaus.
Du weinst! Was ist passiert?
Nichts. Ich habe erlebt, was ich wusste.

> „Ich habe gehört: daß die Elenden die Herren von morgen sind
> Das sei das Natürliche. Ein Blick genüge
> Es zu sehen. Das
> Kann ich nicht finden."
> (Bertolt Brecht)

Es war ein König in Thule – Mythos Island

Vorbildung

Gorries Peerse: Van Ysslandt (1561)

> Ysslandt ys an allen Enden sehr gudt,
> Overst de darynne veel reysen wil,
> Moth lyden frostes, hungers und doerstes veel.
> Dar synt der Beken so veel und Waterschwall,
> Dat men se nicht kan tellen all.
> Darvoer tho reyssen ys grote vaer,
> Dat segge ick juw gewiss und ys war.
> So du dar ynt Landt wult reysen wat,
> Da vindestu selden Doerpe noch Stadt.
> Wente so du reysen wult aver de hogen Velde,
> So moestu mi dy voeren Paulun edder Telde.
> Kost und Spyse moestdu mit dy voeren,
> Ock werstu gruwsam kulde darsueluest spoeren.
> Du moest dyn Teldt setten und nedderschlan,
> Denn du bywylen nicht kanst vordan ghan,
> Ock nicht vorwert reisen edder ryden.
> Regen, Sne, Kuelde lert dy soelck reisent myden,
> Also dat du nicht eines stredes vern van dy
> Kanst sehn tho degen, des geloeve my.
> Alle Wege und Stege weyen tho van Sne,
> Daruemm kanstu nicht reisen, ehr du wedder kanst sehen.
> Van den hogen Velden moestu hebben de mercke
> Und mit dyner Spyse und Gedrencke dy stercke.
> Mennich Man moth dar up vorfresen,
> Doerch Hunger und doerst syn Levendt vorlesen.

Reiseimpulse

Ingrid Lisop: Im Land der Lava und des Salzes (2002)

1
Die panzrigen, bunkerartigen
Stahlsteinschollen!
Erbarmunslos
Übereinandergetürmt.
Notdürftig

*harter Flechte Heimat gewährend,
Herzen gleichend, die,
verheert durch Gewalt,
entleert durch Scham,
erstarrt durch Angst,
erstickt sind unter der Last,
die sie nicht tragen können
und – Stärke suchend –
sich selbst abtöten
mit dieser brutalen Wucht
des Neins, des Verzichts,
des Versagens,
der Spaltung des Selbst.
Verkümmernd in einem Lebensprozess des
Zurück und von vorn.*

2
*Wie es war fragt mich die Vielgereiste.
Sie lieh mir das Buch
mit Blicken auf Feuer, Nebel und Stein,
auf Gewässer, von denen keins klar und rein.
In Salzmilch tauchen die Menschen ein.
Der Siliciumgrund im blaugrünen Schlund,
er glättet der Haut und der Seele Wund.
Dank sei Dir drum, Justus Liebig,
Gerechter,
Du lehrtest die Industriewelt – Geschlechter
die Salze zu achten und nicht zu ächten,
weil – unorganisch – den Tod sie brächten,
wenn Schwefelsalz auch
Aus Kraflas Krater
das Leben zerstört.
Böser als Marter.
Statt Humus nur mehr Eisenstein.
Zerborstener Bunker; feldaus feldein.*

3
*Wie es war, fragt mich der kaum Gereiste.
Ent-täuschend, sag ich.
Verheertes Land.
Da fasst er verdutzt seinen Kopf mit der Hand.
Er will ihn schütteln vor Nichtverstehn.
Doch dann kann er auf einmal sehn.
Nickt mit Bedacht, wie aufgewacht.*

Tourismus lebt ähnlich wie Tabakreklame
von Illusionismus und Geldeinnahme,
durch Abschöpfung von Bedürfnisreserven,
in Bilder gepresst wie Stockfischkonserven

Andalusien (2003)

Anstoß

Auf der Suche nach Vergewisserung und Verfeinerung wissenschaftlicher Identität, nach den Wurzeln der Kultur des Denkens und Fühlens oder einem „Kosmos", dem sie, einer Implikation gleich, erwuchs, blitzt Andalusien auf.

Literarische Vergewisserung

„Andalusien – in Reiseberichten des 19. Jh.s zum »Orient Europas« verklärt – besitzt ein in der Welt einzigartiges Kunst- und Kulturgut, das aus der Begegnung verschiedenster Kulturen entstanden ist. Seit der Frühzeit war es das Einfallstor, durch das Eroberer aller Länder nach Spanien gelangten. Phönizier, Karthager, Griechen, Kelten, Römer, Westgoten, Berber und Araber kamen in das Land, vermischten sich mit der Urbevölkerung und hinterließen ihre Spuren. Hier nahmen verschiedene prähistorische Kulturen ihren Ausgang, lag das legendäre Reich von Tartessos, waren Handelsplätze der Phönizier, Griechen und Karthager angesiedelt. Unter den Römern wurde die Baetica genannte Provinz erstmals einheitlich verwaltet und dem Land eine Zivilisations- und Infrastruktur auferlegt, deren Nachwirkungen bis heute zu erkennen sind. Auch wurde eine offizielle Amtssprache, das Latein, eingeführt. Den Vandalen, die neben Alanen und Sueben bei der Völkerwanderung das Land plündernd und zerstörend durchzogen, verdankt Andalusien seinen Namen: Al-(v)andaluz (Land der Vandalen) nannten es später die Araber. Unter den Westgoten wurde das Christentum Staatsreligion. Den größten Einfluß auf das Land hatte die fast 800 Jahre währende Herrschaft der Araber, in der Andalusien nicht nur seine größte politische und kulturelle Blütezeit erlebt, sondern auch aufs tiefste geprägt wurde. Die moslemischen Eroberer errichteten in den Städte große Moscheen, Universitäten, öffentliche Schulen und Bibliotheken, welche Andalusien zu einem geistigen Zentrum in Europa aufsteigen ließen. Arabischen Gelehrten ist es zu verdanken, dass antikes Gedanken- und Kulturgut erhalten und tradiert wurde. Für wissenschaftliche Disziplinen der Neuzeit wie Medizin, Physik, Geographie, Mathematik und Astronomie wurde hier der Grundstein gelegt. Musik und Poesie erlangten an den fürstlichen Höfen einen hohen Stellenwert, die Künste und das Handwerk, das noch heute auf arabisch-islamische Wurzeln verweisen kann, wurden besonders gefördert. Die Landwirtschaft nahm dank einer komplizierten Bewässerungs-

technik, diverser Kanalsysteme, Windmühlen, Schöpfräder und neu eingeführter Kulturpflanzen einen raschen Aufschwung. Als das christliche Europa im tiefsten Mittelalter lag, blühte in Andalusien eine weit überlegene Kultur. Sie ermöglichte durch ein Klima von größter Toleranz ein friedliches Miteinander von Muslimen, Christen und Juden und hat durch die Vermittlung an antikem und orientalischem Wissen Europas Weg zur Neuzeit bereitet.
(Brigitte Hintzen-Bohlen, 1999: Andalusien)

Erlebte Kontrapunkte

Zum Balcon de los Cumbres Verdes glitzert das nächtliche Granada hoch, als reflektierte es den Sternenhimmel. Aufgeregt versuchen wir, die Alhambra auszumachen. Verborgen hinter Hügeln, getarnt durch Felsen und Bäume erschaut man sie nur von innen. „Man sieht nur mit dem Herzen gut", heißt es in St. Exupérys „Der kleine Prinz". Innenschau wird das Leitmotiv der Reise:

„Kommen Sie herunter und herein", ruft uns die Frau zu. Sie steht vor dem Eingangsvorhang ihrer Erdhöhlenwohnung in Guadix. Zögernd folgen wir. Bis hinaus ins Schlafzimmer. Ein Bett, ein Kleiderschrank. Pragmatisch nüchtern versuche ich, ihn taxierend, abzuschätzen, wie er die schmale Höhlentreppe hinauf gelangte. „Es ist ein Kleiderschrank"! Die Frau weckt mich auf. „Ja, ein Kleiderschrank!", strahlt sie. „Oh, ja, ein veritabler Kleiderschrank" antworte ich und versuche, ihr anerkennend zuzunicken.

Schamgefühl, mit mir selbst als hilflose Begafferin konfrontiert zu sein. Schnell wieder hinunter. Die Dankesgabe auf den Esstisch, an dem der invalide Mann sitzt. Dankesumarmung und Gottes Segen für die Großzügigkeit. Auch noch das! – Hinaus und hinunter in die Stadt.

Die Kathedrale bewacht den Ort wie eine Sphinx. Kein Eingang. Über einen weißgetünchten Marmorgang, Barockgemälde in Ebenholzrahmen passierend, vorbei an Vitrinen modernster Musuemskultur, begleitet von dezenter Barockmusik gelangen wir, „tributspflichtig", ins Innere. „Die große Mutter Kirche war schon immer eine Freundin und Förderin der schönen Künste", lesen wir. Auch, dass wertvolle Teile der Chorgestühls unwiderbringlich den Wirren der dreißiger Jahre zum Opfer fielen.

Eroberungen

Römische Eroberung, ostgermanische Eroberung, westgotische Eroberung, maurische Eroberung, christliche Reconquista, liberale Revolution, Bürgerkrieg, Weltkrieg, baskischer Untergrundterror. Genug! „No a la guerra". Riesige Transparente. Überall. Der Irak-Krieg steht bevor. Wieviel haben die USA der spanischen Regierung gezahlt für ihre Zustimmung zur Beihilfe?

Averroes

– Meister Ibn Rushd!
– ... Medizin, Astronomie, alle Naturwissenschaften ... Ihr verlangt immer, dass ich euch alles erkläre, was Aristoteles über das Wissen von den Dingen der Welt gesagt hat. Stellt ihr euch denn nie die letzten Fragen: Woher kommen wir? Wohin gehen wir? Wie ist das mit der Schöpfung und vor allem mit dem Sinn und Zweck des Lebens und der Geschichte?
– Meister, Meister aber heute ...
– Heute, wie eh und je, wäre unsere Philosophie zu nichts nütze, wenn sie nicht die drei Dinge verbinden könnte, die ich in meiner »Harmonie von Wissenschaft und Religion« zusammenzubringen versucht habe.
Eine Wissenschaft, die auf Erfahrung und Logik beruht, um die Ursachen zu entdecken.
Eine Weisheit, die über die Zwecke jeder wissenschaftlichen Forschung nachdenkt, damit diese dazu dient, unser Leben schöner zu machen.
Eine Offenbarung, unseres Korans. Denn nur durch Offenbarung erfahren wir vom Endzweck unseres Lebens und unserer Geschichte ...
– Aber welche Gesellschaftsordnung ist nun die beste?
– Die, in der jede Frau, jedes Kind, jeder Mann, alle Möglichkeiten bekommt, sämtliche Gaben zu entwickeln, die er von Gott hat.
– Und welches sind die Bedingungen für eine solche Gesellschaftsordnung?
– Eine Gesellschaft wird frei und gottgefällig sein, wenn niemand mehr aus Angst vor dem Fürsten oder vor der Hölle handelt, oder aus dem Wunsch nach Belohnung durch einen Höfling oder im Paradies. Und wenn niemand mehr sagt: Dies gehört mir.
– Meister, ein Wort noch ...
– Ich bin eurer Fragen überdrüssig. Außerdem bin ich kein „Meister"; Gott allein ist Herr und Meister, und die häufigste Lehre in Seinem Koran ist, dass man sich anstrengen und selbst denken soll ...
(Aus einer Multimedia-Show im Torre de la Calahora in Cordoba.)

Leningrad - St. Petersburg (2003)

Anstoß

Interkulturalität beginnt beim Wissen über, beim Verständnis für und bei der erlaubten Neugierde auf das Andere schlechthin. Sie entfaltet sich im Zuge einer Sozialisation, die sich intellektuell, emotional und praktisch in einer Vielfalt übt, die Widersprüche einschließt. Ihre Grundlage heißt Ambiguitätstoleranz (*Janka Loiselle*, 2000: Interkulturelle Handlungskompetenz).

Lassen sich „spirituelle" Geschichtsinterpretationen auf Reisen als obsolet erweisen? Wie hilfreich wäre solches, um dialektische und materialistische Denkmethoden grundzulegen?

So fragend buche ich eine „ganz andere" Studienreise, mit spirituellem Anspruch. Den ehernen Reiter „anders" sehen. Peter den Großen, Katharina die Große, Puschkin (den Großen), Dostojewski, Tschaikowsky, Solschenizyn ...

Vorbildung durch Literatur

Fragen eines lesenden Arbeiters

Wer baute des siebentorige Theben?
In den Büchern stehen die Namen von Königen.
Haben die Könige die Felsbrocken herbeigeschleppt?
Und das mehrmals zerstörte Babylon -
Wer baute es so viele Male auf? In welchen Häusern
Des goldstrahlenden Lima wohnten die Bauleute?
Wohin gingen an dem Abend, wo die Chinesische Mauer
fertig war
Die Maurer? Das große Rom
Ist voll von Thriumphbögen. Wer errichtete sie? Über wen
Triumphierten die Cäsaren? Hatte das vielbesungene
        Byzanz
Nur Paläste für seine Bewohner? Selbst in dem
        sagenhaften Atlantis?
Brüllten in der Nacht, wo das Meer es verschlang
Die Ersaufenden nach ihren Sklaven.
Der junge Alexander eroberte Indien.
Er allein?
Cäsar schlug die Gallier.
Hatte er nicht wenigstens einen Koch bei sich?
Philipp von Spanien weinte, als seine Flotte
Untergegangen war. Weinte sonst niemand?
Friedrich der Zweite siegte im Siebenjährigen Krieg. Wer
Siegte außer ihm?
Jede Seite ein Sieg.
Wer kochte den Siegesschmaus?
Alle zehn Jahre ein großer Mann.
Wer bezahlte die Spesen?
o viele Berichte
So viele Fragen

(Bertolt Brecht)

Erlebter Kontrapunkt

„Und wie war Petersburg, ich meine die Stadt?" Immer erneut die gleiche Frage. Dabei erzähle ich von nicht anderem als dieser Stadt. Meine ich.

„Pilatus!" antworte ich. Denn: Was ist Wahrheit? Was ist St. Petersburg?

Sind die Palastufer und die Paläste, grellblau und rosé renoviert, sattgolden glänzende Dächer, sind die Eremitage und Peters „Häuschen", die Peter-Paul-Festung und die Kitsch-Kirchen St. Petersburg? Sind es der bürgerliche Stadtgürtel, der stalinistische oder die Wohnungen vom Typ „Genossenschubläden" in den Leningrader Trabantenstädten?

Aber das Winterpalais!!

Stimmt. Hätte ich auch gestürmt, diesen geballten, brutalen, vollkommenen Ausdruck einer Ästhetik der Macht.

Wie schlicht dagegen, obschon monströs, das Ehrenmal der Belagerung. Scheiternder Versuch, 900 Tage Grauen in Räume zu bannen.

Die Reisebilanz? Hypothese bestätigt. Sonst: Keine Bilanz. Nur Inkompatibles. Oder: Rußland.

Aber lässt sich das bilanzieren? Außer: Bildung, Erfahrung und Kompetenzen sind matt gesetzt:
- Zwei Stunden Jet-Lack werfen mich um.
- Eh ich entziffert habe, dass Bizet und Puccini gespielt werden, sind die Karten ausverkauft.
- Das Hantieren mit drei Währungen gleichzeitig strapaziert meine Genauigkeit wie meine Rechenfertigkeit.
- Lauwarme Knoblauchwürste mit kaltem Obstsaft auf nüchternen Magen verlangen autogenes Training: „Mein Magen bleibt freundlich nach unten geneigt!" Es klappt. Nicht dagegen das Einfordern von Müsli zwecks Stabilisierung der Empfindungsseele spirituell Reisender.
- Ich muss den Kopf entleeren von Phantasie: Schwarze Tore in Granitwänden unter der Newa saugen mich nicht in den Hades. Ich werde nur in die Metro gestoßen und rolle davon.
- Straßenschilder suchen, auf Taschendiebe achten, Schlaglöcher und Pfützen vermeiden, Fassaden bewundern und schöne Frau'n, zur Gruppe Kontakt und Distanz im Geviert: Wie gut sind meine Sinne trainiert?

Bilanz fordert Gewichtung. Doch, was wiegt stärker:
- Die Kinder, Opfer des Kannibalismus in der Blockade oder Katharinas Liebhaber? Rasputin oder Lenin?
- Die Frau, verstaubt vom Acker, Kartoffelsack, Möhren und Astern heimtragend, oder das girl nouvelle-russe bei Dior, begleitet als VIP?
- Der Atemstillstand vor alten Ikonen: Schönheit, unermessliche Demut durchströmt Dich, zu knien bereit, oder dieses Hotel, mit Panzertüren, Verhängeschlössern und bröckelndem Mosaik? Dahlien umduften Dich hold noch. Totgesagte Kultur?
- Das Bernsteinzimmer, seine Farbenglut und Lichterflut, einhundert Quadratme-

ter im kilometerlangen Palastgefüge, oder die Gastfreundschaft in prekärer Lage. Eine Liege, ein Tee, ein Bad, fünfzehn Quadratmeter verteilt an vier, Kolja, wachend die Nacht am Küchentisch?
– Das Reiseerlebnis oder Theater-Erinnerung:
„Ein großes, ödes verkommenes Zimmer. Zwei Türen. In der linken oder rechten Ecke im Hintergrund eine Art Bettgestell; eine gestreifte, durchgeschlafene Matratze, aufgestellt auf vier Ziegel. Ein fürchterliches Kopfkissen, ohne Überzug, fleckig, schmutzig. Nebenan ein Stuhl. An der Wand hängen ein Paar alte Hosen. In der anderen Ecke ein Haufen Bücher, Zeitungen, Broschüren. Von der Mitte der Decke hängt eine einsame, ziemlich hell leuchtende Birne ohne Lampenschirm herunter. Unter der Lampe steht eine grüne Gartenbank auf Gußfüßen mit aufgeschnitzten Buchstaben und einem großen pfeildurchbohrten Herzen. Auf der Bank ein großes Buch von Karl Marx, das allem Anschein nach als Kopfkissen für dieses Lager zu dienen pflegt. Man sieht, daß die Bank unter die Lampe geschoben ist, um das Lesen beim Liegen zu ermöglichen. Auf dem Fenster ein selbstgemachter Lautsprecher und eine Kiste mit Kathodenlampen. Etwas Geschirr. Das ist das ganze Ameublement des Zimmers. Beim Aufgehen des Vorhangs herrscht auf der Bühne vollständige Dunkelheit; nur das Licht einer Straßenlaterne schimmert durch die gefrorenen, mit Eisblumen bedeckten Fensterscheiben ins Zimmer."
(*Valentin Katajew*. Eine Schnur geht durchs Zimmer.)

Oder auch *Dostojweski*, Der Doppelgänger, ein Petersburger Poem:
„Etwa zwei Minuten lang blieb er noch, ohne sich zu regen, auf dem Bette liegen, wie ein Mensch, der noch nicht ganz ins klare darüber gekommen ist, ob er aufgewacht ist oder noch schläft, ob alles, was jetzt um ihn herum vorgeht, Wahrheit und Wirklichkeit ist oder eine Fortsetzung seiner wirren Träume. Bald wurde jedoch Herrn Goljadkins Denken klarer und deutlicher, und seine Gefühle nahmen ihre gewöhnliche, alltägliche Stimmung an. Alles blickte ihn bekannt an: die schmutziggrünen, verräucherten, staubigen Wände seines kleinen Zimmerchens, seine Mahagonikommode, die Stühle von imitiertem Mahagoni, der rot angestrichene Tisch, das türkische Wachstuchsofa von rötlicher Farbe mit gründlichen Blümchen und endlich die gestern hastig ausgezogenen und unordentlich auf das Sofa geworfenen Kleider. Und dann schaute auch der graue, trübe, schmutzige Herbsttag so verdrießlich und mit so saurer Miene durch die ungeputzten Fenster zu ihm ins Zimmer, daß Herr Goljadkin in keiner Weise mehr daran zweifeln konnte, daß er sich nicht in einem schönen Märchenlande, sondern in der Residenzstadt Petersburg, in der Schestilawotschnaja-Straße, in der vierten Etage einer sehr großen Mietskaserne, in seiner eigenen Wohnung befand."

Wo aber befand ich mich in St. Petersburg?

Ausblick

Ich werde bald siebzig Jahre alt.
Ich habe neun Schulen in drei Ländern besucht, in zwei Ländern studiert, in drei Ländern gelehrt, in zwei Ländern gelebt. Ich verfüge über vier Bildungsabschlüsse, eine Privatbibliothek, das Fernsehen und Internet. Warum reise ich? Aus Bildungsfetischismus?

Warum, lieber Werner Lenz, reist Du?

„Allein aus Freude am Sehen und ohne Hoffnung, seine Eindrücke und Erlebnisse mitteilen zu können, würde kein Mensch je über das Meer fahren." (Blaise Pascal)
„Ich bin, aber ich habe mich nicht. Darum werden wir erst." (Ernst Bloch)

Literatur

Brecht, Bertolt (1978): Gesammelte Gedichte. Band 2. Frankfurt am Main: Suhrkamp.
Dostojewski, Fjodor M. (2003: Der Doppelgänger. Frankfurt am Main und Leipzig: Insel-Verlag.
Fest, Joachim (1988) Im Gegenlicht. Eine italienische Reise. Berlin: Siedler.
Hintzen-Bohlen, Brigitte (1999): Andalusien. Kunst und Architektur. Köln: Könnemann.
Wetzig, Karl-Ludwig (Hrsg.) (1999): EUROPA ERLESEN – ISLAND. Klagenfurt/Celovec: Wieser.

Ekkehard Nuissl

Europäische Qualitätspolitik im Konzept des Lebenslangen Lernens

1.

Europäische Politik im Bereich der Qualität von Bildung ist relativ neu, explizit rückdatierbar erst auf Dokumente Ende der neunziger Jahre. Es ist offensichtlich, warum eine solche europäische Qualitätspolitik im Bildungsbereich notwendig wurde: Mit der Erweiterung der Wirtschaftsgemeinschaft zu einer Europäischen Union unter Einschluss der Felder von Bildung und Kultur (Artikel 149, 150 und 151 des Vertrags der Europäischen Gemeinschaft von Maastricht aus dem Jahr 1994) öffneten sich auch die Anforderungen, europäische Kompatibilität nicht nur zu realisieren oder zu proklamieren, sondern auch politisch zu gestalten.

Die ersten Pfähle schlug das Europäische Weißbuch „Auf dem Weg zu einer Wissensgesellschaft" (1995) ein. Die wesentlichsten Argumente für ein Europa, das seine wichtigste Ressource, die Kompetenz der Menschen, zum Pfand im globalen Wettbewerb macht, wurden hier ausgebreitet. Auch in der konkreten politischen Handlung wurden entsprechende Wege beschritten: Das Jahr 1996 wurde relativ kurzfristig und mit mäßigem Erfolg, aber um so energischer zum Jahr des Lebenslangen Lernens ausgerufen, und schon ein Jahr später (1997) erfolgte die Mitteilung der Europäischen Kommission „für ein Europa des Wissens".

Noch vor dem für das hier anstehende Thema, die Qualitätspolitik im Konzept des Lebenslangen Lernens, zentralen „Memorandum Lebenslanges Lernen" aus dem Jahr 2000 richtete sich die europäische Qualitätspolitik in der Bildung auf zwei Teilbereiche, den höheren Unterricht und die Schulen (September 1998 bzw. Mai 2000) mit Papieren zur Zusammenarbeit und zur Garantie der Qualität. Blieb das Papier zur Qualität in der höheren Bildung noch auf der Ebene einer Empfehlung zur Kooperation, so enthielt dasjenige zur Qualität im schulischen Bereich bereits konkrete Qualitätsindikatoren (16) mit relativ präzisen Differenzierungen.

Seit dem Memorandum zum Lebenslangen Lernen von Ende 2000 hat sich die europäische Politik zum Lebenslangen Lernen ebenso wie zur Qualität im Lebenslangen Lernen außerordentlich intensiviert. Abzulesen ist dies an den Mitteilungen, Papieren und Programmen, die sich zum Lebenslangen Lernen äußern und dabei jeweils Aussagen zur Qualität machen. So ist sehr lesenswert eine Mitteilung der Europäischen Kommission „zu den konkreten zukünftigen Zielen des Systems der Bildung" (vom 31. Januar 2001) und einem damit zusammenhängenden detaillierten Arbeitsprogramm (vom Februar 2001). Aus dem gleichen Monat stammt auch eine Empfehlung zur europäischen Zusammenarbeit hinsichtlich einer Qualitäts-Evaluation des schulischen Unterrichts und, für die europäische Qualitätspolitik besonders wichtig, eine Unterlage für die Konferenz der europäischen Bildungsminister mit dem Titel „Indikatoren zur Qualität im schulischen Unterricht" (Juni 2001).

Bereits im November 2001 erfolgte die Mitteilung der Europäischen Kommission, welche die nationalen Kommissionen zum Memorandum Lebenslangen Lernens zusammenfasste und in ein Arbeitsprogramm goss; es trägt den Titel „Aufbau eines europäischen Raums Lebenslangen Lernens" und hat ebenfalls einen unterstützenden Beitext, der sich der Praxis und den Indikatoren eines solchen europäischen Raums Lebenslangen Lernens widmet. Ein Jahr später liegen weitere Dokumente vor, etwa der Beschluss des Europäischen Rates zu einer verbesserten Kooperation in Bildung und Ausbildung (19. Dezember 2002) oder die Mitteilung der Kommission „effiziente Investition in Bildung und Ausbildung" (vom Januar 2003). Für Ende des Jahres 2003 ist ein Papier angesagt zur europäischen Qualitätspolitik, welches die Europäische Kommission für den Bildungsbereich übergreifend formulieren und bezogen auf die vorliegenden Modelle zur Diskussion stellen will.

Eine rege Aktivität in der europäischen Bildungspolitik, fürwahr, verbunden mit einer zunehmenden Konkretisierung der Vorstellungen zur Qualität im Bildungsbereich. Was ist damit beabsichtigt?

2.

Die Ziele der europäischen Bildungspolitik sind - bei allen starken nationalen Unterschieden - auf ein zentrales Ziel hin ausgerichtet, das am kürzesten und bündigsten in der Verlautbarung von Lissabon vom März 2000 enthalten ist: „Bis 2010 ein Europa schaffen, in dem die Ökonomie - basiert auf dem Wissen der Menschen - wettbewerbsfähiger und dynamischer ist als sonst in der Welt, um ein nachhaltiges ökonomisches Wachstum zu realisieren mit neuen und verbesserten Arbeitsplätzen und einer größeren sozialen Kohäsion". Lebenslanges Lernen soll von daher die Basis dafür schaffen, dass dieses Ziel, das arbeitsmarkt- und sozialpolitisch begründet ist, auch im globalen Wettbewerb realisiert werden kann. Um dies zu erreichen, geht es der Europäischen Union ganz allgemein darum,
- eine Wissensgesellschaft zu entwickeln,
- lebenslanges Lernen zu realisieren,
- die allgemeine Kultur neu und besser zu bewerten,
- Beziehungen und Verhalten bezüglich der Arbeit zu entwickeln,
- die Mobilität der Jugend und der Arbeitskräfte zu unterstützen,
- zweite Chancen insbesondere für die jungen Menschen zu bieten, die vom Ausschluss bedroht sind,
- Schulen und Bildungsstätten wieder näher an Betriebe und Arbeitsplätze heranzuführen und
- die Sprachenvielfalt zu unterstützen und zu fördern.

Diese allgemeinen Ziele im Bereich von Arbeitsplätzen, Arbeitskräften, Politik und Bildungspolitik konzentrieren sich in den jüngsten europäischen Dokumenten

auf drei zentrale Ziele (so insbesondere im Papier zu den zukünftigen Zielen des Systems von Bildung und Ausbildung vom 12. Februar 2001):
- den Zugang aller Menschen zu Bildung und Ausbildung zu erleichtern und zu verbessern,
- die Qualität der Systeme von Bildung und Ausbildung zu verbessern und
- die Systeme von Bildung und Ausbildung weltweit zu öffnen.

Man kann erkennen, dass in der zunehmenden Verdichtung der europäischen Ziele von Bildungspolitik die Qualität nicht nur immer häufiger auftaucht, sondern auch einen immer zentraleren Stellenwert erhält.

Die Gründe dafür sind vielfältig. Der wichtigste ist, dass nur vergleichbare Qualitätsmaßstäbe auf höherem oder hohem Niveau eine wettbewerbsfähige europäische Gesellschaft des Wissens garantieren. Solche Qualitätsmaßstäbe gilt es daher zu finden und in die Realität umzusetzen. Auch hat die Qualitätsfrage den Vorteil, bei fortbestehender Akzeptanz unterschiedlicher Systeme und Modelle von Bildung und Ausbildung in den Mitgliedsstaaten der Europäischen Union einen vergleichbaren gemeinsamen Nenner zu finden, der zugleich den europäischen Weg hin auf eine Wissensgesellschaft unterstützt. Und: Die Qualitätspolitik spielt im Rahmen der europäischen Kompetenzen und Aktivitäten eine kompatible und von den Mitgliedstaaten akzeptierte Rolle.

3.

Die europäischen Kompetenzen und Instrumente, welche sie zur Bildungs- und Qualitätspolitik in der Bildung einsetzen können, sind gegenüber den nationalen Bildungs- und Kulturhoheiten begrenzt. In Deutschland, wo diese föderalen und dezentralen Bildungs- und Kulturhoheiten seit dem Krieg bestehen, sind die Möglichkeiten und Grenzen der zentralen Vorgabe von Zielen und zu erbringenden Leistungen seit langem bekannt. In einer ähnlichen Situation befindet sich die Europäische Kommission, wenn es um das Vereinheitlichen der europäischen Bildungspolitik geht. Hier ist die Europäische Kommission sehr deutlich: Sie intendiert nicht, eine gemeinsame Politik zu Bildung und Ausbildung in Europa zu realisieren. Statt dessen setzt sie im Rahmen ihrer Kompetenzen auf Ansätze, die mit den Ansätzen zur Qualitätssicherung große Ähnlichkeiten haben:
- Austausch von Ideen und guten Praktiken,
- Entwicklung einer realen Kooperation zwischen den europäischen Mitgliedstaaten,
- das Beste unterschiedlicher Erfahrungen des europäischen Bildungsbereichs erhalten,
- die Standards der Bildung anheben und verdeutlichen,
- die Widerstände gegen eine Teilnahme an Bildung beseitigen.

Zu diesen Feldern sind auch seitens der Mitgliedsstaaten die Kompetenzen der Europäischen Union unstrittig. Hier lassen sich von daher von europäischer Seite aus auch Instrumente des Handelns umsetzen.

Solche politischen Handlungsinstrumente der Europäischen Kommission sind unterschiedlichster Art, und sie werden allesamt für die Entwicklung des europäischen Bildungsbereichs und der Qualität desselben eingesetzt:
- multinationale Programme (wie insbesondere SOKRATES und LEONARDO),
- Austauschprogramme (wie etwa ERASMUS),
- innovative Projekte (wie zur Erwachsenenbildung etwa in Grundtvig),
- Kompetenznetzwerke (wie europäische Organisationen und Arbeitsgruppen),
- Referenzsysteme zum Vergleich gemeinsamer Fragen sowie
- Plattformen für den Dialog und die Zusammenarbeit.

Einige der Instrumente werden zentral von der Europäischen Kommission in Brüssel gesteuert und verantwortet, einige dezentral über nationale Agenturen realisiert. Gemeinsam ist ihnen, dass sie ein definiertes Ziel ausweisen, das von den Mitgliedsstaaten geteilt wird, und dass sie mit einem mehr oder weniger hohen Anteil europäischer Mittel eingesetzt werden. Regelmäßig wird die Wirkung der Instrumente auch evaluiert, in der Regel eine formative Evaluation, welche auf die Verbesserung der laufenden Programme und Initiativen und Aktionen zielt.

4.

Das europäische Programm zum Lebenslangen Lernen, konzentriert auf Zugang, Qualität und Offenheit, wurde konkretisiert in dem Dokument „einen europäischen Raum des Lebenslangen Lernens schaffen", welches die nationalen Diskussionsergebnisse zum Memorandum „Lebenslanges Lernen" aufgriff und - vor allem mit dem Handbuch zur Praxis und Umsetzung - die Weichen für die zukünftigen Aktionen stellen soll. Hier sind bereits auch die Felder angegeben, auf denen so etwas wie ein europäisches „Benchmarking", eine europäische Qualitätskontrolle über vergleichende Standards realisiert wird.

In diesem zentralen Dokument wird postuliert, dass der europäische Raum lebenslangen Lernens einerseits kohärent, also nach Möglichkeit zusammenhängend und widerspruchsfrei, zum anderen vollständig und umfassend sein soll.

Kohärenz wird diesem Dokument zufolge angestrebt auf drei Ebenen: Der Zusammenarbeit in Partnerschaften, dem Schaffen einer Kultur des Lernens und dem Bemühen um Exzellenz. Vollständigkeit wird ebenfalls auf drei Ebenen angegangen: Bezug zu den Bedarfen und Bedürfnissen für Lernen, Ermöglichung des Zugangs zum Lernen und eine angemessene Förderung.

Auf diesen Ebenen werden Indikatoren näher definiert, welche im internationalen Vergleich zugleich Indikatoren für die Qualität des Bildungssystems darstellen. Im Grunde lassen sich diese Indikatorensysteme, denen allerdings in der Regel noch Messparameter fehlen, in Frageform formulieren. Danach wäre jeweils auf nationaler Ebene hinsichtlich Kohärenz und Vollständigkeit Antwort auf folgende Fragen zu geben:

Kohärenz: Partnerschaften

Hier geht es um die Zusammenarbeit innerhalb der Bildungsbereiche und mit anderen gesellschaftlichen Bereichen mit folgenden Fragen:
Sind die zuständigen Ressourcen der Regierung effektiv koordiniert?
Existieren Partnerschaften auf lokaler Ebene?
Sind die Sozialpartner in die Planung und Gestaltung der Bildung integriert?
Gibt es Partnerschaften auf europäischer Ebene?

Kohärenz: Lernkultur

Hier geht es um aktive Bürgerschaft, persönliche Entfaltung und Beschäftigungsfähigkeit. Zu stellen sind folgende Fragen:
Wird Lernen wertgeschätzt und belohnt (auch nicht- und informelles Lernen)?
Gibt es eine positive Wahrnehmung des Lernens (z. B. in Medienkampagnen)?
Gibt es einen angemessenen Gebrauch zielgerichteter Finanzierung?
Werden Informationen, Beratung und Orientierung gefördert und vorangebracht?
Werden Unternehmen entwickelt hin zu Lernenden Organisationen?
Gibt es eine Ermutigung zum Lernen und Lernmöglichkeiten innerhalb von Organisationen?

Kohärenz: Bemühen um Exzellenz

Unter diesem Aspekt tauchen insbesondere auch Indikatoren auf, die direkt auf Qualität zielen:
Gibt es ehrgeizige Ziele für die Teilnahme, die Förderung und die Ergebnisse des Lernens?
Gibt es Instrumente der Qualitätssicherung (national und international), wie etwa formulierte Standards, Direktiven oder Empfehlungen, Inspektionssysteme, Preise und Belohnungen für Qualtiät oder spezielle Finanzierungsinstrumente?
Wird Evaluation im Bildungsbereich geziert und in welchem Umfang?
Gibt es eine reguläre Revision und Überprüfung von Strategien im Bildungssystem?

Vollständigkeit: Lernbedarfe und -bedürfnisse

Dieser Aspekt konzentriert sich auf einen effektiven, lernerzentrierten Ansatz, zu fragen ist:
Wie ist der Stand von Alphabetisierung, Rechen- und Computerkompetenz und anderen Grundkompetenzen?
Gibt es spezielle zugeschnittene Maßnahmen für bildungsferne Gruppen?

Wird die Auswirkung des Konzeptes des lebenslangen Lernens auf die Lehrenden berücksichtigt?
Werden die Bedürfnisse von Arbeitgebern, besonders kleinen und mittleren Unternehmen, berücksichtigt und aufgegriffen?
Gibt es ein Verständnis für die speziellen Interessen der Lerner, auch der potentiellen Lerner?
Werden die Implikationen einer wissensbasierten Gesellschaft (z. B. hinsichtlich Unternehmensgründung etc.) berücksichtigt und strategisch formuliert?

Vollständigkeit: Ermöglichung des Zugangs

Hier geht es vor allem um die Aspekte, welche die Teilnahme an organisierter Weiterbildung betreffen.
Wie sichtbar sind existierende Angebote, werden neue Angebote entwickelt?
Werden spezielle Gruppen mit maßgeschneiderten Angeboten angezielt?
Werden Lernbarrieren (sozial, geographisch, psychologisch, Arbeitsplatz) überwunden und entfernt?
Werden nicht- und informelle Lernergebnisse übernommen und anerkannt?
Gibt es eine angemessene Investition der Unternehmer in ihre Beschäftigten?
Sind Information, Beratung und Orientierung als Schlüssel „Interface" zwischen Lernbedürfnissen und Lehrangeboten ausreichend entwickelt und überprüft?

Vollständigkeit: Angemessene Förderung

Hier geht es vor allem um eine effektive und effiziente Allokation von Mitteln in Bildung.
Wird auf breiter Front die Investition in Bildung erhöht?
Wird die Verantwortung für die Finanzierung von Bildung geteilt und gemeinsam getragen (Unternehmen, Lernende, Staat, Organisationen)?
Ist die Allokation von Mitteln in Bildung transparent?
Existieren neue Ansätze für die Investition in Bildung?
Ist die Investition in Bildung in entsprechende Strategien auf lokaler Ebene integriert?
Werden Mittel in die neuen Aufgaben und Rollen der Lehre investiert?

5.

Während die Zieloptionen im Rahmen des Dokuments „einen europäischen Raum des Lebenslangen Lernens schaffen" noch eher interessengeleitete und kategoriale Voraussetzungen für Qualitätsmessungen und Vergleichssysteme sind, schreiten die Aktivitäten zur Formulierung gemeinsamer europäischer Standards im Bildungsbereich mit Blick auf Schule, Hochschule und die Auswertungen von Länderstatistiken zu Bildungsfragen fort. Sie sind sehr viel konkreter und definieren Qualität in einem bereits engeren Sinne. Und sie beziehen sich bereits auf die gegebenen Möglichkeiten, Vergleichsparameter quantitativ und quasi für optimiert festzulegen.

So einigten sich etwa bereits die europäischen Minister auf sechs Referenzparameter zum Vergleich der Bildungssysteme:
- Zahl der Schulabgänger,
- Zahl der Abschließenden in Mathematik, Naturwissenschaften und Technologie,
- Schüler und Studenten im höheren Sekundarbereich,
- Stand der Grundkompetenzen,
- Teilnahme an Weiterbildung und
- Investitionen in Bildung und Ausbildung.

Konkret festgelegt wurden bereits sechzehn Qualitätsindikatoren in bezug auf vier unterschiedliche Bereiche des Bildungssystems:
- Die Ebene der Bildungsabschlüsse (Mathematik, Lesen, Computer, Lernen-Lernen, bürgerschaftliche Erziehung etc.),
- Abgänge und Übergänge (Schulabbrecher, höhere Sekundarstufe, Teilnahme an Weiterbildung),
- Überprüfung (Evaluation, Monitoring, Teilhabe der Eltern an Erziehung und Ausbildung) und
- Investitionen und Strukturen (Ausbildung der Lehrenden, Existenz von Computern, Kosten pro Schüler/Student etc.).

Seit der Mitteilung der Kommission vom Januar 2003 zur Effizienz der Investitionen in den Bildungsbereich arbeitet die Europäische Kommission weiter an Indikatorensystemen, die sie als geschlossenes System im Dezember 2003 vorlegen will. Beim derzeitigen Stand sind sechs Indikatorenbereiche absehbar. Bei einigen von ihnen liegen bereits Datenquellen vor, die es ermöglichen, die nationalen Bildungssysteme entsprechend zu bewerten und zu qualifizieren. In anderen Fällen sind entsprechende Daten erst zu erheben bzw. auswertungsrelevante Verfahren zu entwickeln. Die sechs Indikatorenbereiche sind derzeit:

Evaluation

Im Bereich Evaluation liegen Daten vor zur Zahl der Schulabschlüsse, der Hochschulabschlüsse und der erworbenen Zertifikate. Weitere Angaben werden gesucht und zugrunde gelegt zu den Verfahren der Anerkennung und Zertifizierung, zur Qualitätssicherung, zur Kohärenz des Bildungsangebots, zur Wirksamkeit des Lernens und zur Attraktivität der Lernangebote. Insbesondere Fragen wie Kohärenz des Angebotes oder Wirksamkeit des Lernens sind schwer mit direkten Messzahlen zu erfassen, während hingegen die Attraktivität des Lehrangebotes etwa im Bereich der Weiterbildung über Teilnahmezahlen rekonstruiert werden kann.

Beratung, Orientierung

An quantitativen Daten wird hier zunächst nur mit den Zahlen operiert, die aus den Besuchen von Web-Sites und dem Herunterladen von Dokumenten erfolgen. Weitergehende Messzahlen werden erwartet von einer Überprüfung der Verbreitung von Informationen, der Zufriedenheit der Lernenden mit Beratungsdiensten und generell der quantitativen Aufschlüsselung und qualitativen Bewertung der Beratungsaktivitäten von Bildungseinrichtungen.

Investition

Hier liegen zahlreiche Quellen vor, die aber häufig nicht gut miteinander kompatibel sind. So etwa bei der OECD, UNESCO und EUROSTAT zu den Investitionen in Bildung im internationalen Vergleich. Oder eine spezielle auf Unternehmen bezogene Statistik „Continuing Vocational Training Survey" (CVTS). Angedacht wird, zum Indikator der Investitionen Mess-Systeme zu entwickeln, die auch das informelle und nonformale Lernen betreffen und insbesondere auch die Zeitbudgets der Lernenden erfassen.

Lernende und Angebote

Zu diesem Indikator liegen keine schlüssigen quantitativen Zahlen vor; insbesondere das adäquate Zusammenführen von Lerninteressierten und Angeboten ist derzeit quantitativ schwer erhebbar. Deshalb ist beabsichtigt, zu diesem Indikator Messzahlen aufzubauen zur Situation der Lernenden, zur Beschreibung von Lernkontexten, konkreter etwa zur Kinderbetreuung oder zur Entfernung zwischen Lernort und Lebensort (im ländlichen Raum). Generell geht es auch um die Flexibilität im Verhältnis von Angeboten und Lernenden.

Grundqualifikationen

Zur Frage der Grundqualifikationen liegen bereits vor Daten zur durchschnittlichen Teilnahme etwa der 18- bis 24jährigen an den Ausbildungsgängen der Sekundarstufe 1 und 2 oder der 25- bis 64jährigen hinsichtlich der Teilnahme an Weiterbildung, allerdings nur sektoral und punktuell. Gedacht ist daran, ein erweitertes System zu finden, in dem Teilnehmende und Abschlüsse an formaler Weiterbildung erfasst und beziffert sind, in der Kompetenzbewertung über systematische Erhebungen (vergleichbar mit PISA) vorgenommen werden, indem Angebote und Verfahren, Lernen zu lernen, definiert werden, Erhebungen zur Medienkompetenz und zur aktiven Bürgerschaft in regelmäßigen Abständen Überblick gegeben.

Innovation

Innovation ist bekanntlich sehr schwer zu messen, gilt trotzdem als zentraler Indikator. Herangezogen werden sollen Daten zum Lernen nach unterschiedlichen und neuen Lernformen in Unternehmen (verfügbar im CVTS) oder auch Durchschnittszahlen zum Verhältnis von Lernenden und vorhandenen Computern. Angedacht sind Mess-Systeme zur Fortbildung der Lehrenden und zur Forschung hinsichtlich Lehrmethoden.

6.

Betrachtet man die Bemühungen in der Europäischen Union, in Sachen Qualität des Bildungswesens voranzukommen, so kann man zunächst feststellen, dass die Schwierigkeiten eines im weiteren Sinne föderalen europäischen Systems bei der Qualitätsfeststellung noch kaum angegangen, geschweige denn überwunden sind. Auch bei einem expliziten Verzicht darauf, das europäische Bildungswesen zu vereinheitlichen, sind die Möglichkeiten, hier über Vergleiche, Benchmarking und Wettbewerbssysteme Standards einzuziehen, noch längst nicht durchgehend angegangen.

Als Hintergrund dieser Entwicklungen, die allerdings in Rechnung stellen muss, dass erst relativ kurze Zeiten seit Beginn der Qualitätspolitik vergangen sind, lassen sich unterschiedlichste Interessen feststellen. Dies sind die Interessen der Nationalstaaten am Erhalt und einer positiven Bewertung ihrer eigenen Bildungssysteme, die es schwer machen, den übergreifenden Raster von Indikatoren zu finden, die Bewertungen erlauben.

Wesentlich komplizierter jedoch noch als diese ohnehin in Rechnung gestellte Interessenlage ist die Tatsache, dass einzelne Bildungsbereiche (etwa Universitäten, berufliche Bildung, Weiterbildung etc.) eigenen Logiken folgen und sich nicht notwendig – auch nicht innerhalb der einzelnen Nationalstaaten – vergleichenden Indikatorensystemen erschließen. Folgerichtig entwickeln sich hier jeweils bereichsspezifische Notwendigkeiten und Interessen, die übergreifend schwer in ein kohärentes System einzuordnen sind.

Schließlich besteht das Problem, dass das Bildungssystem auch in den weiterentwickelten Mitgliedsstaaten noch nicht durchgängig quantitativ oder in überprüfbaren Messgrößen erschlossen ist. So fehlt es fast überall an verlässlichen Daten im Bereich der Weiterbildung, aber auch Daten zu Übergängen zwischen den Bildungsbereichen, zu Abschlussquoten und Bezüge zwischen Bildungs- und Beschäftigungssystemen sind nicht in ausreichendem Maß vorhanden.

Die europäische Politik, Qualität festzustellen, zu messen und mit Hilfe von Indikatoren zu vergleichen, bewegt sich in diesem Gemenge von Interessenlagen der Betroffenen, Unterschiedlichkeiten der jeweiligen Segmente des Feldes und verfügbaren Daten. Insbesondere letztere werden auch dann ein großes Problem darstel len, wenn es zu einem kohärenten Indikatorensystem Ende 2003 kommen sollte. Die erforderlichen Daten sind bislang ausschließlich auf nationaler Ebene erhebbar und erfordern dort einen erheblichen Aufwand, auch strukturelle Voraussetzungen bei Einrichtungen und Behörden, die so nicht vorhanden oder kaum vorfindbar sind.

7.

Es ist aber erkennbar, dass eine Verwirklichung von Qualität auf europäischer Ebene politisch umgesetzt werden soll. Es wird dabei in Rechnung gestellt, dass zwar ein gemeinsames Ziel zur Realisierung von Qualität existiert, unterschiedliche Wirklichkeiten der Bildungssysteme in den einzelnen Mitgliedsstaaten aber akzeptiert werden sollen. Auch ist erkennbar, dass die vorliegenden Nährungen an Qualitätssysteme und Qualitätsindikatoren sich eher auf das gesamte Bildungssystem beziehen, weniger auf die Qualitäts"träger", die Einrichtungen, Lehrangebote und Lernenden selbst.

Konzidierend demnach, dass es in Europa unterschiedlichste Bildungssysteme gibt, unterschiedlichste Akteure und Interessen gegenüber Bildung, ist darüber hinaus festzustellen, dass auch die Kommunikation innerhalb der Mitgliedsstaaten zu Qualitätsfragen schwierig ist, um so mehr noch zwischen den Mitgliedsstaaten in Europa. Und schließlich, vor allem, zeigt sich, dass die Schwierigkeiten auch in der Sache liegen, der qualitätsbezogenen Definition eines Produkts, das erst im Zusammenwirken von Produzent und Konsument entsteht: der Bildung.

Es ist davon auszugehen, dass europäische Systeme von Vergleichsparametern zum Bildungsbereich entwickelt und festgelegt und mit gemeinsamen Indikatoren und Messzahlen versehen werden. Nicht damit zu rechnen ist, dass die in Europa bereits weit ausdifferenzierten Qualitätssicherungssysteme vereinheitlicht oder gemeinsamen Normen unterworfen werden sollen. Zum Zeitpunkt einer immer intensiver werdenden europäischen Qualitätspolitik im Bildungsbereich gibt es bereits fünf unterschiedliche Gruppen von Qualitätssicherungs- und Qualitätsmanagementsystemen:
- die kompletten Verfahren wie etwa CDO in den Niederlanden, SQMS in Schottland und EDUQUA in der Schweiz;
- Inspektionsverfahren, die teilweise sehr aufwendig sind, wie etwa OFFSET und ALI, beide in England bzw. dem Vereinigten Königreich;
- Akkreditierungsverfahren wie etwa analog dem italienischen Vertrag zwischen Regionen und Bundesregierung oder bei dem FAS-Standard in Irland;
- Ranking-Verfahren wie etwa beim Valdien hinsichtlich Universitäten (Vereintes Königreich) und
- organisationsbezogene Qualitätssysteme wie etwa ISO 9000 ff und EFQM, die beide im Bildungsbereich inzwischen europaweit verbreitet sind.

Es tröstet ein wenig festzustellen, dass die in Deutschland beobachtbaren Schwierigkeiten, zu einem nationalen Qualitätssystem in der Weiterbildung zu kommen, europaweit auf Analogien treffen.

Literatur

Frank, Hans-Werner: Internationale Ansätze zur Stärkung des Nachfrageverhaltens auf dem Bildungsmarkt. In: C. Balli / E. M. Krekel / E. Sauter (Hrsg.): Qualitätsentwicklung in der Weiterbildung, Bonn 2002

Franz, Hans-Werner: Perspektive Europa: Deutschland auf dem Holzweg?, in: E. Heinold-Krug/K. Meisel (Hrsg.), Qualität entwickeln, Weiterbildung gestalten. Bielefeld: 2002

GEW (Hrsg.): Qualitätssicherung in der Weiterbildung. Frankfurt: 1996

Hartz, Stefanie: Qualität der Weiterbildung in Europa, Manuskript

Küchler, Felicitas von; ESNAL: Quality Assurance and Development in European Continuing Education, http://www.die-frankfurt.de/esprid

Eero Pantzar

Challenges of Lifelong Learning in the Globalised World

Introduction

This article focuses on analysing the challenges imposed by the information society on lifelong learning in a global perspective of education. In raising a number of themes debated over the past few years – the information society, globalism, lifelong learning, etc. - I am not going to limit my discussion to the rapid growth of interesting educational viewpoints alone. Instead, I want to point out a number of significant new challenges within the domain of comparative education.

One may say that my analysis, in a way, exposes lifelong learning from two perspectives. The first perspective provides a brief analysis of the relation between researchers and knowledge, within the much altered practice and theoretical frame of reference of comparative education during the past two decades. The issues that have clearly manifested themselves during this short period of time, plus the global questions of education as a practice, and the new explanatory dimensions introduced to the comparison process, have challenged researchers to personally participate in the process of lifelong learning, the purpose of which is not just to update factual knowledge about the world in general. What is more essential is learning to understand the multifaceted diversity that manifests itself as the variety of education, training and related environments.

Consequently, the second perspective is related to the intensive diversification of central issues in the globalising world of education in general. Regardless of whether lifelong learning is interpreted as an education political idea, as a strategy to organise education, as essential learning content for individuals, or as a process that defines learning and takes place at all times and places, we can always identify a multifaceted, global variety in the reality of education and learning.

(Dave 1976, Alanen at al. 1981, Knoll 1983, Vaherva et al. 1989 Pantzar 1991, Belanger 1994, Dohmen 1996, Ellström, P-E. et al. 1996, Lin 1999, Antikainen 2001, Istance et al. 2002, Rinne 2003, Schuller 2003).

In addition to the above, this article points out that information and communication technologies (ICT) have essential connections with the idea of educational supranationalisation in the globalisation process. As a basic, global question of education, and as an excellent case, I will briefly deal with the issues of literacy teaching in a situation where the changing media is offering new opportunities.

Lifelong learning –
a multitude of implementations, means and methods

With reference to the above variety of interpretations, one must point out that the conceptual content of lifelong learning, as well as its practical environment and its application motives, have varied during the past 40 years.((Dohmen 1996). At the same time, lifelong learning has become accompanied by synonymous terms with almost identical meanings, or those heavily stressing any of the said points of view. Typically, such adjacent concepts mention, for example lifelong education (e.g. Lengrand 1975, Cropley et al. 1979), permanent education (e.g. Council 1970, Permanent Education 1971), recurrent education (e.g. CERI 1975, Rubenson 1987, Abrahamsson 1988, Lin 1990), continuing/continuous education (e.g. Bock et al 1981) tai lifelong and -wide learning (e.g. Skolverket 2000, Antikainen & Komonen 2003, Tuomisto 2003)

Over the years, and especially at present, lifelong learning has been used with a special reference to developing formal education into an increasingly applicable societal tool that promotes business activities and competitiveness, and produces and sustains intellectual capital. The views expressed within the European Union over the past few years are strongly related to this interpretation. On the other hand, it is not entirely unjustified to claim that the thoughts expressed as early as the 1960s, even by UNESCO, and somewhat later in the so-called Faure Report – regardless of its philosophic outward appearance – were predominantly education political by nature. In that period, education political decisions were primarily seen as a means of doing such human good that would enable widespread global mutual understanding and the desired individual education and culture in due course. (UNESCO 1972, Lawson 1982, Kivinen & Rinne 1992, Coffield 1997, Elliot 1999, Griffin 1999, Field 2001, Medel-Anonuevo et al. 2001, EFA 2002; Rinne 2003)

The type of lifelong learning ideology that centres around educational organisation has been present at all times, in one way or another, for the said past four decades. Predominantly, it has been associated with the decisions made to promote and sustain labour force qualifications. The OECD's recurrent education ideology is a prime example of this interpretation. (Himmelstrup 1981, Rubenson 1987).

Definitions of the most significant content of education – for example in the form of core or key qualifications – have also been present throughout the lifelong learning period. The significance of content has varied in accordance with the prevailing interpretation of education's societal (and economic) task. This has allowed UNESCO, OECD, and the European Union to interpret matters and issues in mutually different ways, and contrary to the views of national education politicians. In addition, the scope of people's perspectives in terms of globality has also been a contributing factor. (e.g. Unesco 1972, Commission 2000 and 2002, Janssens 2002, Tuomisto 2003)

Nevertheless, the basic nature of the learning process, the inevitable fact that people learn throughout their lives (lifelong learning) and in all places (life-wide learning) has not been analysed as thoroughly as it deserves. (Pantzar 1997; Antikainen 1998; 2001; Skolverket 2000) However, most research reports contain an overall statement that this is, naturally, a fact. Regardless of this, all paths of analysis have subsequently turned in the direction of the above alternative interpretations. Analysing the construction of learning as a complex synthesis of formal education and informal learning has not been regarded as a worthwhile object of analysis. Concurrently, a profound analysis of the locations where lifelong learning takes place, along with its fields and learning environments, have been pushed aside.

In a globalised information society that quickly generates and produces new knowledge, the question is not only about development-generated learning challenges, but also about finding new means of providing support to people when rising to these challenges. Even if the entire field of learning – formal education plus its external environments – can be said, from an individual's perspective, to rely on unchanging long-term basic elements, significant rapid shifts of meaning and importance have occurred in and between the various fields over the past few years. Similarly to learning at work, which appears to become increasingly important and is finding new forms, the media field – as an important informal learning environment – can be seen to have changed far more radically, now offering entirely new solutions as an environment that supports learning.

In human history, the lifespan of institutional education for the masses is short, even in the developed countries. Anyway, the 20th century was the most intensive period of institutionalised education and learning. As the situation is gradually changing at present, formal institutions are compelled to consider the other fields and forms of learning as well. Formal education and educational systems will continue to retain their position and status. However, they will also have to assume a new role as various centres of learning logistics.

Global well-being, education, and ICT

The global variety of lifelong learning is most clearly indicated when interpreting it from a perspective that emphasises education policy issues and those of educational organisation. Current diversity has been generated by several gaps – economic (the extremely unequal and unjust distribution of economic well-being), educational (opportunities to receive education in general), social (exclusion, inequality between demographic groups, etc.) and cultural (religion and other cultural backgrounds) between the world's nations and countries.

When analysing previous development, attention must be paid to a specific problem, which could also be seen as a threat. This problem is generated by the unifying global ICT infrastructure in a rapidly changing world, and by its applications when striving towards the supranational provision of education, training and cultural activities. I will return to this problem later in this paper. One may also take a suspicious stand regarding the prevailing confidence in the information society's and education provision's capacity to close the existent global educational gaps. At a relatively early stage in the 1990s, it was discovered that globalisation expanded through information and communication technology does not seem to generate a democratic global village. The development of a global economy towards three power blocks does not seem to reduce exclusion and marginalisation. A new feature is that with globalisation, the old economic North-South polarisation is eroding. Even at this present, early stage it may be perceived that international competition has meant the stripping back of welfare societies, and increasing numbers of the „employed poor". Poverty is increasingly encountered in welfare societies. The reason for exclusion is not always to be found in person's weak or minimal education or vocational skills.

In addition, it appears obvious that the gaps cannot be quickly closed by lifelong learning either – as an education strategy, a principle of educational organisation, or as a citizen's personal learning process.

The phenomenon that is familiar from comparative education's previous main paradigms belief in the interdependency between education and economic welfare is encountered everywhere. This interdependency may be verified by means of various statistics, primarily on the macro level. With regard to individuals, the interdependency is more difficult to prove. On the other hand, it also seems that the role of education in improving economic welfare is more apparent and less disputable in the case of the less developed countries. A comprehensive, developed educational system, such as that of Finland, for example, has had a minimal contribution to offer to the solution of painful societal problems like unemployment. In countries of high educational level, one of the tasks of lifelong learning, within and outside the formal education, is to help the excluded citizens to get by. (Pantzar 1997a)

In the developing countries, globalisation and its effects make the basic education of adults into one of the central, educational challenges. Most experts and expert organisations do not believe that the developing countries will survive the competition without considerable investments, especially in the basic education of adults as the basic part of strategy of lifelong learning.

A global analysis of central educational questions in general, and that of lifelong learning in particular, cannot be restricted to pondering the connections between economic well-being and the level of education. However, this is an important point of view, even if the researchers' interpretations of the connections are mutually contradictory, to a certain extent.

What I personally consider more essential is the identification of the various lifelong challenges and opportunities that are generated from the conjunction of globalisation and localism. In the current information society, the question is about a potentially conflicting situation that arises when the increasing global education provision and strong cultural diversification coincide. This is also a state that comparative education research can and must describe. Above all, efforts must be made to interpret and understand what, in turn, could provide applicable recipes for the type of operating models that all the parties involved can accept and find satisfactory. (Ouane et al. 2001)

Comparative education in the information society – new challenges for researchers

ICT and its applications provide us with increasingly improved means of communication to learn about the world and its events. The content of globalised communication, which regrettably often centres around reporting on various crises, imposes exacting challenges on our capacity to understand the world, its nations and cultures. Regardless of the fact that accessing reliable information is becoming increasingly faster and easier, pertaining to a wide variety of education and training solutions and applications from various countries throughout the world, we often end up in a paradoxical situation. In general, the increasing volume of facts also contains extremely difficult problems of diversity to take a stand on. (Niessen & Peschar 1982; Pantzar 2002)

Over 20 years ago, when embarking on comparative education and related research, the perspective and the content of comparisons were mainly European by nature (e.g. Pantzar 2002). Naturally, there had been research projects conducted in various countries comparing, for example, the education systems of the industrialised and the developing countries. In Finnish comparative education a 'natural' Europe-oriented research period was constituted in the 1990s when Finland joined the European Union. During this period, Finnish comparative education research and theory clearly gained new strength. (e.g. Laukkanen 1995, Raivola 1993; 1994; Palonen et al. 1993 and Pantzar 1994). A recent example of significant trend setting educational reform decisions of this type is the so-called Bologna process and its intention to harmonise the European structures of academic education. It is interesting to observe that the European harmonisation trend is not unique in any respect. On a global scale, economic interests, in particular, and those of economic organisations – such as NAFTA, Mercosur, ASEA or AEC – appear to focus on harmonising higher education by various communities. This also provides a basis for more comprehensive global harmonisation efforts (e.g. Schugurensky 1999).

In recent times, in the capacity of a comparative education researcher, I have personally experienced that an expert's role requires continual development. It involves all identifiable dimensions of lifelong learning – the lifelong and life-wide aspects alike. What has turned out to be of special significance over the years is the observation that formal learning, such as book knowledge, is never enough for the purpose of understanding or interpreting everything. What is also required is the type of understanding and views that are based on a more informal learning experience. This field of informal learning – which can be encountered, for example, when travelling outside one's home country, in media provision, or in international social communities – also expands our perception of the disciplines that are important to comparative education. The question appears to particularly centre around disciplines which increase the scientist's insight when trying to interpret his or her observations in the global field of education and training.

In addition, the aforementioned field of informal learning externally connects to the early history of comparative education. As early as the late 19th century, the pioneers in the field had acquired knowledge of foreign countries' educational circumstances through 'on-site' visits. Reports from these long-term journeys were called travellers' tales. Opinions may vary as to how systematic or subjective these observations were. Nevertheless, progress was made as time went by, even in terms of research methods and theory development. (Kazamias 1974; Raivola 1984; Pantzar 1985, 2002)

Personally speaking, participating in UNESCO's 5th International Conference on Adult Education in the late 1990s (1997) was a significant experience. Having heard and participated in the discussions held, the industrialised prosperous world, Europe in particular, seemed to shrink down to a less important part of our common world. Above all, the experience was significant at a personal level. It highlighted the importance of cultural diversity to education in general, and as the inevitably identifiable background in the theoretical frame of reference for comparative education in particular. The conference in question also expanded my perception of the versatility of education's global challenges and lifelong learning needs. In addition, the multiformity of locally oriented solutions was exposed in an entirely new fashion. An interesting story from a few years ago is linked with this event.

In 1997, I happened to read a news article from Sudan. This article dealt with the local nomads' mobile schools that are intended for those otherwise unable to attend normal basic education in Sudan. In the area of Dafur, 85 such schools have started their activities. The basic idea is that the teacher and the required teaching material and equipment move along with the nomads. The basic resources of each school consist of two camels - one for the teacher, and the other to transport the equipment - tents, black boards, seats, pens and pencils, chalk, etc. The foundation of these schools has been supported by charitable organisations and the local government. The schools have been provided with camels by the local nomad communities. (EFA 1997). In Sudan, this reform is certainly as important as the possibility of searching Internet Web sites for knowledge in our country. On the other hand, Sudan's example proves the importance of realising the special importance of local requirements for the development of lifelong and –wide learning environments. Even if the decisive school-specific resource should be a camel, as in our example case, it does not, however, exclude subsequent use of advanced information technology, to support the studies of the local nomadic people in particular. At least, there are no technological obstacles against adopting it. (Sahlberg 2002a)

Currently, when speaking about mobile learning in the industrialised world's information societies, we should always remember that mobility, and related learning challenges, are much older than our digital world. (Pulkkinen 2002)

Perspectives on global lifelong learning in the IS

The possibilities of support from information technology to meet the educational challenges are seen in various ways. As such, the existing technological knowledge would splendidly suffice for building the required infrastructures. On the other hand, a global offering of education has and will meet with many obstacles. What is of particular significance is that education and training are regarded as something that can be implemented well by the local communities, at a national level, for example. In the developing countries, the great variety of sub-cultures and traditions do not provide a perfect base for the establishment of uniform educational and training practices. In this situation, a global form of communication, a global content of knowledge, and a foreign language are prone to be met with resistance. As for the developing countries, the conflict is that transfer of knowledge based on modern information and communication technology could efficiently offer a number of educational contents significant from the point of view of economic growth. However, these contents are not in harmony with the prevailing factors of culture and identity. Therefore, one may seriously ask, with a well-grounded reason, whether globalisation of education is possible at all, and on what conditions, and through what solutions could it become feasible?

As I have stated above, the globalisation of education and studies is very unlikely, in the short term, at least. The situation is very interesting since the conventional media - radio and television, for example, - have been used as a channel for enlightenment, in the developed and the developing countries alike. In principle, the objective has been the same everywhere: to reach a maximum number of learners at the same time. In practice, however, there has never existed a single universal model. In the well-to-do world, radio and television are often, when required, part of an individual's personal learning media and part of multi-form teaching, whereas in many developing countries, a common radio set serves an entire village as practically the only medium of almost exclusively unidirectional enlightenment (E.g. Arnaldo 1997; Gallon & Seligsohn 1997). With regard to the use of the modern media based on information and communication technologies - also referred to as the digital media - there are apparent differences between various countries, even in the industrialised world. The said differences are well described through a number of statistical figures indicating the relative number of computers and their use at the various levels of an educational system, for example. In this comparison, Finland has an excellent position.

The media have played different roles in teaching and learning in different parts of the world, not only with regard to their availability and infrastructural level of development. The traditions connected with socialisation have a significant influence on the way communities relay the most important basic skills from one generation to another. One may safely say that modern information and communication technologies will be slow to take root in an environment where a strong tradition of oral communication and social encounter is applied to the teaching and learning of new things. (Sisse 1997; Epskamp 1995). The industrialised countries, Finland included, are said to be undergoing a process of change into information societies where the traditional, dominant role of school education is questionable. The citizens' understanding of the importance of various learning environments - e.g. schools and the communication media - changes rather slowly, however. A strong formal educational system has overshadowed the wide field of informal learning where both the conventional and the modern media seem to be, for the moment, at their strongest. (Prasad 1997, Woodhouse 2001)

Implementing information technology to teaching is geared towards a mass-teaching-type efficiency traditionally striven for in the use of conventional mass media. What, then, is mass teaching today? Are there really any global contents to be found, or do the profiles of the developing and the developed countries differ from each other in this respect also? It strongly suggests that the educational challenges of the developed countries are primarily different from those of the developing countries. It is an undeniable fact, however, that the field of adult education still offers vast, global challenges, of which the teaching of literacy is the foremost example.

Literacy of Adults as a Global Challenge for lifelong learning in the information society

Seen from a global viewpoint, the most important and most demanding task of education is to increase literacy in general and from the point of view lifelong learning among adults. Literacy is understood in various ways: starting from the basic reading and writing skills to those comprising a capacity to interpret, process and produce digitally relayed information in modern information technological environments. Regardless of the environment, literacy is invariably characterised by its functionality, i.e. its usefulness to the skill's administrator in his or her living environment. (E.g. Barton 1995).

Illiteracy among adults is not only a problem in the developing countries, a problem generally caused by an undeveloped, poorly functioning educational system. Even the industrial countries, despite their long-standing compulsory educational systems available to all citizens, suffer increasingly from adult illiteracy. Global illiteracy figures with regard to adults vary to a certain extent. However, all statistics indicate that the said figure is close to one billion. The majority of illiterate adults live in the poor developing countries, with two thirds of them being women. (Takala 1989, Cavanagh 1997, Sahlberg 2002b).

Teaching people how to read, along with the literacy campaigns, have frequently taken the character of a clearly defined means to an end. Based on their more extensive aspirations, Barton has divided all literacy campaigns undertaken during the 1900's into three categories: religious, political and those geared towards the advancement of economic development. The basic aspiration of religious literacy campaigns is to enhance "preaching", and to support value-oriented education. Prime examples of political literacy campaigns are found in the socialist countries, along with a few developing countries. These government-administered campaigns were intended to support a reform of current political and social systems, and to develop these systems along the ideological lines of the current government. (Barton 1995)

Belief in education's positive effect on economic development has also been clearly perceived in conjunction with the present literacy teaching activities. Significant international organisations such as UNESCO and the World Bank have supported these campaigns, firmly believing in the boosting effect of literacy on economic development. (Barton 1995: Raassina 1990). On the other hand, the most critical interpreters of an interdependency between literacy and economic development have stated that the said connection is based on poorly grounded theories and obsolete experience, ill-suited for a globalising world. It has been said that economic problems have their roots deep in the society and the structure and functions of the current international system. (Raassina 1990). Be that as it may, literacy is, however, seen as a basic right for each individual, and as an indispensable tool for study. Although there may be disagreement with regard to education's positive effect on economic welfare, it does seem indisputable that wide-spread illiteracy is an obstacle to economic development and welfare. (OECD 2000)

The extent of illiteracy in a global information society may be seen as a baffling paradox. This is a complex conflict. Firstly, the sluggishness of adult literary propagation in general, and the increasingly apparent functional illiteracy in the industrialised countries, do not match the qualitative literacy requirements of an information society. The teaching and learning of reading skills do require new strategies and new contents, provided there is a will to achieve significant results. Secondly, the foremost objective of information and communication technology based adult education has been the vocational, update training of the well-educated, with a special emphasis on the sectors important for the nations' and the enterprises' competitiveness. In the developing countries such a policy means educating and training a very narrow-based elite, and the continuation of broad-based literacy teaching by the old means. The developed countries' possibilities to support the propagation of functional literacy seem a great deal better. Education policy decisions and related resource allocations play a decisive role in the progress of these matters.

So far, the building of an information and communication technological infrastructure, and the organisation of education and training based thereon, has necessitated major investments which only the richest countries have been able to afford. An educational gap between rich and poor countries is more likely to increase than decrease. There is also a fear that modern learning environments increase differences between individuals and groups in the industrialised countries. Possibilities to acquire computers, dedicated peripheral devices, programs, and to finance the required data communication connections vary to a considerable degree between individuals.

In view of the above, one fears that, in spite of its overwhelming data transfer and processing capacity, information technology will, for a long time, remain unable to provide a global solution to teaching basic literacy to adults. It is also possible that, in the developed countries, externally steered educational policies result in an uneven distribution of those functional literacy skills which are applicable in an information society.

Problems of information technology-based global education

On a global scale, northern and western cultures have dominated communication through conventional media. This is also true with regard to the novel information and communication technological applications such as the Internet. (Cavanagh 1997). However, we live in a world which is not based on a global culture. The multitude of languages, religions, and other cultural factors have generated a world where the understanding of others is one of the cornerstones of basic civilisation. Many culture-dependent aspects - values, moral concepts, perception of equality, etc. are by nature primarily restrictive, or directly oppose the invasion of global communication into their domain. (Dale 2000, Carnoy & Rhoten 2002, Johnson 2002)

On the other hand, the role of the new media, particularly that of the nternet, as a promoter of cultural identity and understanding, has been regarded in a fairly optimistic light. In their article about identity on the Internet, German researchers Breidenbach and Zukrigl (2003) present the following six theses for analysis:
- The new media offers individuals and communities an opportunity to preserve their special cultural characteristics
- The new media is used to regenerate and strengthen minority cultures
- The new media may consolidate and fortify strategic alliances by enabling the exposure of rights and approval
- The Internet does ot disseminate de mocratic values automatically. Currently, the situation is especially problematic in authoritarian states.
- The Internet promotes transnationalisation. This is clearly seen in immigrants' life situations.
- The obstacles encountered in globalising life can be eliminated in a virtual sace.

It is difficult to deny the validity of the observation contained in the above theses. However, the perspective adopted in view of the new media is primarily positive. When analysing the positive aspects, one may justifiably end up with the above interpretation.

Personal and cultural identities have a basic character, even from the educational perspective. This means that one must also examine the new globalising media as a potential source of lifelong learning in the context of power, however regrettable this may be, thus also exposing the negative aspects of communication without borders

The doubts expressed by the poor countries and the countries outside the western culture alike, with regard to the present communication of information, are perfectly understandable and may be considered justified. Therefore, the most functional solution in an educational reform would be to support the developing countries in building their own information technological infrastructures, and leave them to be used as seen fit locally.

Several questions emerge when pondering, from a global perspective, on lifelong learning's cultural and media-related problems, as well as those arising from the new information technology. We can, for example, assess the possibilities and willingness of the industrialised countries to help the developing countries build a modern educational infrastructure based on applicable information technology - an infrastructure that complies with the local culture and the current societal context. It is known that several problems will be encountered in implementing the idea of such a real, global (virtual) classroom that would also serve the needs of the developing countries. This also requires solutions to a number of tough questions. Who would have the right to produce and distribute teaching and learning materials? How to guarantee global cultural equality? (Pantzar 1997b). These and a number of other related questions must be answered at a practical level first, before it will be feasible to build a global information and communication technology based system to support various undertakings in the field of lifelong learning.

References

Abrahamsson, K. (Ed.) (1988). Implementing Recurrent Education in Sweden: On reform strategies of Swedish adult and higher education. Swedish National Board of Education. Stockholm.
Antikainen, A. (1998). Kasvatus, elämäkulku ja yhteiskunta. WSOY. Porvoo.
Antikainen, A. (2001). Is Lifelong Learning Becoming a Reality? The Case of Finland from a Comparative Perspective. *European Journal of Education. 36 (3).* 379-394.
Antikainen, A. & Komonen, K. (2003). Elämänkerta ja elämänkulku. kasvatuksen ja aikuiskasvatuksen sosiologiassa. Teoksessa Sallila, P. (toim.): Elämänlaajuinen oppiminen ja aikuiskasvatus. KVS ja Aikuiskasvatuksen tutkimusseura. Vantaa. 84-121
Alanen, A. & Sihvonen, J. (toim.) (1981) Elinikäinen kasvatus. Gaudeamus. Helsinki.
Arnaldo, C. (1997). Kansan suu ja korva. *Unesco Kuriiri 3.* 28-29.
Barton, D. (1995). Literacy. An Introduction to the Ecology of Written Language. Blackwell. Oxford.
Belanger, P. (1994). The Dialectics of "Lifelong Education". *International Review of Education. 3-5.* 353-381.
Bock, G. et al. (1981). Continuous Education as Recurrent Education as Recurrent Education: A new approach to teaching adults at a distance. In: Himmelstrup et al. (eds): Strategies for Lifelong Education. UCSJ. Esbjerg. 76-93.
Breidenbach, J. - Zukrigl, I. (2003). Vernetzte Welten - Identität im Internet. *Das Parlament. B 49-50.* 29-36
Carnoy, M. & Rhoten, D. (2002). What does globalization mean for educational change? A comparative approach. *Comparative Education Review, 46(1).* 1-9.

Cavanagh, C. (1997). Adult Learning, Media, Culture and New Information and Communication Technologies. In Unesco Confintea V, Backround Papers. 143-158.
CERI (1975). Recurrent Education. Trends and Issues. OECD/CERI. Paris.
Coffield, F. (Ed) (1997). A National Strategy for Lifelong Learning. Department of Education. University of Newcastle.
Commission (2000). A Memorandum on Lifelong Learning. SEC(2000) 1832. Commission of the European Communities. Brussels.
Commission (2002). European Report on Quality Indicators of Lifelong Learning. European Commission. Brussels.
Council (1970). Permanent Education. A Compendium of Studies. Council of Europe. CCC. Strasbourg.
Cropley, A. Et al (eds) 1979. Lifelong education: A Stocktaking. UIE. Hamburg.
Dale, R. (2000) Globalization and education. Demonstrating a "common world educational culture" or locating a " globally structured educational agenda"? A comparative approach. *Educational Theory 50(4). 21-43.*
Dave, R. (1976). Foundations of Lifelong Education. Pergamon Press. Exeter.
Dohmen, G. (1996). Lifelong Learning. Guidelines for a modern education policy. Bundesministerium für Bildung, Wissenschaft, Forschung und Technologie. Bonn.
EFA (1997). Sudan: Mobile Schools for Nomads. *EFA 2000 Bulletin, 27. 7.*
EFA (2002). EFA Global Monitoring Report 2002. Unesco Publishing. Paris.
Elliot, G. (1999). Lifelong learning: The politics of the new learning community. Jessica Kingsley. London.
Ellström, P-E. et al. (red.) (1996). Livslångt lärande. Studentlitteratur. Lund.
Epskamp, K. (1995). On Printed Matter and Beyond: media, orality and literacy. CESO. The Hague.
Field, J. (2001). Lifelong Education. *International Journal of lifelong education. 20 (1/2). 3-15.*
Gallon, R. & Seligsohn, D. (1997). Lyhytaaltojen pitkä elämä. *Unesco Kuriiri, 3. 22-25.*
Griffin, C. (1999). Lifelong learning and social democracy. *International journal of Lifelong Education. 18 (5). 329-342.*
Himmelstrup, P et al. (eds) (1981). Strategies for Lifelong Learning. UCSJ. Esbjerg.
Istance, D. et al. (eds) (2002). International perspectives on lifelong learning: From recurrent education to the knowledge society. Open University Press. Buckingham.
Janssens, J. (2002). Innovations in lifelong learning. Capitalising on ADAPT. Cedefop Panorama series, 25. Office of Official Publications if the EC. Luxembourg
Johnson, R. (2002). Education in 2015. Technology Colleges Trust. "Vision 2000" – 2nd International Online Conference. 2002
Kazamias, A. (1974). Irrungen und Wirrungen in der Methodologie der vergleichenden Erziehungswissenschaft. In Busch, A. Et al. (Hrsg.): Vergleichende Pädagogik. Verlag Dokumentation. Pullach. 217-223.
Kivinen, O. & Rinne, R. (eds). (1992). Educational Strategies in Finland in the 1990s. University of Turku. Research Report of the Research Unit for the Sociology of Education 8.
Knoll, J. (1983). "Lebenslanges Lernen" im internationalen Vergleich. *Hessische Blätter für Volksbildung. 4. 279-287.*
Laukkanen, R. (1995). Eurooppalaisia ulottuvuuksia myös koulutuksen evaluaatioon. *Kasvatus 5. 444-450*
Lawson, K. (1982). Lifelong Education: Concept or policy. *International Journal of Lifelong Education 1(2). 97-108.*
Lengrand, P. (1975). An Introduction to Lifelong Education. Croom Helm. London.
Lin, D. (1990). Recurrent education. *Bulletin of Social Education. June. 77-96.*
Lin, D. (1999). Reconsiderations on System of Recurrent Education. *Bulletin of Adult and Continuing Education. Abs. Vol. 28. 141-159*
Medel-Anonuevo, C. et al. (2001). Revisiting Lifelong Learning for the 21st Century. UIE. Hamburg
Niessen, M & Peschar, J. (Eds) (1982). Comparative Research on Education. Pergamon Press. Oxford.
OECD (2000). Learning to bridge the digital divide. OECD / CERI. Paris.
Ouane, A. & Merkel, C. (2001). Globaler Dialog von UNESCO und Weltbank auf der Expo 2000: Wege zur Lerngesellschaft: Wissen, Informatio und menschliche Entwicklung – eine Nachlese. *UNESCO heute 48 (1/2). 26-29.*

Palonen, T & Rinne, R. & Kivinen, O: (1992) Koulutusjärjestelmä ja reformipolitiikka. Seitsemän maan vertailu. Turun yliopisto. Koulutussosiologian tutkimuskeskuksen raportteja, 12
Pantzar, E. (1985). Aikuiskasvatustutkimus viidessä maassa. Tampereen yliopisto. Aikuis- ja nuorisokasvatuksen laitoksen julkaisuja, 20.
Pantzar, E. (1991). Jatkuvaa koulutusta tunnistamassa. Tampereen yliopisto. Aikuis- ja nuorisokasvatuksen laitoksen julkaisuja 28.
Pantzar, E. (1993). Paluu elinikäisen oppimisen peruskysymyksiin. Teoksessa Remes, P. (toim.): Aikuisen positiivinen koulutusvalinta: työssä vai koulussa oppiminen. Jyväskylän yliopisto. Kasvatustieteiden tutkimuslaitoksen julkaisuja, teoriaa ja käytäntöjä, 78. 23-32.
Pantzar, E. (1994). Direction of Finnish Adult Education Policies within Context of European Integration. In Tösse, S. Et al. (eds): Social Change and Adult Education Research. NVI. Trondheim. 20-31.
Pantzar, E. (1997a). Aikuiskasvatuksen globaalit haasteet informaatioyhteiskunnassa. *Aikuiskasvatus 4.* 244-248.
Pantzar, E (1997b). Lifelong Learning and the Information Technology. Conference Paper. Unesco CONFINTEA V. Hamburg. 14-18.7.1997.
Pantzar. E. (2002). Bolognasta Kandahariin – Harmonisoinnista ja opiskelun vaikeudesta. Teoksessa Honkonen, R. (toim.)
Prasad, V. (1997) Distance Education in Developing Countries. Globalisation and New Challenges in the New Learning Environment: A Global Perspective. Conference paper. 18th ICDE World Conference. Pennsylvania State University. U.S. 2.-.6.6. 1997.
Permanent Education (1971). Permanent education. Fundamentals for an Integrated Educational Policy. Council of Europe. Strabourg.
Pulkkinen, J. (2002). Uuden teknologian mahdollisuudet. Teoksessa Kokkala, H. & Sahlberg, P. (toim.): Maailman koulut 2015. PS-kustannus. Keuruu. 137-153
Raassina, A. (1990). Lukutaito ja kehitysstrategiat. Jyväskylän yliopisto. Nykykulttuurin tutkimusyksikön julkaisuja, 19.
Raivola, R. (1984). Vertaileva kasvatustiede. Tampereen yliopiston kasvatustieteen laitos. Julkaisusarja A, 30.
Raivola, R. (1993). Eurooppa –ulottuvuus koulutuksessa. *Aikuiskasvatus 4. 244-248.*
Raivola, R. (1994). Euroopan liiton koulutuspolitiikka ja aikuiskasvatus. *Kasvatus 4. 54-65.*
Rinne, R (2003). Elinikäisen oppimisen retoriikka ja koulutuspolitiikka. Teoksessa Sallila, P. (toim.): Elämänlaajuinen oppiminen ja aikuiskasvatus. KVS ja Aikuiskasvatuksen tutkumusseura. Vantaa. 219-246.
Rubenson, K. (red.) (1987) Återkommande utbildning. Universitätet i Linköping. Institutionen för padagogik och psykologi.
Sahlberg, P. (2002a). Mitä tänään koulussa opit? Teoksessa Kokkala, H. & Sahlberg, P. (toim.): maailman koulut 2015. PS-kustannus. Keuruu. 21-41.
Sahlberg, P. (2002b). Koulutus kaikille 2015. Teoksessa Kokkala, H. & Sahlberg, P. (toim.): maailman koulut 2015. PS-kustannus. Keuruu. 199-210.
Schugurensky, D. (1999) Higher Education restructuring in the Era of Gobalization. Toward a heteronomous model. In Arnove R. & Torres, C. (eds): Comparative Education. Lowman & Littlefield. Lanham. 281-304.
Schuller, T. (2003). Grasp the nettle. We seem unable to truly grasp the nettle of lifelong learning. *Education Guardian weekly. April 22.*
Sisse, Y. (1997). Sana kulkee. *Unesco Kuriiri, 7. 18-21.*
Skolverket (2000). Det livslånga och livsvida lärandet. Skolverket. Stockholm.
Takala, T. (1989) Kehitysmaiden koulutusongelmia. Gaudeamus. Helsinki
Tuomisto, J. Elinikäisen oppimisen toinen sukupolvi – unohtuiko jotakin? Teoksessa Sallila, P. (toim.): Elämänlaajuinen oppiminen ja aikuiskasvatus. KVS ja Aikuiskasvatuksen tutkimusseura. Vantaa. 49-83
UNESCO (1972). Learning to Be: the world of education today and tomorrow. The Faure report. Unesco. Harrap. London.
Vaherva, T. & Renko, T. (1989). Jatkuva koulutus tutkimuskohteena. Suomen Akatemian julkaisuja 3. VAPK. Helsinki.

Woodhouse, D. (2001). Globalisation: Implications for Education and for Quality. Presentation. AAIR Conference. Rockhampton. Australia 3.9.2001

Ada Pellert

Die Universität als Konsens-Institution

Gerade in Zeiten heftiger Universitätsreformen ist zu bedenken, dass Universitäten so viele Funktionen zugeschrieben werden wie interne und externe Interessen bestehen. Die dabei auftretenden Widersprüche werden selten beachtet. Die Funktionen sollen ihre Ambivalenz auch behalten, wenn man das Spektrum universitärer Aufgaben nicht willkürlich eingrenzen will.

Die Diskussion universitärer Ziele ist dabei ebenso schwierig wie notwendig, denn als Organisation wird die Universität in hohem Ausmaß über Normen und Werte, kurzum „Symbolisches" gesteuert. Gerade in sozialen Systemen mit großer individueller Autonomie sind Zielvereinbarungen von besonderer Bedeutung für die gemeinsame Handlungsfähigkeit. Dieser Prozess einer gemeinsamen „Selbstdeutung" trägt zur Integration bei. Aus sehr allgemeinen und diffusen Aufgabenbestimmungen lassen sich auf der Ebene von Organisationseinheiten wie etwa Instituten dann sehr wohl pragmatische Ziele und gemeinsame Planungen entwickeln.

Zur Beschreibung der Gesellschaftsentwicklung in den Industrieländern wird in letzter Zeit immer häufiger das Schlagwort von der „Wissensgesellschaft" verwendet. Auch wenn es sich um einen relativ unscharfen Begriff handelt und niemand wirklich angeben kann, welche Art Wissen gemeint ist, so kommt dadurch doch etwas für die Universität als wissensproduzierende Organisation äußerst Wichtiges zum Ausdruck:

Wissen ist zu einem Produktionsfaktor geworden. Wissenschaftliches Wissen ist eine gesellschaftliche Ressource, die der Funktion ähnlich ist, welche Arbeit im Produktionsprozess inne hat (vgl. Stehr/Ericson 1992). Somit tritt neben das Kapital als Produktionsfaktor auch der Produktionsfaktor Wissen in den Vordergrund. Während Wissen normalerweise als eine private personengebundene Kategorie angesehen wird, bekommt es vor dem Hintergrund einer derartig wissensbasierten Gesellschaftsentwicklung stärker den Aspekt öffentlichen Interesses (vgl. Willke 1994).

Niemand wird bestreiten können, dass diese gesellschaftliche Entwicklung einen besonderen Druck und auch spezielle Ansprüche an wissensproduzierende, (aus-)bildende Organisationen wie Universitäten zur Folge hat. Die Universität muss sich mit ihrer spezifischen Position in einem ganzen Netzwerk wissensproduzierender Organisationen auseinandersetzen und den ihr adäquaten Platz bestimmen und bewahren. Dazu ist ein Prozess der kollektiven Selbstvergewisserung im Inneren dieser Organisationen von Bedeutung.

Ein zweiter Aspekt der gesellschaftlichen Entwicklung, nämlich die globalisierte Gesellschaft, hat ebenso große Folgewirkungen für die Universität als internationale Organisation. Universitäten sind zwar ihrem Wesen nach immer schon internatio nale Organisationen gewesen, derzeit befinden sie sich aber in einer Phase besonders intensiver Internationalisierung, die auch als Reaktion auf die Globalisierung der Gesellschaften zu verstehen ist. Der weltweite Austausch von Lehrenden und Lernenden wird von zahlreichen staatlichen und suprastaatlichen Einrichtungen und durch Programme gefördert. Dennoch sind Universitäten in einer Welt von Nationalstaaten realpolitisch nationale Einrichtungen. Der Staat ist auch nach wie vor ein wichtiger Akteur, um die Internationalisierung der Universitäten voranzutreiben. Somit verstärkt sich gleichzeitig der nationale und der internationale Druck auf die Universitäten.

Die hauptsächlichen Triebkräfte der Internationalisierung sind im ökonomischen und politischen Bereich zu sehen. Im Zusammenhang mit den europäischen Integrationsbemühungen stellt sich die Internationalisierung insbesondere auch als eine Europäisierung der Universitäten dar. Man könnte die Europäische Gemeinschaft in einem gewissen Sinn auch als das größte aller jemals geplanten Experimente der „Internationalisierung des Lernens" bezeichnen (vgl. Kerr 1994). Die europäische Integration ist auf jeden Fall eine der stärksten Triebkräfte für eine Internationalisierung des Hochschulsystems.

Das klassische Verständnis der Universität als internationale Organisation hängt mit dem Ideal der Wissenschaftsfreiheit zusammen und bezieht sich vor allem auf die Mobilität von Personen und die Freiheit des Austausches von Ergebnissen, Resultaten und Publikationen (vgl. Kneucker 1997). Internationalität ist ein Kernelement der Wissenschaft. Der wissenschaftliche Standard wird idealtypisch durch den Prozess der freien internationalen Diskussion erzeugt. Seit dem Zweiten Weltkrieg haben sich allerdings die klassischen Formen der Internationalisierung sehr intensiviert. Heute geht es in der Wissensproduktion verstärkt um grenzüberschreitende, arbeitsteilige Kooperation. Für die Universität stellt sich also die Notwendigkeit, Teilnehmerin in den internationalen Teams der Wissensproduktion zu sein und dafür braucht es zum Teil andere Formen als für den freien Austausch von „Produkten".

Die Universitäten treiben zum Einen die Globalisierung der Gesellschaftsentwicklung als wichtige Teile des Bildungssystems voran, andererseits stehen sie selbst vor der Herausforderung, sich mit einer zunehmend globalisierten Umwelt in Beziehung zu setzen und adäquate Formen der Internationalisierung zu entwickeln.

Sowohl wissensbasierte, als auch globalisierte Gesellschaftsentwicklung sind also zwei wichtige Aspekte der Umfeldveränderung von Universitäten, auf die diese sich – wenn sie als moderne Organisationen bestehen bleiben wollen - einstellen müssen.

Im Folgenden soll aber ein Aspekt der Gesellschaftsentwicklung beleuchtet werden, der die Funktion der Universität als Konsensinstitution herausfordert und der vielleicht in der gesellschaftlichen Diskussion nicht so stark beleuchtet wird wie die beiden anderen bereits genannten Funktionen: das ist der Aspekt der Fragmentierung der Gesellschaft.

Man kann moderne Gesellschaften als differenzierte Gesellschaften beschreiben, die aus einer Vielzahl autonomer Subsysteme wie Wirtschaft, Politik, Wissenschaft, Recht, Erziehung, Religion, bestehen, die durch eine bestimmte Funktionslogik gekennzeichnet sind (vgl. Luhmann 1995). Das bedeutet, dass sie sehr arbeitsteilig Informationen verarbeiten, systemspezifische Funktionen erfüllen und für andere Subsysteme Leistungen erbringen. Einerseits ergibt das einen Zustand der Interdependenz, denn jedes Subsystem muss voraussetzen, dass die anderen Funktionen in anderen Subsystemen erfüllt werden, andererseits sind die Subsysteme für sich relativ autonom und machen einen, zumindest auf den ersten Blick, geschlossenen Eindruck. Durch die zunehmende Komplexität der Gesellschaft gibt es somit sogleich mehr Abhängigkeit als auch mehr Unabhängigkeit voneinander. Die einzelnen Subsysteme haben tendenziell „universelle" Ansprüche, sie weiten ihren Wahrnehmungshorizont immer weiter aus und wollen immer mehr Bereiche in ihre spezialisierte Funktionslogik einschließen. Die Politik möchte alles politisieren, die Wirtschaft alles ökonomisieren, die Wissenschaft verwissenschaftlichen, etc. Jedenfalls verfügt dieses Geflecht autonomer Subsysteme über kein gemeinsames Zentrum. Auch die Politik hat nicht die Funktion eines solchen Zentrums, sondern sie ist ein Subsystem unter anderen (vgl. Willke 1989). Die Spezialisierung und Differenzierung der Gesellschaft hat eine ungeheure Produktivität und nie gekannte Wahlmöglichkeit nicht nur an Produkten, sondern auch an Lebensstilen ermöglicht (Münch 1995). Die einzelnen Funktionen können höchst effizient, da spezialisiert, wahrgenommen werden. Es ist in vielen Bereichen dadurch eine Vielfalt ermöglicht worden, auf die wir nur ungern verzichten. Zudem hat diese Entwicklung auch zu einer Befreiung aus Zwängen, Hierarchien und Bevormundungen geführt. Traditionen werden in Frage gestellt, sie müssen sich rechtfertigen.

Die Kehrseite dieser Entwicklung beginnt sich auch abzuzeichnen. Sie ist in der Eigendynamik der Subsysteme zu finden, die sich zunehmend voneinander abschotten. Die einzelnen Bereiche produzieren massiv negative externe Effekte für die anderen Funktionssysteme oder die Lebenswelt insgesamt. Jedes System versucht auch die Probleme, die es selbst nicht lösen kann, zu „exportieren". So kommt es häufig zu Problemverschiebungen.

Vor allem wächst die Skepsis gegenüber dem, was der Bereich des Politischen zu leisten vermag und dem, was der Markt über seine eigene Dynamik in Bewegung zu setzen in der Lage ist (vgl. Münch 1997). Es gibt viele Probleme und Widersprüche, die in den bestehenden Organisationsformen nicht mehr adäquat bearbeitet werden können. Die moderne Politik ist auf eine Steigerung von Leistungen und Rechten ausgerichtet. Sie müsste aber eigentlich das Gegenteil tun - sie müsste uns Einhalt dabei gebieten, unsere eigenen natürlichen und soziokulturellen Grundlagen zu gefährden. Wir protestieren aber, wenn uns die Politik Grenzen setzt. D.h. der strukturelle Pluralismus verschiedener Funktionsbereiche ist eine moderne Errungenschaft, aber es zeigt sich, dass die dadurch entstehende Fragmentierung nur ausbalanciert werden kann durch zunehmend kritische Diskurse (vgl. Münch 1991). Es wächst der Bedarf an Kommunikation, an Aushandlung und an Kompromissbildung zwischen den Funktionsbereichen.

Oftmals verleitet die unbegriffenen Komplexität der Gesellschaft zu riskanten Vorstellungen über mögliche Lösungen gesellschaftlicher Probleme. Zum Teil wird ein Ausweg in einer re-hierarchisierten Ordnung der Gesellschaft gesehen: in der Unterordnung aller Subsysteme unter eine Wahrheit, neue Führerkulte oder religiöser Fundamentalismus - überall dort kann ein Weg der Ordnung der Gesellschaft gesehen werden. Dieser Weg der Re-hierarchisierung bedeutet, alle Macht einem Subsystem zu übertragen und zu einer hierarchischen Kontrollvorstellung der Gesellschaft zurückzukehren (vgl. Willke 1989).

Für die Gesellschaft bedeutet Entdifferenzierung - nichts anderes ist diese Re-hierarchisierung - Demokratieverlust. Regression zu einfacheren Systemen unterminiert nicht nur die instrumentellen Gewinne der Differenzierung, sondern auch die demokratischen, die Gewinne aus Selbstbestimmung.

Es geht um einen Prozess der Verschränkung, Koppelung gesellschaftlicher Teilsysteme als gleichgeordnete Akteure (vgl. Willke 1989). Es geht darum zukunftsfähige Konsense in der pluralistischen Gesellschaft zu finden (vgl. Theisen 1995). Wir können an niemanden, an kein Subsystem, keine invisible hand, Entscheidungen delegieren, wie wir in Zukunft leben wollen (vg. Fischer 1993). Mehr denn je sind wir gezwungen, gemeinsame Entscheidungen zu treffen. Als Alternative zur hierarchischen Ordnung refundamentalisierter Gesellschaften wurde bisher eine „reflektierte Selbststeuerung" (Willke 1989) angedacht, die durch Diskurse zwischen gesellschaftlichen Subsystemen gekennzeichnet ist. Erforderlich wären Verfahren der Koordination zwischen gesellschaftlichen Funktionsbereichen, durch die es zu einer Verknüpfung von moralischen, politischen und ökonomischen Kommunikationen kommt und zu dialogischen Beziehungen zwischen den gesellschaftlichen Sphären. Für diese systemübergreifenden Diskurse ist die Fähigkeit zur Selbstreflexion der einzelnen beteiligten sozialen Systeme eine wichtige Voraussetzung, d.h. Systeme und Organisationen müssten in sich selbst kritische Einheiten – „Orte der Differenz" schaffen. Es braucht dafür auch neue Formen des Politischen (vgl. Giddens 1997), denn die Vorstellung der Politik als einer kybernetischen Instanz, die in der Lage ist den Rest der Gesellschaft zu kontrollieren, scheint der Realität unserer hochkomplexen Gesellschaft nicht zu entsprechen. Neue handlungsfähige Subjekte sind notwendig, die sich zu Sachwaltern der offenen Probleme machen.

In diesem Kontext muss man sich die Rolle von Institutionen wie Kirchen, aber eben auch Universitäten, neu überlegen. Die sozialen Bewegungen wie die Frauen-, die Friedens- und die Umweltbewegung haben sich als neue handlungsfähige Subjekte zu etablieren versucht. Sie sind kollektive Foren für die Frage nach der Gestaltung der Zukunft. Durch die öffentliche Kommunikation entsteht zunehmend eine Zone gegenseitiger Durchdringung der Subsysteme – nur so können öffentliche Debatten überhaupt wirksam werden. Fehlt die öffentliche Kommunikation, dann verselbständigen sich die hochspezialisierten Funktionsbereiche und reißen die Gesellschaft auseinander, indem sie den Zusammenhang des Ganzen gefährden. Durch wachsende öffentliche Kommunikation werden die Funktionsbereiche auch mit jeweils anderen als den eigenen Maßstäben konfrontiert (vgl. Münch 1995). Es geht also um die Entwicklung adäquater Formen der Koordination und politischen Intervention.

Neben die notwendige vertikale Koordination tritt zunehmend ein Bedarf an horizontaler Koordination prinzipiell gleichrangiger Systeme. Akteursnetzwerke und Verhandlungssysteme sind wichtige Versuche adäquate Steuerungsmodelle für hochkomplexe Systeme zu entwickeln. Erforderlich sind vernetzte Entscheidungsstrukturen, die die relevanten gesellschaftlichen Akteure für einen Problemkontext zusammenbringen, sonst prallen die Gegensätze in der Hitze der öffentlichen Debatte nur aufeinander und die Chancen der Kompromissbildung nehmen ab (vgl. Münch 1995). Diese Kompromisse müssen in vielen kleinen Schritten, in vielen Begegnungen der entsprechenden Funktionsträger auf lokaler, regionaler, nationaler, internationaler, kontinentaler und globaler Ebene und zwischen diesen Ebenen ausgehandelt werden. Für diese vielfältigen Vermittlungssysteme wird man lernen müssen, die herkömmlichen Grenzziehungen zu überwinden. Moral, Recht, Politik, Öffentlichkeit und Wissenschaft wirken in die Ökonomie hinein. Wenn wir aber mehr Geld für moralische, öffentliche, rechtliche und politische Belange ausgeben wollen, dann müssen wir uns auch in diesen Bereichen mit den Kriterien ökonomischer Effizienz beschäftigen. Unsere Steuerungsfähigkeit wird davon abhängen, ob es uns gelingt, vielfältige Koppelungssysteme und netzwerkartige Kommunikationsformen jenseits der simplen Organisationsformen von Markt und Hierarchie zu errichten.

Von der Wissenschaft als Institution wird auch erwartet, dass sie, trotz Zerrüttung gemeinschaftlicher Lebensformen, zerstörte Konsensmuster neuerlich herstellen kann. Wissenschaft hat auch immer geholfen, Bedingungen für Konsens zu erzeugen und Kooperation und Problemlösung möglich zu machen (vg. Schmutzer 1994). Wissenschaft muss helfen, dass diese Entscheidungen zustande kommen, aber auch einer permanenten Reflexion unterzogen werden.

Jedenfalls ergeben sich in diesen Kontexten vielfältige Rollen für Wissenschaft.

Wissenschaftliche Einrichtungen wie Universitäten sind wichtige Akteure in Netzwerken. In der herkömmlichen wissenschaftlichen Expertenrolle haben sie zunächst die Aufgabe, das Wissen der kollektiven Akteure zu erhöhen und Expertise bereit zu stellen. Es ist aber zu beobachten, dass sich wissenschaftliche Einrichtungen zunehmend nicht nur an der politischen Willensbildung, sondern auch am Prozess des Erkennens von Problemstellungen, der Politikformulierung und –umsetzung beteiligen. Angesichts von komplexen, unsicheren und durch Wert- und Interessenskonflikten gekennzeichneten Problemsituationen wird vor allem die Notwendigkeit gesehen, zuerst eine gemeinsame Problemdefinition zu schaffen. Erst dann ist die Voraussetzung für das Wirksamwerden von technischer Expertise gegeben.

Ein dieser Problematik angepasstes Wissenschaftsverständnis bedeutet, diesen Prozess der Problemdefinition ernst zu nehmen und ihn als zu organisierenden und zu gestaltenden Prozess zu erkennen. Wissenschaft erhält somit prozessgestaltende Aufgaben. Universitäre Wissenschaft kann etwa in Form von Moderation oder in Form der Bereitstellung ihres Expertenwissens dazu beitragen, dass kollektive Entscheidungen trotz konträrer Positionen zustande kommen. Gleich zeitig ist es aber auch ihre Aufgabe, auf den Entscheidungscharakter getroffener Konsense hinzuweisen und diese permanent zu hinterfragen. Dafür ist es notwendig, dass die in interorganisatorischen Netzwerken ausgehandelten Konsense auch immer wieder der zivilen Öffentlichkeit „ausgesetzt" werden.

In der fragmentierten Gesellschaft muss die nachlassende Integration der Gesellschaft durch die Erfindung neuer, kollektiver Netze gestützt werden. Der Beitrag der Universität kann nicht darin bestehen, einen wissenschaftlichen Weltentwurf vorzulegen, der dann nur noch von der Politik umzusetzen wäre. Dieses Wissenschafts-, aber auch dieses Politikverständnis ist überholt – die universitäre Wissenschaft hat eine wichtige Funktion als Initiatorin, Moderatorin und Organisatorin von kollektiven Diskussions- und Entscheidungsprozessen. Die Universität ist in diesem Sinne auch eine soziale Technik, die Bedingungen für Konsens zu erzeugen hat und somit Kooperation und Problemlösungen ermöglicht (Schmutzer 1994).

Hatte zunächst die Kirche oder auch die Tradition oder schlicht der Mangel an Alternativen, diese gesellschaftliche Funktion inne gehabt, so ist diese wahrheitsspendende Funktion später auf die Universität übergegangen. Die Verfahren der Wahrheitsfindung und die Methoden haben sich allerdings im historischen Verlauf sehr verändert. Wurde Wahrheit lange als Treue zu fördernden Mäzenen verstanden oder als Legitimationswissen für die politisch administrative Elite, ist die Wahrheitsproduktion später immer stärker auf die Forschungsfunktion übertragen worden (vgl. Ben David in Schmutzer 1994). Die Wissenschaft wurde zu einer Art Tradition, zu einer Autorität, derer man sich, ohne erheblichen Einwänden ausgesetzt zu sein, bedienen konnte, um Schwierigkeiten zu überwinden oder Probleme zu lösen (Giddens 1997). Heute jedoch werden Traditionen aller Art der öffentlichen Debatte ausgesetzt, sie müssen begründet und gerechtfertigt werden. Damit ist Konsens in einer modernen Gesellschaft nicht etwas was, uns die Wissenschaft quasi vorgeben kann und was wir über Wissenschaft nur erkennen müssen, sondern es ist Ergebnis einer Entscheidung. Das bedeutet, dass wir auch in einer Entscheidungsgesellschaft leben, die uns zumutet, diese Entscheidungen bewusster zu gestalten (vgl. Fischer 1993). Die Bereitstellung von Konsens für Kooperation ist daher nach wie vor eine wichtige Funktion der Universität, aber die Wahrnehmung dieser Aufgabe muss geändert werden. Die typische Trennung zwischen Erkennen hier und Handeln dort wird immer wieder partiell aufgehoben durch die Mithilfe der Wissenschaft bei der Schaffung der Bedingungen für die Umsetzung. Damit ist die Gestaltung der Bedingungen unter denen überhaupt eine gesellschaftlich akzeptable Problemdefinition vorgenommen werden kann, auch eine wichtige universitäre Anforderung.

Die Steuerungsfähigkeit der Gesellschaft beruht auf der Gestaltung von Kommunikations-, Organisations- und Interaktionsmustern zwischen dem Staat und anderen Akteuren. Die Ausdifferenzierung der modernen, zunehmend globalisierten Gesellschaft bedeutet zum Einen eine Erhöhung des Selbststeuerungspotentials der Subsysteme, zum Anderen aber auch erhöhten Koordinationsaufwand: Es müssen die Logiken unterschiedlicher Bereiche verknüpft und Netzwerke geschaffen werden, die oft das Wissen verschiedener Akteure bündeln. Diese Unterstützung von Netzwerkbildung und die Moderationsleistung sind neue, zugleich wichtige und spannende Aufgabe von Universität und WissenschaftlerInnen. Sie werden allerdings á la longue nur dann wahrgenommen werden, wenn wir unsere Auffassung darüber, was wir unter den Aufgaben von Wissenschaft verstehen (und auch im weitesten Sinn „belohnen") entsprechend erweitern.

Dieser Bereich der Universitätsreform - die inhaltliche Erneuerung durch eine Ziel- und Funktionsdiskussion - ist das „Salz der Universitätsentwicklung" und die eigentliche spannende Frage, die je nach WissenschaftlerIn, Fachdisziplin, Fakultät und Universität höchst unterschiedlich beantwortet werden kann.

Die Auseinandersetzung um die Funktion und die Aufgaben von Wissenschaft muss vermutlich von jeder Generation neu geführt werden – sie ist aber mit ein Grund, warum Universitäten trotz all ihrer Behäbigkeit faszinierende Organisationen und Universitätsentwicklung mit allen ihren Höhen und Tiefen aufregend bleibt.

Literatur

Fischer, Roland: Drei Modelle der Wissenschaftsorganisation und ihre Grenzen. In: Fischer, Roland/ Costazza, Markus/Pellert, Ada: Argumentation und Entscheidung. Wien, München: Profil, 1993, S.155- 167

Giddens, Anthony: Jenseits von Rechts und Links. Edition Zweite Moderne. (Hgg. von Ulrich Beck). Frankfurt/Main: Suhrkamp, Zweite Auflage 1997

Kerr, Clark: Higher Education cannot escape History. Issues for the Twenty-first Century. State University of New York, 1994

Kneucker, Raoul F.: Schriftliche Fassung des Referats anlässlich der Klausurtagung "Wissenschaftsaußenpolitik", Interlaken, 20.-21.11.1997

Luhmann, Niklas: Ökologische Kommunikation, Opladen: Westdeutscher Verlag, 1986

Münch, Richard: Die Herausforderung der Moderne. In: Matthiessen, Christian (Hg.): Was macht das Denken nach der großen Theorie? Ökonomie, Wissenschaft und Kunst im Gespräch. Wien: Passagen-Verlag, 1991. S.17-25

Münch, Richard: Zahlung und Achtung. Die Interpenetration von Ökonomie und Moral. In: Zeitschrift für Soziologie, Jg.23, Heft 5, Oktober 1994, Stuttgart 1994. S.388-411

Münch, Richard: Die Kommunikationsgesellschaft. Frankfurt/M: Suhrkamp, 1995

Pellert, Ada: „Die Universität als Organisation. Die Kunst, Experten zu managen". Wien: Böhlau Verlag, 1999 (Grundargumentation zu diesem, meinem Artikel)

Schmutzer, E.A. Manfred: Ingenium und Individuum. Eine sozialwissenschaftliche Theorie von Wissenschaft und Technik. Wien/New York: Springer, 1994

Theisen, Heinz: Zukunftsverträglichkeit als Zielkonsens. Pluralistische Demokratien in der Begrenzungskrise. In: Universitas. Zeitschrift für interdisziplinäre Wissenschaft. 50. Jahrgang, Mai 1995, Nr.587, S.471-480

Willke, Helmut: Systemtheorie entwickelter Gesellschaften. Weinheim, München: Juventa, 1989

Willke, Helmut: Ironie des Staates. Frankfurt/M: Suhrkamp, 1992

Willke, Helmut: Systemtheorie II: Interventionstheorie. Grundzüge einer Theorie der Intervention. Stuttgart, Jena: G. Fischer, 1994

Willke, Helmut: Transformation der Demokratie als Steuerungsmodell hochkomplexer Gesellschaften. In: Soziale Systeme. Zeitschrift für soziologische Theorie. Jahrgang 1/1995, Heft 2. S.283-301

Willke, Helmut: Dumme Universitäten, intelligente Parlamente. In: iff-Texte 1 (Hg. Ralph Grossmann): Wie wird Wissen wirksam? Wien, New York: Springer, 1997. S.107-110

Fritz Rosenberger

Was geht den Tourismus die Erwachsenenbildung an?

Seit Jahren nimmt der Anteil der Menschen zu, die in ihrem Urlaub verreisen. Der Tourismus gehört trotz der Geschehnisse der jüngsten Vergangenheit (Terroranschläge, SARS, Konjunkturschwäche usw.) nach wie vor – wenngleich auch mit geringeren Wachstumsraten – zu den zukunftsträchtigsten Zweigen unserer Wirtschaft.

In der Statistik spielt vor allem die Anzahl der Ankünfte und der Übernachtungen eine Rolle. Wie aus den Unterlagen des Touristischen Marketing Informationssystems ersichtlich ist, hat es im Kalenderjahr 2002 bei den Fremdenverkehrsbetrieben in Österreich insgesamt 27 349 974 Ankünfte gegeben, das ist eine Steigerung gegenüber dem Vorjahr um 1,4%. Auch bei der Anzahl der Übernachtungen konnte die Fremdenverkehrswirtschaft 2002 einen Erfolg verbuchen. So gab es insgesamt 116 757 134 Übernachtungen, gegenüber 2001 ebenfalls eine Steigerung um 1,4%. 73,4% der Gäste kamen aus dem Ausland, der Großteil (45,8%) aus Deutschland, gefolgt von den Niederlanden (7%), der Schweiz (2,8%), dem Vereinigten Königreich (2,8%) und Italien (2,4%). Die ausländischen Gäste blieben im Durchschnitt 4,6 Tage in Österreich, woraus geschlossen werden kann, dass für viele Gäste Österreich lediglich als Durchzugsland für einen längeren Urlaub im Süden genutzt wurde. Mit Ausnahme der Gäste aus den USA (-15,1%) konnte bei den Gästen aus dem Ausland eine Steigerung verbucht werden. Im Beherbergungs- und Gaststättenwesen gab es im selben Kalenderjahr 153 164 Beschäftigte, gegenüber dem Vorjahr + 1,8%. An Devisen konnten 2002   14 045Mio • eingenommen werden, eine Steigerung gegenüber 2001 um 4,8%. Der Anteil von Tourismus und Freizeitwirtschaft am Bruttoinlandsprodukt betrug 18,1%.[1]

Diese Zahlen zeigen sehr eindrucksvoll, welch bedeutender Wirtschaftsfaktor der Tourismus für Österreich geworden ist. Der Trend wird sich in Zukunft vermutlich nicht umkehren. Verbesserungen der Infrastruktur, der Ausbau globaler Verkehrsverbunde, der Hotellerie und Gastronomie haben Reisen zunehmend erleichtert.

Mit dem stetigen Wachstum gerieten aber auch tiefgreifende Veränderungen und vielfältige Auswirkungen in das Blickfeld, die die weltweiten massenhaften Reiseströme auf Umwelt und Kultur der bereisten Regionen ausgelöst haben. Die Ausmaße dieser durch den Tourismus beschleunigten Entwicklungen und Gefährdungen in den Reisezielländern sind eine Herausforderung für gezielte pädagogische Initiativen, wenn man touristisches Verhalten gestalten und beeinflussen will. Andererseits erscheint es auch notwendig, Bedingungen zu schaffen, die dazu beitragen, die Urlaubsgestaltung des Reisenden im Hinblick auf Entspannung, Erholung und Kulturerlebnis zu optimieren.

Angesichts dieser für die Pädagogik wichtigen Fragestellungen ist es erstaunlich, dass sich die Erziehungswissenschaft mit dem Problemfeld des modernen Massentourismus bisher nur in geringem Maße beschäftigt hat. So war es für mich überraschend, dass in der Fachbibliothek für Erwachsenenbildung zum Thema Reisepädagogik nur sehr wenig Literatur auffindbar war: eine Diplomarbeit an der Universität Graz [2], vereinzelte Kongressberichte [3], vor allem historische, apodemische Literatur [4]. Offensichtlich stellt Reisepädagogik eine erziehungswissenschaftliche Nische dar, die nur von wenigen Experten beachtet wird. Zwar nahm der Einfluss der Erwachsenenbildung auf die Praxis zu, vor allem bei der Aus- und Weiterbildung von Fremdenführern/Fremdenführerinnen und Reiseleitern/Reiseleiterinnen, auch erfreuen sich reisepädagogische Themen vereinzelt bei Tourismuskongressen einer gewissen Beliebtheit. Was aber offensichtlich fehlt, ist die breite Repräsentanz in Forschung und Lehre, ihre Thematik in Publikationen und Fachzeitschriften, sowie gezielte pädagogische Initiativen, um touristisches Verhalten zu gestalten.

Das Misstrauen gegenüber der Pädagogik

Angesichts der immer größeren Bedeutung des Tourismus für die Wirtschaft in Fremdenverkehrsgemeinden erhebt sich die Frage, ob ein stärkeres Engagement der Pädagogik überhaupt gewünscht ist. Pädagogik mit Tourismus in Verbindung kann auch für viele Menschen Erinnerungen an Unfreiheit, Bevormundung aus der Kindheit und Schule auslösen. Niemand will sich in der Freizeit, im Urlaub bevormunden lassen. Ich bin aber überzeugt, dass durch diese Vorurteile vor allem der Erwachsenenbildung Unrecht geschieht. Neue Konzepte stellen selbstorganisiertes Lernen, auch wenn es zumeist in Institutionen geschieht, in den Vordergrund.

Bereits seit den 70-er Jahren steht in den USA das Konzept des „Self-directed Learning" im Zentrum der Diskussion über das Lernen Erwachsener. Mit gewichtigen und begeisternden Argumenten von den „Opinion Leaders" vorgetragen, konzeptionell in verschiedenen Strömungen ausgeformt, in vielfältigen didaktischen Formen beschrieben, vielfach empirisch untersucht und in einer nahezu unübersehbaren Flut von Veröffentlichungen beschworen, gehört dieses Konzept zum Selbstverständnis einer Generation von Theoretikern und Praktikern. Wenn auch anfangs euphorische Erwartungen später widerlegt wurden, viele Unklarheiten den Charakter von Modeerscheinungen vor sich hertragen, so kann doch davon ausgegangen werden, dass es sich dabei um einen längerfristig gültigen Wandel des Blickwinkels, weg von Lehren und Bilden auf eigenständiges Lernen und Bildung handelt.[5]

Im deutschsprachigen Raum hat vor allem das „Europäische Jahr des lebenslangen Lernens", (in Österreich zu Recht wegen des negativen Erscheinungsbildes als „lebensbegleitendes Lernen" definiert), seit 1996 die Akzente der pädagogischen Diskussion verändert. Der Begriff Lernen hat die Begriffe Lehren und Didaktik aus der Diskussion verdrängt. Die Kategorie des „Selbst" wird in unterschiedlichen Varianten zum obersten Wert in der Definition von Lernprozessen von Erwachsenen.

Bereits die amerikanische Diskussion hat gezeigt, dass das Konzept des „Self-directed-Learning" als Begriff mit unterschiedlicher Bedeutung verwendet wird, was die bildungspolitische Diskussion erschwert. So wird „Self-directed-Learning" einerseits als Ziel der Erwachsenenbildung beschrieben, andererseits als dessen Voraussetzung, als alltägliches Geschehen oder als didaktisch organisierter Weg. Auch in der deutschsprachigen Diskussion wird der Gegenstandsbereich mit unterschiedlichen Worten benannt, die oft synonym verwendet werden. Verwendete Begriffe sind etwa selbstgesteuertes Lernen, selbstständiges Lernen, informelles Lernen, autonomes Lernen, individualisiertes Lernen, unmittelbares Lernen, nicht organisiertes Lernen, offenes Lernen usw. [6]

Bei all diesen Begriffen geht es aber im Kern um Folgendes:
1. Lernende sollen Ziele, Inhalte und den Lernprozess selbst bestimmen.
2. Lernende sollen im Alltag unabhängig von Sondersituationen, die ausschließlich für das Lernen geschaffen wurden, lernen.

Offenbar richtet sich der Schwerpunkt des Begriffes „Selbst" gegen Fremdbestimmung, gegen pädagogische Bevormundung, stellt somit einen pädagogischen Ansatz dar, der für die Reisepädagogik und den Tourismus überhaupt als geeignet erscheint.

Ein weitere Ursache für die geringe Thematisierung des Tourismus durch die Erziehungswissenschaft bzw. der geringen Beachtung der Pädagogik durch die Tourismusbranche mag auch in einer gewissen Inkompetenz liegen, mag sie berechtigt sein oder nicht. Pädagogen traut man gerade das nicht zu, von dem alle Welt meint, dass es für Tourismusberufe besonders wichtig sei, nämlich die Fähigkeit zu Organisation, Management, Marketing, Administrationskompetenz.[7]

Dagegen spricht vor allem die große Zahl an Pädagogen/Pädagoginnen, (Lehrer/innen und Erwachsenenbildner/innen), die im Tourismus als Reiseleiter/innen, Animateure/Animateurinnen oder Fremdenführer/innen beschäftigt sind. Dazu sind allerdings keine konkreten Zahlen auffindbar. Wolfgang Nahrstedt schätzt Pädagogen/Pädagoginnen in Deutschland auf rund 5% der im Tourismus Beschäftigten.[8] Auf Österreich umgelegt ergäbe dies ca. 7000 – 10000 Pädagogen/Pädagoginnen, die hauptberuflich, aber vermutlich zum Großteil nebenberuflich im Tourismus tätig sind.

Dabei erhebt sich die Frage, ob eine verstärkte pädagogische Einflussnahme auf die Urlaubsgestaltung überhaupt wünschens- und erstrebenswert ist. Welche Erfahrungen und Konzepte gibt es in der Erwachsenenbildung in diesem Zusammenhang? Welche spezifischen Anforderungen stellen sich im Zusammenhang mit den Qualifizierungsmaßnahmen im Tourismus an Mitarbeiterinnen und Mitarbeiter sowie an deren Aus- und Weiterbildung?

Im folgenden Abschnitt sollen exemplarisch Projekte und Konzepte in der Erwachsenenbildung aufgezeigt werden.

Die Reisegemeinschaft der Volkshochschule Wien – West

Sehr oft wird Reisen als eine Möglichkeit der Überprüfung des geistig-emotionalen Weltbildes in der Begegnung mit den Menschen, aber auch als Naturbetrachtung verstanden, als Anstoß zur rational-kritischen Reflexion.[9]

Christoph Henning beschreibt die Motivation von Reisenden als Sehnsucht nach einem schönen Leben, nach Bildung und Kultur, nach Glück, unvergesslichen Stunden, Erlebnissen, Abenteuerlust. Reisende wünschen Selbstverwirklichung und suchen andere Räume auf.[10]

Diese wohl idealistische Sicht trifft jedoch - wenn überhaupt – nur auf eine Minderheit von Reisenden zu. Wie Hans Högl in seiner Analyse über die Situation und Probleme von Fremdenverkehrsgemeinden in Österreich nachweist, ist für die meisten Urlauber nicht die Begegnung mit fremden und unbekannten Menschen und deren Kultur oder die Sehnsucht nach Selbstverwirklichung und einem anderen Leben – dem Kontrasttourismus – der eigentliche Reisegrund. Die Mehrheit der Urlauber sucht Vergleichbares mit dem Herkunftsgebiet und misst daran die Urlaubsregion.[11]

Die Speisenauswahl in den Gasthäusern und das Unterhaltungsprogramm in den Urlaubsregionen in Österreich ist deshalb auf den ausländischen zumeist deutschen Gast ausgerichtet, damit sich dieser wie zu Hause fühlen kann. Bildungsreisen, die Auseinandersetzung mit fremden Kulturen, werden eher von einer Minderheit gewünscht und praktiziert.

Seit über 20 Jahren bietet die Volkshochschule Wien – West gemeinsam mit konzessionierten Reisebüros ein reichhaltiges Angebot an Tagesfahrten, archäologischen Exkursionen, natur- und heimatkundlichen Wanderfahrten sowie mehrtägigen Studienreisen ins In- und Ausland an.[12] Im Laufe der letzten Jahre hat sich das Angebot vervielfacht und die Zahl der Mitglieder der Reisegemeinschaft und Interessenten ist auf über 5000 Personen angestiegen.

Nach Auskunft der verantwortlichen Leiter unterscheidet sich das Angebot für Studienreisen und Kulturfahrten vor allem durch das höhere Niveau von den Programmen kommerzieller Anbieter. So wird vor allem auf erstklassige und persönliche Betreuung Wert gelegt.

Vor Antritt der Reise werden medienunterstützte (Dias, Videos) Einführungsvorträge über die Kultur, Geschichte und Probleme des Gastlandes angeboten und die Studienreise vorbereitet.

Eigene Materialen (Skripten) werden fallweise erarbeitet und den Teilnehmern verkauft. Während der Fahrt werden sachbezogene Videofilme vorgeführt.

Im Vordergrund der Studienreise steht das Kennenlernen der Kunst und Kultur, Kommerzprogramme und pseudokulturelle Programme werden vermieden.

Erfahrene Reiseleiter, Fremdenführer, Erwachsenenbildner, Spezialisten (z.B. Archäologen) sollen das hohe Niveau sichern. Die Auswahl der Reiseleiter in Bezug auf Fachwissen und pädagogische Fähigkeiten erfolgt sehr streng.

Deshalb hat sich ein Grundstock an Reiseleitern mit nur geringer Fluktuation gebildet.

Die Mitglieder der Reisegemeinschaft treffen sich zumindest einmal pro Jahr zum Erfahrungsaustausch und Rückblick.

Bezüglich des Bildungsstandes der Teilnehmer liegt kein konkretes Material vor, allerdings besteht der Eindruck, dass der Großteil der Reisegemeinschaft über ein höheres Bildungsniveau verfügt, was auch durch die akademischen Titel zahlreicher Teilnehmer zum Ausdruck kommt.[13]

Die Ausbildungs- und Weiterbildungsmaßnahmen von BFI und WIFI

Die ständig steigende Anzahl der Teilnehmer an den Angeboten der Reisegemeinschaft der Volkshochschule Wien-West zeigt, dass auch an Bildungsreisen mit hohem Anspruchsniveau immer größeres Interesse besteht. Dadurch ist aber auch eine hohe Qualität der Reiseleiter im Sinne einer effektiven Erwachsenenbildung zur Voraussetzung solcher Veranstaltungen geworden. Derzeit bestehen jedoch manchmal bei kommerziellen Anbietern bei einem nicht geringen Teil der Reiseveranstaltungen zumeist aus Kostengründen keine allzu großen Anforderungen an die Qualifikation des Reiseleiters , vor allem was die Wahrnehmung der Aufgaben eines Erwachsenenbildners betrifft. Der Ausbildung und Weiterbildung von Reiseleitern/Reiseleiterinnen bzw. von Fremdenführern/Fremdenführerinnen, aber auch von Beschäftigten im Tourismus überhaupt, kommt deshalb in der Erwachsenenbildung immer größere Bedeutung zu.

Neben den Berufsbildenden mittleren und höheren Schulen (Hotelfachschule, Tourismusfachschule, Höhere Lehranstalt für Tourismus, Aufbaulehrgang für Tourismus, Kolleg für Tourismus und Freizeitwirtschaft) bieten die Berufsbildungsinstitute der Arbeiterkammer und des Österreichischen Gewerkschaftsbundes (BFI) sowie die Wirtschaftsförderungsinstitute der Wirtschaftskammern Österreichs (WIFI) eine Reihe von Lehrgängen und Kursen zur Aus- und Weiterbildung von Mitarbeitern/Mitarbeiterinnen im Tourismus an. Exemplarisch sollen einige dieser Angebote dargestellt werden.

Die Berufsförderungsinstitute und die Wirtschaftsförderungsinstitute bieten Vorbereitungslehrgänge auf die Befähigungsprüfung für Fremdenführer/innen an.[14]

Der Fremdenführer/innen-Lehrgang ist ein Vorbereitungslehrgang auf die Befähigungsprüfung zum/zur Fremdenführer/in. Zielgruppe sind Personen mit historischem, wirtschaftlichem und kulturellem Grundwissen, sowie gutem Auftreten, Organisationstalent, Kontaktfreudigkeit und Fremdsprachenkenntnissen.

Der Lehrgang hat universitären Charakter mit starkem Praxisbezug. Die Referenten/Referentinnen der theoretischen Fächer sind vorwiegend Lehrbeauftragte der Universität sowie aus der Wirtschaft. Für die Praxis stehen erfahrene Fremden führer/innen zur Verfügung. Die Teilnehmer/innen sind angehalten, sich das nötige Wissen auch im Selbststudium zu erarbeiten. Voraussetzung dazu sind hohe Motivation und Eigeninitiative sowie die Fähigkeit , sich selbstständig Informationen zu beschaffen und mit Literatur umgehen zu können. Die Befähigungsprüfung wird bei der Meisterprüfungsstelle der Wirtschaftskammern abgelegt.

Der Lehrgang dauert drei Semester. Unterrichtsgegenstände sind:
- Geschichte Österreichs: Urgeschichte, Kelten, Römer, Mittelalter, Neuzeit, Zeitgeschichte, Geschichte der Juden in Österreich.
- Kunstgeschichte: Denkmalschutz, Mittelalter mit Ikonografie, Renaissance, Barock, 19. und 20. Jahrhundert.
- Kultur und Wissenschaft: Theater, Österreichische Literatur, Klassische Musik und berühmte Komponisten, Geschichte der Medizin, Heimat- und Volkskunde.
- Allgemeine Berufsinformation: Fremdenverkehrslehre, Fremdenverkehrs-geografie und Wirtschaftsgeografie, Politische Bildung, Rhetorik und Präsentation, Erste Hilfe, Grundzüge der Wirtschafts- und Sozialkunde einschließlich Rechnungswesen und Betriebswirtschaft.

Parallel zu den Vorlesungen soll durch die Teilnahme an Exkursionen ein profundes Wissen erworben werden, welches ermöglichen soll, eigene Führungen selbstständig zu erarbeiten. Bei Trainingsführungen haben überdies die Teilnehmer/innen selbstständig erarbeitete Kurzführungen zu präsentieren.

Während für Fremdenführer/innen ein Berufsbild mit den notwendigen Kenntnissen und Qualifikationen vorliegt, ist ein solches für den Beruf Reiseleiter/in nicht definiert. Folglich gibt es auch keine standardisierte Ausbildung. Dennoch bieten sowohl das BFI Wien als auch das WIFI Wien derartige Ausbildungslehrgänge allerdings mit unterschiedlichen Schwerpunkten an.

Der Lehrgang für Reiseleiter/innen und Gästebetreuer/innen des BFI Wien soll in 2 Semestern umfassende und praktische Kenntnisse auf dem Gebiet der Reiseleitung und Gästebetreuung mit dem Themenschwerpunkt Österreich und Europa vermitteln.

Der Unterricht ist stark praxisorientiert und soll vor allem Methodik vermitteln. Im 1. Semester werden jene Basisqualifikationen vermittelt, die Einstieg und Kontakte in das Tätigkeitsfeld der Reisebetreuung und der allgemeinen Reiseleitung erheblich erleichtern. Ziel ist die Vorbereitung, Durchführung und Bewältigung einer Bustagesfahrt durch angrenzende Bundesländer. Im 2. Semester wird den erhöhten Anforderungen bei Mehrtagesreisen Auslandsaufenthalten, Studienreisen usw.) Rechnung getragen. Der Schwerpunkt wird vor allem auf vertieftes Geschichts- und Kunstgeschichtswissen gelegt. Konfliktmanagement und Gruppenbetreuung sollen auf die Arbeit im „Ernstfall" vorbereiten.

Wie beim Fremdenführer/innen-Lehrgang sind auch hier die Referenten/Referentinnen Lehrbeauftragte der Universität, bzw. erfahrene Erwachsenenbildner/innen und Reiseleiter/innen. Der Lehrgang schließt mit einer schriftlichen und mündlichen Prüfung sowie mit einer geprüften Busreiseleitung als Voraussetzung für ein Abschlusszeugnis und den Erhalt eines Reiseleiter/innen-Ausweises ab.

Der Lehrgang wird seit 15 Jahren mit Erfolg durchgeführt und hat einen hohen Zuspruch. Laut Auskunft des Koordinators sind die Absolventen in Reisebüros und Tourismusverbänden auch in Führungspositionen tätig.[15]

Beim Lehrgang für Reisebetreuer/innen und Reiseleiter/innen am WIFI Wien steht weniger der kulturelle Schwerpunkt um Zentrum der Ausbildung. Ziel ist vielmehr das Beherrschen der wichtigsten Organisations- und Informationsaufgaben sowie der Erwerb von Grundkenntnissen zur Lösung einschlägiger rechtlicher Fragen.
Die rund 200 Trainingseinheiten sind modular aufgebaut. Sie beinhalten die Themen:
Berufsanforderungen, Rhetorik, Körpersprache, Animation, Konflikt-, Beschwerde-, Notfallsmanagement, erste Hilfe, Rechtskunde, Vertragsrecht, Grundzüge des Handels-, Gesellschafts-, Wettbe werbs-Wertpapier-, Urheber-, Insolvenzrechts, Arbeitsrecht, Sozialversicherung, Rechnungswesen, Überblick über die Reisebüro-Branche, Reisebetreuung in Wien und Umgebung, touristische Einrichtungen, Behörden, Sehenswürdigkeiten.
Referenten/Referentinnen sind Experten/Expertinnen aus den Bereichen Tourismus und Freizeitwirtschaft.
Der Lehrgang schließt mit einer schriftlichen und mündlichen Prüfung ab, als Voraussetzung für ein Abschlusszeugnis und ein Diplom zur Befähigung als Reisebetreuer/in und Reiseleiter/in.
Auf Grund der engen Kooperation mit der Tourismuswirtschaft finden die Absolventen in Reisebüros, Tourismusverbänden bzw. Tourismuseinrichtungen Beschäftigung.[16]

Die Ausbildung zum Reiseleiter/ zur Reiseleiterin sowohl im BFI als auch im WIFI ist prinzipiell für jeden zugänglich. Gute Allgemeinbildung , Gewandtheit im Umgang mit Menschen, ein nettes und gepflegtes Auftreten, Freude am Organisieren, Belastbarkeit und die Bereitschaft, auch außerhalb des Unterrichtes das eigene Wissen permanent zu erweitern und zu aktualisieren, sowie die Kenntnis zumindest einer Fremdsprache werden aber von den Veranstaltern als notwendige Voraussetzungen angesehen. Beide Lehrgänge tragen wesentlich dazu bei, das Niveau der Reiseleiter/innen qualitativ zu verbessern.

Darüber hinaus bietet das Berufsförderungsinstitut Wien auch einen zweisemestrigen Vorbereitungslehrgang auf die Lehrabschlussprüfung für Reisebüroassistenten/Reisebüroassistentinnen und einen ebenfalls 2 Semester dauernden Vorbereitungslehrgang auf die Lehrabschlussprüfung für Koch/Köchin an.

Die Wirtschaftsförderungsinstitute haben in Zusammenarbeit mit den Betrieben in den Bundesländern ein differenziertes Kursprogramm entwickelt. Beispielhaft für dieses Angebot sollen einige Aus- und Weiterbildungslehrgänge des Wirtschaftsförderungsinstitutes der Wirtschaftskammer Niederösterreich dargestellt werden[17]:

Der Lehrgang Veranstaltungs- und Freizeitmanagement wurde in Kooperation mit der Universität Innsbruck speziell für Teilnehmer/innen entwickelt, die sich professionell mit der Konzeption und Durchführung von Events und Veranstaltungen in den Bereichen Kultur, Sport und Marketing befassen. Er ist eine berufsbegeleitende Spezialausbildung und bereitet für die Mitarbeit in Eventagenturen, bei Kultur- und Sportprojekten, bei Tourismusveranstaltungen, im Stadt- und Gemeindemarketing und in Reisebüros vor. Der Lehrgang dauert 3 Semester. Die Abschlussprüfung besteht aus einer Klausurarbeit sowie der Präsentation einer Projektarbeit im Rahmen einer kommissionellen mündlichen Prüfung. Die Teilnehmer/innen mit positivem Abschluss erhalten ein Universitätsdiplom.

Im F&B Management-Lehrgang (Food & Baverage) sollen die Teilnehmer/innen ein umfassendes praxisorientiertes Wissen auf allen Gebieten des modernen Marketings, Controllings und der Betriebsführung erwerben, das es ihnen ermöglicht, die verschiedenen Marketings- und Führungsinstrumente unternehmens- und zielgruppenorientiert einzusetzen. Sie erweitern ihre soziale und persönliche Kompetenz in Hinblick auf Mitarbeiter/innen- und Teamentwicklung sowie Kommunikation. Der Lehrgang dauert 7-8 Monate und richtet sich an Unternehmer/innen, Küchenchefs, Restaurantleiter/innen aber auch an Absolventen/Absolventinnen von Tourismus- und Hotelfachschulen mit einschlägiger Berufspraxis in der Gastronomie. Dozenten sind erfahrene Praktiker. Der Lehrgang schließt mit einer schriftlichen und mündlichen Prüfung ab. Alle Absolventen/Absolventinnen mit positivem Abschluss erhalten das WIFI-Diplom „F&B Manager".

Darüber hinaus gibt es am WIFI-Niederösterreich neben einem sehr speziellen und auf die Bedürfnisse einzelner Betriebssparten ausgerichtetem Kursprogramm auch Ausbildungslehrgänge zum/zur Dipl. Gastronomiemanager/in und einen Vorbereitungskurs auf die Befähigungsprüfung im Reisebürogewerbe sowie die Ausbildung zum Jungsommmelier.

Pädagogen im Tourismus? – Anforderungen und Tätigkeitsfelder

Tourismus wird wesentlich über den freien Markt entwickelt. Das Denken der Tourismusmanager ist deshalb primär ein marktwirtschaftliches und gewinnorientiertes. Wenn Pädagogik stärker als bisher das Feld des Tourismus durchdringen will, wird sie sich deshalb auch mit den Gesetzen des freien Marktes auseinander setzen müssen. Ihre Partner aus der Fremdenverkehrswirtschaft erwarten primär, dass durch Pädagogik die Marktanteile verbessert werden können.

    Das vielfältige und sehr spezifische Kurs- und Lehrgangsprogramm von BFI und WIFI zeigt deutlich auf, dass Aus- und Weiterbildungskonzepte von Mitarbeitern/Mitarbeiterinnen im Tourismus nur in enger Kooperation mit der Wirtschaft erfolgreich sein können, wenn diese von den einschlägigen Betrieben genützt werden und die Absolventen/Absolventinnen Beschäftigung in der Tourismusbranche finden sollen. Die Bildungsziele und das Ausbildungsprogramm machen aber auch deutlich, welche Qualifikationen und Anforderungen an die Mitarbeiter in der Tourismusbranche gestellt werden. Auch für Pädagogen lassen sich deshalb folgende Grundqualifikationen als Voraussetzung für eine mögliche Beschäftigung feststellen.

Organisations- und Planungskompetenz:

Von der Tourismusbranche werden Planungs- und Organisationskompetenz als die wichtigste Qualifikation für alle im Tourismus möglichen reisepädagogischen Berufsbilder angesehen, was sich in den Aus- und Fortbildungskonzepten widerspiegelt.[18] So sind für Pädagogen, die ihre Tätigkeit primär auf der Aktionsebene ausüben, reiserechtliche Fragen, die Übersicht über die Tourismusbranche sowie grundlegende verwaltungstechnische Kompetenzen als Kenntnisse unerlässlich. Die Bewältigung vielfältiger unvorhergesehner Schwierigkeiten erfordert darüber hinaus erhebliches organisatorisches Geschick sowie die Fähigkeit zur Improvisation. Für berufliche Positionen im Management- und Marketingbereich sind überdies Kenntnisse der betrieblichen Organisation und Verwaltung, in der Öffentlichkeitsarbeit und Werbung, die Erstellung von Kosten-Nutzen-Rechnungen sowie politische Durchsetzungsfähigkeit wichtig.

Fachkompetenz:

Obwohl manchmal der Einsatz von Spezialisten (z.B. Archäologen) zweckmäßig ist, verlangt die berufliche Tätigkeit im Fremdenverkehr und Tourismus ein hohes Maß an Allgemeinbildung. Im Vordergrund steht der Anspruch eines breiten Verstehenshorizontes und eines vernetzten Denkens sowie die Fähigkeit zum selbstständigen Wissenserwerb. Für eine rasche Einarbeitung in neue Zusammenhänge und Situationen ist überdies die Kenntnis von wissenschaftlichen Instrumentarien zweckmäßig.

Sozialkompetenz:

Für alle reisepädagogischen Berufsbilder sind Kompetenzen wie Gewandtheit im Umgang mit Menschen, ein sicheres und gepflegtes Auftreten und Kommunikationsfähigkeit entscheidende Kriterien im Bewerbungswettbewerb. Dazu gehören auch Fähigkeiten im Konflikt- und Krisenmanagement zur Bewältigung von sogenannten „Ernstfällen", die jederzeit bei Reisen auftreten können.

Didaktisch – methodische Kompetenz:

Diese von Pädagogen/Pädagoginnen vorausgesetzte Fähigkeit bedarf einer für den Tourismus gültigen Neudefinition. So steht nicht der pädagogische Ethos sowie die Überzeugung zu pädagogisch adäquatem Handeln im Vordergrund sondern die Dienstleistungsorientierung. Von den Interview- und Gesprächspartnern in den Ausbildungsorganisationen der Erwachsenenbildung (BFI und WIFI) wurde immer wieder betont, dass die Durchsetzung jedes touristischen Angebotes auf die Orientierung auf den jeweiligen Kunden und dessen Bedürfnisse und Interessen angewiesen ist. Verkäuflich ist nur, was attraktiv gestaltet ist.

Praktische Erfahrung und Kompetenz:

Für viele Berufe in der Tourismusbranche sowie für manche Ausbildungslehrgänge ist die berufspraktische Erfahrung als Zugangsvoraussetzung von Bedeutung, vor allem auch deshalb, weil es für viele Bereiche keine formalen Aufnahmekriterien in Form von rechtlich abgesicherten Ausbildungsabschlüssen gibt. Vor allem im Managementbereich ist die Erarbeitung und Verwirklichung von Innovationen nur auf Basis von im engen Kontakt mit der Praxis erworbenen Kenntnissen der Fremdenverkehrs- und Tourismusbranche sowie deren spezifischen Strukturproblemen und Entwicklungschancen möglich.

Mögliche Tätigkeitsfelder:

Die von den Ausbildungsinstitutionen und somit von der Tourismusbranche festgestellten Grundkompetenzen als Voraussetzung für eine Beschäftigung zeigen deutlich auf, dass viele Berufe in diesem Bereich keiner pädagogischen Überformung bedürfen. Dennoch können auch legitime Aufgabenfelder speziell für Pädagogen/Pädagoginnen aufgefunden werden.
1. Im Gegensatz zu früheren Jahrhunderten, in denen Reisen das Privileg einer Minderheit dargestellt hat, ist diese nunmehr in den letzten Jahrzehnten zur Angelegenheit aller geworden. Reisebildung als „Fähigmachen zur gelungenen
Reise" ist deshalb nicht bloß Angelegenheit des freien Marktes sondern auch Aufgabe der Erziehungsinstitutionen, sei es Schule, Erwachsenenbildung oder sozialer Institutionen. Reisebildung soll aber auch zur Vermeidung oder wenigstens zur Begrenzung von Schäden beitragen, die der moderne Tourismus anrichten kann. Nicht alles, wofür es einen Markt gibt und was organisiert und finanziert werden kann, sollte auch realisiert werden.
2. Reiseplanung und Beratung kann durchaus als pädagogisches Tätigkeitsfeld angesehen werden. Bedeutung in diesem Zusammenhang erhält auch die Erstellung von schriftlichem Material, etwa die didaktische Gestaltung von Reiseführern

und Skripten, vor allem, wenn spezielle Bildungs- und Besichtigungsangebote dargestellt werden. Positive Beispiele in dieser Richtung sind die Publikationen der Volkshochschule Wien „Auf den Spuren ungarischer Geschichte in Wien", „Auf den Spuren italienischer Geschichte in Wien" sowie „Auf den Spuren polnischer Geschichte in Wien", zweisprachige Reiseführer, die auch einen kulturellen Leitfaden für alle Wiener/innen darstellen sollen.[19]

3. Neben den großen Touristenströmen gibt es durchaus auch Interesse an pädagogisch motivierten Reisen. Darunter fallen alle Kinder- und Jugendreisen, für die ein pädagogischer Rahmen vorgesehen ist, aber auch spezielle Lern- und Bildungsreisen für Erwachsene, z.B. Sprachlernreisen, oft auch von Erwachsenenbildungsverbänden organisiert oder die Teilnahme an Sommerkursen der Universitäten.

Sollte sich die Tourismusbranche in Zukunft für Pädagogen/Pädagoginnen in Hinblick auf berufliche Möglichkeiten öffnen, was ziemlich unwahrscheinlich ist, so wäre zu bedenken, dass es in den zumeist privatwirtschaftlich organisierten Einrichtungen nur in ganz wenigen Ausnahmefällen hauptberufliche Angebote vor allem für Reiseleiter und Gästebetreuer gibt. Die Regel sind Einstellungen über Saisonverträge bei relativ ungünstigen Vergütungen und Sozialleistungen. Auf jeden Fall werden bewerbende Pädagogen/Pädagoginnen mit einer nicht unerheblichen Konkurrenzsituation rechnen müssen und zwar auf allen beruflichen Ebenen; einerseits bei beruflichen Konstellationen mit Management- und Marketinganteilen mit vorwiegend betriebswirtschaftlich ausgerichteten Bewerbern, andererseits bei Reiseleiter- oder Fremdenführertätigkeit mit Fachwissenschaftlern jeder Richtung.

Anmerkungen

[1] Vgl.: Statistik von TourMIS (Touristisches Marketing-Informationssystem), www.tourismus.info.at

[2] Gunnarsdottir Gunnhildur, Die Bildungsreise in der Erwachsenenbildung Eine Betrachtung aus historischer und moderner Sicht, Diplomarbeit am Institut für Erziehungswissenschaften an der Karl-Franzens-Universität Graz, 1998

[3] Vgl.: Lernen auf Reisen?, Reisepädagogik als neue Aufgabe für Reiseveranstalter, Erziehungswissenschaft und Tourismuspolitik, Dokumente einer Studienkonferenz, Thomas Morus Akademie, Gladbach, 1995

[4] z.B. Stannek Antje, Telemachs Brüder, Die höfische Bildungsreise des 17. Jahrhunderts, Campus Verlag GmbH, Frankfurt/Main, 2001

[5] Reischmann Jost, Self-directed Learning, Die amerikanische Diskussion in Report 39, Literatur- und Forschungsreport Weiterbildung 1997, S. 125

[6] Vgl.: Greif Siegfried, Kurtz Hans Jürgen, Handbuch Selbstorganisiertes Lernen, Verlag für Angewandte Psychologie, Göttingen 1996

[7] Vgl.: Nahrstedt Wolfgang, Tourismus – Von der Erziehungswissenschaft vergessen? in Lernen auf Reisen? A.a.O. S.22

[8] Nahrstedt Wolfgang, a.a.O. S.23

[9] Gunnarsdottir Gunnhildur, Die Bildungsreise in der Erwachsenenbildung, a.a.O., S.53

[10] Henning Christoph, Reiselust, Frankfurt/Main, 1999

[11] Högl Hans, Bin kein Tourist, ich wohne hier. Fremdenverkehrsgemeinden im Stress, Verlag Ethik – Gesellschaft, Wien 2002, S.8

[12] Vgl. Programm der Volkshochschule Wien – West, Herbst 2003, www.vhs-wien-west.at

[13] Laut Mitteilung der Direktionsassistentin Fr. Karin Baumgartner

[14] Vgl. Kursprogramme des BFI-Wien und des WIFI-Wien, www.bfi-wien.at und www.wifi.at
[15] Laut Mitteilung des Koordinators Ing. Gerhard Chropak
[16] Laut Mitteilung der Koordinatorin Fr. Soukal
[17] Vgl. www.wifi.at
[18] Vgl. De Haen Sabine, Reisepädagogik - Tätigkeitsfelder und Anforderungen, in Lernen auf Reisen ?, a.a.O. S.135-143
[19] Pesendorfer Franz, Fischer Gero (Hsg.), Wiener Impressionen, Auf den Spuren ungarischer Geschichte in Wien, Auf den Spuren italienischer Geschichte in Wien, Auf den Spuren polnischer Geschichte in Wien, Verband Wiener Volksbildung, Edition Volkshochschule, Wien 2002

Hans G. Schuetze

Epochemachendes Bildungskonzept oder kurzlebiger Modebegriff?
Bedeutungen und Begründungen von 'Lebenslangem Lernen'

„Nach Volksbildung, Erwachsenenbildung und Weiterbildung gilt seit den neunziger Jahren das Konzept des lebenslangen Lernens als tragende und neue Bildungskonzeption. Eine neue Epoche ... hat sich etabliert" Lenz, 2001, S. 208).

Lebenslanges Lernen - ein epochemachendes neues Bildungskonzept? Manches spricht dafür. Lehrstühle und Universitätsdepartments werden danach benannt, Politiker beschwören es in Sonntagsreden, Minister geben zu dem Thema Regierungserklärungen ab oder veröffenlichen politische Absichtserklärungen, internationale Organisationen veranstalten Konferenzen, rufen ein 'Jahr des Lebenslanges Lernens' aus und ernennen hochrangige Kommissionen, die er- oder begründen sollen, was lebenslanges Lernen beinhaltet und bedeutet - und die meisten Menschen tun es tagein und tagaus, ihr Leben lang. Dieser Vielfalt derjenigen, die lebenslanges Lernen für ein epochemachendes Konzept halten, entspricht die Vielfalt der Vorstellungen, die sich hinter dem Begriff verbergen. Lebenslanges Lernen ist kein eindeutiges Bildungskonzept als vielmehr ein schillernder, schwammiger Begriff mit den Zügen eines Chamäleons, das seine Farbe der Umgebung anpasst . Bei den einen nimmt er sozial-utopische Züge an und verspricht eine gleichere und freiere Gesellschaft, bei den anderen ist lebenslanges Lernen nichts anderes als ein Synonym für Erwachsenen- oder Weiterbildung.

Andere verstehen lebenslanges Lernen als ökonomische Wunderwaffe, oder doch wenigstens als wesentliche Strategie im Kampf um Wettbewerbsvorteile in einem globalen Markt für Güter und Dienstleistungen. Eine weitere Gruppe sieht lebenslanges Lernen weniger als eine bildungskonzeptionelle Neuerung oder bildungspolitische Forderung als vielmehr die Beschreibung einer Selbstverständlichkeit, da alle Menschen sowohl *vor* als auch *nach* formalen Bildungsprozessen in der Schule und in weiterführenden Bildungseinrichtungen weiterlernen.

Was also ist lebenslanges Lernen? Umfassendes Bildungskonzept oder banale Selbstverständlichkeit? Deskriptive Zustandsschilderung oder normative Zielsetzung? Notwendige Voraussetzung für technisch-wissenschaftlichen Fortschritt oder eine Strategie der Arbeitgeber in der Auseinandersetzung zwischen Kapital und Arbeit? Eine Idee, deren Zeit gekommen ist, oder ein Modebegriff, der wieder verschwinden wird, wenn sein Neuigkeitswert abgenützt ist? Alter Wein in neuen Schläuchen oder epochemachendes Reformkonzept?

Im folgenden Beitrag will ich versuchen, zu einer Klärung des Konzeptes und seiner Begründungen beizutragen und zugleich auf die Kritik einzugehen, die ver schiedene Bildungsexperten, darunter auch Werner Lenz, an dem Konzept geübt haben.

Das Konzept lebenslangen Lernens

Für die Begriffsbestimmung, d.h. die Frage, was lebenslanges Lernen eigentlich beinhaltet, ist es nützlich, einen Blick zurück zu tun um zu sehen, wie das Konzept entstand und wie es sich seitdem verändert hat.

Der Beginn der Diskussion über 'lebenslanges Lernen' lässt sich ziemlich genau auf den Anfang der 70er Jahre terminieren. Ausgelöst von der Kritik der Studenten im Jahre 1968 an dem Hochschul- und zugleich dem gesamten Bildungssystem in Westeuropa, dessen Ziele und Strukturen als reaktionär und das alte Klassensystem perpetuierend angesehen wurden, hatte die UNESCO 1972 den Bericht einer Sachverständigenkommission veröffentlicht ('Learning to Be - The World of Education Today and Tomorrow' - deutsch: 'Wie wir leben lernen - Ziele und Zukunft unserer Erziehungsprogramme'), deren Vorsitz der französische Bildungsminister Edgar Faure hatte (Faure et al, 1972). Zusammen mit dem fast gleichzeitig veröffentlichten Bericht der OECD 'Recurrent Education - A Strategy for Lifelong Education' (OECD, 1973) markierte der Faure-Bericht, wie er in der Folge genannt wurde, den Beginn einer weiten Diskussion über Bildungsziele und Bildungssysteme in einer demokratischen und egalitären Gesellschaft.

Beide Berichte benutzten den Begriff 'lebenslange Bildung' ('lifelong education') statt 'lebenslanges Lernen', und machten lebenslange Bildung zu dem Kernstück einer Vision von einer Lerngesellschaft ('learning society'). Trotz vieler Gemeinsamkeiten und Übereinstimmungen sowohl in den Bildungszielen als auch ihrer Begründungen, unterschieden sich die UNESCO und OECD Berichte in der Art, in der sie sich die Umsetzung und Organisation der weitgehenden Reformen des Bildungswesens vorstellten. So wurden in dem UNESCO Bericht insbesondere die egalitär-emanzipatorische Funktion dieses radikalen Bildungsreformkonzepts hervorgehoben, während Fragen seiner Umsetzung weitgehend ausgeblendet blieben. Dagegen setzten die Autoren des OECD-Berichts, stark beeinflusst von den Reformbestrebungen der 60er und 70er Jahre in Schweden, auf das Organisationskonzept 'alternation', d.h. den periodischen Wechsel von (Vollzeit-) Bildungs- und Arbeitsphasen. Wiederkehrende organisierte Lernphasen sollten dem Einzelnen die Gelegenheit verschaffen, sich auch nach der Schulzeit regelmässig weiterzubilden, und zwar nicht nur berufsbegleitend oder in der Freizeit, sondern als Vollzeit-Aktivität (Schuetze & Istance, 1987). Bildungsurlaub, wie ihn die International Labour Organization (ILO) propagierte (Schuetze, 1992), war eins der Instrumente, mit dem das Konzept umgesetzt werden sollte.

Fast zeitgleich mit 'lebenslangem Lernen' wurde das Konzept vom 'Human Capital' entwickelt (Schultz, 1971; OECD 1997). Die Verheissung der Humankapital-Ansatzes, der Investitionen in Bildung und Ausbildung Kapitalinvestitionen gleich stellte mit der Behauptung, diese würden ebenso sichere, wenn auch vermutlich noch grössere Renditen erbringen, wurde zum Motor einer schnell expandierenden Bildungspolitik in vielen Ländern, die jetzt massiv in ihre Bildungssysteme investierten in der Erwartung, damit Wachstum von Wirtschaft und Beschäftigung anzukurbeln und zugleich sowohl den Bedarf der Wirtschaft an qualifizierten Arbeitskraften und die private Nachfrage nach weiterführenden Bildungsplätzen befriedigen zu können.

Die magische Formel des Humankapitalansatzes liess die Erschliessung der Begabtenreserven durch Ausweitung der Bildungschancen als eine wirtschaftlich vielversprechende Investition erscheinen. Zugleich machte die Verwirklichung einer egalitären Gesellschaft auch wirtschaftlich Sinn. Angesichts des schnellen Wandels von Technik und wissenschaftlicher Forschung und ihrer Nutzung für die Wirtschaft wurde offensichtlich, dass eine nur auf das formale Bildungssystem und die (Aus-)Bildung in der Jugend gerichtete Bildungspolitik nicht ausreichen würde, um einerseits den Bedarf an wissenschaftlichem Personal und anderen qualifizierten Arbeitskräften zu decken und andererseits die Nachfrage nach qualifizierten Ausbildungsgängen zu befriedigen. Das bedeutete, dass Bildungseinrichtungen sich der Nachfrage von älteren Bildungswilligen öffneten, bzw. zusätzliche Bildungseinrichtungen geschaffen wurden, die speziell berufsbezogene Weiterbildung für Erwachsene anboten. Darüber hinaus begann die Wirtschaft, selber verstärkt in die Fortbildung ihrer Belegschaften zu investieren, um deren Qualifikationen an den stetigen Wandel in den Anforderungen für Tätigkeiten am Arbeitsplatz anzupassen.

Dreissig Jahre - eine Generation – nach den Gründerjahren von Humankaptital und lebenslanger Bildung haben eine Reihe von neueren Entwicklungen sowohl das Verständnis von der Rolle der Bildung für die gesellschaftliche und wirtschaftliche Entwicklung als auch für die Perönlichkeitsentwicklung und das Erwerbsleben der einzelnen Bürger beeinflusst. Neben anderen wirtschaftlichen und gesellschaftlichen Faktoren wie der Globalisierung der Märkte und der Emanzipation und damit grösseren Beteiligung von Frauen an (weiterführender) Bildung und im Arbeitsmarkt ist insbesondere der Wandel von einem wohlfahrtsstaatlichen Verständnis von Bildung zu einem mehr markt-orientierten Modell zu erwähnen. Bildung, besonders alle weiterführende Bildung nach der Pflichtschule ist zunehmend dem Prinzip der Ökonomisierung (oder Kommerzialisierung) unterworfen, was bedeutet, dass der oder die Einzelne nicht nur in grösserem Masse als früher die Möglichkeit der Wahl unter einem weiten Angebot von Bildungsgängen und formalen Lernmöglichkeiten hat, sondern auch in grösserem Unfang zur Tragung der Kosten herangezogen wird.

Obwohl diese Entwicklungen die Bedeutung von Bildung und Lernen gegenüber den siebziger Jahren verändert haben, ist anscheinend der Stellenwert von Lernen und Wissen noch gestiegen. Bei der Konzeption des neuen Konzepts 'lebenslangen Lernens' spielten internationale Organisationen eine führende Rolle. Wieder veröffentlichen die UNESCO und die OECD zeitgleich zwei umfassende konzeptionelle Entwürfe zum Thema lebenslanges Lernen (UNESCO Commission 1996; OECD 1996). Obwohl sie sich hinsichtlich ihres Entstehungsprozesses und Stils unterschieden, stellten beide sowohl auf wirtschaftliche als auch auf soziale und gesell schaftliche Faktoren, Begründungen und Zielen ab (Field, 2000). Diese umfassende Sichtweise stand im Gegensatz zu dem von der Europäische Kommission im selben Jahr veröffentlichten Weissbuch (European Commission, 1996), das sich fast ausschliesslich auf humankapitalistische Argumente für eine verstärkte berufliche Weiterqualifizierung stützte.

Die UNESCO-Kommission unter dem Vorsitz des Franzosen Jaques Delors (wie Edgar Faure vormaliger französischer Bildungsminister) wagte einen weiten Wurf, indem sie Grundidee und Bildungsziel des 1972er Berichts 'learning to be' (in der deutschen Übersetzung unscharf mit ‚Wie wir leben lernen' wiedergegeben) wieder aufnahm, diese aber spezifizierte, erweiterte und mehr als der Faure-Bericht es getan hatte, auf die Verhältnisse in der dritten Welt abstellte. 'Learning to be' wurde um drei weitere Lernziele erweitert bzw konkretisiert: 'Lernen, um Wissen zu erwerben', 'Lernen, um zu handeln', und 'Lernen, mit anderen zusammenzuleben'. Wie schon in dem Faure-Bericht von 1972 wurde betont, dass das formale Bildungssystem vorrangig auf Wissenserwerb abgestellt sei und die anderen Arten und Ziele des Lernens vernachlässige. Lebenslanges Lernen wurde damit begründet, dass '(d)ie traditionelle Unterscheidung zwischen Erstausbildung und Weiterbildung ... neu überdacht werden (muss). Eine Weiterbildung, die sich an den Erfordernissen moderner Gesellschaften ausrichtet, kann nicht mehr auf einen bestimmten Lebensabschnitt ...oder auf fachspezifische Ziele... beschränkt werden. Heute wird ein Leben lang gelernt, und jedes Wissensgebiet überlappt sich mit anderen und bereichert diese' (dt. Ausgabe, S. 85).

Die OECD rückte in ihrem Bericht (' Lebenslanges Lernen für alle ') von ihrem früheren Modell eines Bildungssystems im periodischen Wechsel von Arbeits- und Bildungsphasen ('recurrent education') ab - ein Konzept, das sich nicht nur an den Realitäten des Bildungswesens stiess, sondern auch die Verhältnisse am Arbeitsmarkt nicht genügend in Betracht gezogen und insbesondere den Widerstand der Wirtschaft gegen weitgehende Bildungsurlaubs-Regelungen stark unterschätzt hatte (Schuetze&Istance, 1987; Schuetze, 1992). Wie die UNESCO erkannte die OECD die Notwendigkeit einer wirtschafts- und arbeitsplatzbezogenen Weiterbildung an, betont aber, dass lebenslanges Lernen für alle das überragende gesellschaftliche Gebot sei.

Trotz dieser Betonung sozialpolitischer Zielsetzung in den beiden Berichten und in zahlreichen nationalen Politikdokumenten, die in der Folge veröffentlicht wurden, ist festzustellen, dass insgesamt das Schwergewicht heute mehr auf der humankapitalistischen als auf einer sozialpolitischen Begründung liegt.

Was also bedeutet lebenslanges Lernen heute, und welches sind die Gründe, derentwegen das Konzept von Experten wie Lenz als epochemachend eingestuft wird, ein Status, den die Vorläufer-Konzepte der 70er Jahre nicht für sich in Anspruch nehmen konnten?

Wesentliche Elemente
eines Systems lebenslangen Lernens

Das Konzept vom lebenslangen Lernen basiert auf drei Prinzipien, die mit dem traditionellen Modell von Bildung als ausschliesslich schul-basiertem Lernen brechen: Lebenslanges Lernen ist (1) lebens-lang,
   (2) es beinhaltet Lernen in mannigfaltigen Formen und an vielen Lernorten, nicht nur Schulen und anderen (Aus-) Bildungsinstutionen, und (3) es stellt auf Lernen und Lernende, und nicht auf Erziehung und Schule ab.

Lebens-lang

Dass lebenslanges Lernen lebens-langes Lernen bedeutet, ist scheinbar eine Tautologie. Trotzdem ist es nützlich zu erwähnen, dass die meisten Bildungsreformen im letzten halben Jahrhundert, auch nachdem das Prinzip, dass Lernen lebenslang sein müsse, schon weithin akzeptiert war, im wesentlichen eine Ausweitung des formalen Vorderlader-Bildungssektor betrafen, d.h. die Schaffung oder den Ausbau von Vorschulen, Schulen, und post-sekundären Bildungseinrichtungen (Schuller et al, 2002). Lebenslanges Lernen impliziert aber, dass Menschen auch später im Leben weiter lernen können, nicht nur zufällig und nebenbei, wie es ohnehin geschieht, sondern auch in Formen organisierten Lernens entweder in Bildungseinrichtungen oder on anderen Organisationen, deren Primärzweck nicht Erziehung oder Lernen ist.
   Viele Bildungswissenschaftler und -politiker verstehen unter lebenslangem Lernen Erwachsenen-, Fort- oder Weiterbildung, d.h (Weiter-)Lernen im Erwachsenenalter, nachdem die Phase der Grundbildung in Schule, Berufsausbildung, oder Erststudium abgeschlossen ist. Eine solche Interpretation greift jedoch aus zweierlei Gründen zu kurz. Obwohl der Schwerpunkt in den Industrieländern, die ein gut ausgebildetes Schul und (Erst-) Ausbildungssystem besitzen und in denen die grosse Mehrzahl junger Menschen im Pflichtschulalter zur Schule gehen, eher bei der Weiterbildung (im weitesten Sinne) liegt, ist bei den meisten weniger entwickelten Ländern der Ausbau des formalen Schul- und Ausbildungssystems eine Priorität. Aber auch für die Industrieländer gilt, dass, wenn lebenslanges Lernen als revolutionäres Bildungskonzept und Paradigmenwechsel verstanden und ernst genommen wird, die Lernziele und die Art und Weise überdacht und grundlegend geändert werden müssen, wie Kinder und Jugendliche erzogen und gebildet werden (Wain, 2001; Chapman & Aspin, 2001).

Lebens-breit

Organisiertes Lernen findet nicht nur in (Berufs-) Schulen, Fachhochschulen, Universitäten und anderen (Aus-) Bildungsinstitutionen statt, sondern auch ausserhalb des formalen Bildungssystems. Lebenslanges Lernen umfasst die ganze Breite von Lernorten und -möglichkeiten. Kindergärten, Sportvereine, Museen, Bibliotheken, Krankenhäuser, Lesezirkel, Theater, Kulturtreffs, Selbsthilfe-Einrichtungen, Gefängnisse und Militär sind Beispiele für die vielfältigen Lernorte ausserhalb des formalen Bildungssektors. Daneben sind die Betriebe, Verwaltungen und Einrichtungen, in denen die meisten Erwachsenen einen wesentlichen Teil ihrer (Arbeits-) Zeit zubringen, nicht nur Arbeitsplatz, sondern auch Orte, an denen organisiertes Lernen stattfindet. In den Augen mancher Bildungsexperten und -politiker ist der Arbeitsplatz sogar der wichtigste Lernort ausserhalb des formalen Bildungssystems.

Weltanschauliche und politische Gruppierungen bieten ebenfalls organisiertes Lernen für ihre Mitglieder an, z.B. die politischen Parteien und ihre Stiftungen und Jugendorganisationen, ebenso wie die Gewerkschaften, religiöse Gemeinschaften, und Umweltorganisationen. Eine besondere Bedeutung kommt den Medien als Lernorten zu: Fernsehen, Radio und Druckmedien bieten systematisch Informationen und Lernmöglichkeiten an, oft vermischt mit Unterhaltung (im Englischen ist dafür der Begriff 'Edutainment' geprägt worden, im deutschen etwa 'Unterhaltungs-Lernen'), so dass die Grenzen von passivem Massen-Konsum und aktivem individuellen Lernen oft nicht deutlich zu ziehen sind.

In anderen Worten: Für ein System lebenslangen Lernens sind Lernorte nicht nur die Schule und andere (Aus-)Bildungsstätten, sondern das Leben selber in seiner ganzen Breite und Vielfalt. Die Einbeziehung verschiedener Lernorte und -formen macht lebenslanges Lernen auf der einen Seite zu einem revolutionären Alternativkonzept und zeigt deutlich die bildungspolitischen und sozialen Folgen der herkömmlichen ausschliesslichen Fixierung auf das formale Bildungssystem auf. Andererseits besteht die Gefahr, nunmehr *alle* Lernvorgänge, auch die unbewussten und zufälligen, und damit auch das alltägliche Erfahrungslernen einzubeziehen. Eine solche uferlose Breite würde indessen dazu führen, das Konzept als bildungspolitisches Instrument weitestgehend unbrauchbar zu machen. Daher ist es notwendig, lebenslanges Lernen auf solche Lernaktivitäten zu beschränken, bei denen Lernen mindestens teilweise intendiert und organisiert ist.

Lernen

Drittes wesentliches Element lebenslangen Lernens ist - 'Lernen'. Was zunächst - wie schon zuvor die Lebenslänglichkeit des Lernens - tautologisch erscheint, bedeutet gegenüber den lebenslangen Bildungskonzepten der ersten Generation, 'lebenslange Bildung' (lifelong education) und 'permanente Bildung' (éducation permanente), eine signifikante Verschiebung der Perspektive von 'Bildung' und 'Lehre' zum 'Lernen' und dem Lernenden. Diese Verlagerung des Blickwinkels auf 'Lernen' und den 'Lerner' hat erhebliche Konsequenzen. Ein System lebenslangen Lernens hat nur wenig Raum für vorgeschriebene rigide Strukturen, auf sequentielle Curricula oder Programme für jeden Lerner im gleichen Alter. In einem solchen System ist es sehr viel mehr vom Lernenden selbst abhängig, *was* er oder sie jenseits der Grundbildungsjahre zu Hause und in der Schule lernt - und *wann, wo* und *wie* er oder sie es lernt. Lebenslanges Lernen ist ein 'menu à la carte' anstelle einer Mahlzeit mit einem oder mehreren festgelegten Gängen. Damit hat aber auch jede(r) nicht nur eine größere Wahlmöglichkeit, sondern auch mehr Verantwortung dafür, die Initiative zu ergreifen und unter den verschiedenen Möglichkeiten, die ihnen offen stehen, eine – oft schwierige - Wahl zu treffen.

Ohne Motivation und Lernkapazität der (potentiellen) Lerner ist die formale Möglichkeit, lebenslang weiterzulernen, nicht wahrzunehmen. Beide sind abhängig von einer ganzen Reihe von Faktoren, vor allem von der individuellen Ausstattung mit kulturellem und sozialem Kapital - was Soziolgen den 'langen Arm der Familie' nennen - und der Gestaltung des Arbeitsplatzes, dem 'langen Arm der Arbeit'. Das heisst, die Fähigkeit und die Motivation, lebenslang weiterzulernen, sind eng von den Strukturen und Prozessen der individuellen Lebenssituationen abhängig (Rubenson & Schuetze, 1995 und 2000).

Modelle lebenslangen Lernens

Wie schon erwähnt, sind nicht alle, die das Konzept befürworten oder es ablehnen, darüber einig, was es bedeutet. Wenn man die Begründungen der verschiedenen Befürworter analysiert, lassen sich mindestens vier verschiedene Modelle unterscheiden, die alle unter dem Banner des lebenslangen Lernens segeln, denen jedoch sehr unterschiedliche Vorstellungen von Bildung, Lernen, Arbeit und im Grunde auch von Gesellschaft zugrunde liegen:
- Ein sozialpolitisch-emanzipatorisches Modell - mit dem Schwerpunkt auf egalitären Bildungs- und Lebens-Chancen ('Lernen für alle');
- Ein non-utilitaristisches, kulturelles Bildungsmodell, das Selbstverwirklichung, Erhöhung der eigenen Urteils- und Kritikfähigkeit und Teilhabe am kulturellen Leben der Gemeinschaft in den Mittelpunkt stellt ('Lernen, um sich zu bilden');
- Ein liberales oder post-modernes Modell, das lebenslanges Lernen als ein adäquates Lernsystem für eine demokratische, egalitäre und multi-kulturelle Gesellschaft sieht, das im Prinzip allen Bürgern offen steht ('Lernen für alle, die es wollen und können'); und
- Ein Humankapital-Modell, in dem lebenslanges Lernen ausschliesslich oder vor allem Weiterbildung und Entwicklung von beruflichen Qualifikationen bedeutet ('Lernen für einen sich wandelnden Arbeitsmarkt')

Im Gegensatz zu dem idealistischen, normativen und in gewisser Weise sozialutopischen ersten Modell sind die anderen Modelle ihrem Anspruch nach begrenzter. Das Ziel, dass alle, auch diejenigen, die dafür die Grundvoraussetzungen nicht mitbringen, Teil einer aktiven 'Lerngesellschaft' werden, setzt voraus, dass sog. 'bildungsfernen' Bevölkerungsgruppen aktiv geholfen wird, ihre Lernfähigkeit und Motivation zu erhöhen, um (weiter-)lernen zu können. Allerdings nicht lernen zu müssen: Lenz' Mahnung, 'Menschen sollen nicht lebenslangen Lernprozessen aus geliefert sein' (Lenz, 2003,, S.31), macht klar, dass 'lebenslang' nicht zu 'lebenslänglich' werden darf.

Das zweite Modell ist dem herkömmlichen Bildungskonzept am ähnlichsten. Lernen geschieht zwar auch 'um seiner selbst willen', hat aber zugleich das Ziel der kritischen Auseinandersetzung und Erkenntnis durch Wissen(schaft) und der Teihabe am kulturellen Leben der Gemeinschaft. Anders als im 'Lernen für alle' - Modell sieht diese Version lebenslangen Lernens keine aktive Bildungswerbung oder Förderung bildungsferner Gruppen vor, sondern überlässt die Initiative den Einzelnen und ihren Familien. Die Bedeutung von 'cultural' und 'social capital' für Lernen und die Teilnahme an Bildung ist evident.

Das dritte Modell beschreibt im wesentlichen die gegenwärtige Situation in den modernen und egalitären Gesellschaften demokratisch verfasster und 'entwickelter' Länder. Es ist in dem Sinne normativ, als dass es davon ausgeht, dass es keine institutionellen Barrieren für diejenigen geben sollte, die lernen wollen - und dazu die nötigen Voraussetzungen mitbringen. Es setzt in erster Linie auf den weiteren Ausbau des formalen Bildungssystems und den Abbau herkömmlicher Teilnahmebarrieren, die den Zugang erschweren. Zum Teil soll das durch technische Entwicklungen ermöglicht werden, insbesondere durch den verstärkten Einsatz von modernen Informations- und Telekommunikationstechnologien im Bildungswesen, also im wesentlichen durch Fernunterricht und Selbstlernen, zum Beispiel mit Hilfe von Internet-vermittelten ('online'-) Kursen. DiesesModell setzt darüberhinaus auf ein Nebeneinander von öffentlichen und privatwirtschaftlichen (Aus-)Bildungsstätten und darauf, dass die Lerner zumindest teilweise ihr Lernen selbst finanzieren. Im Gegensatz zu dem ersten Modell, das aktive Hilfestellungen, Anreize und Massnahmen für 'bildungsferne' Bevölkerungsgruppen erfordert, liegt es im dritten Modell bei den einzelnen Individuen selbst, vorhandene Lernmöglichkeiten zu nutzen.

Das vierte Modell begreift lebenslanges Lernen als Aus- und Weiterbildung für die Wirtschaft, die gut gebildete und anpassungsfähige ('flexible') Arbeitskräfte benötigt, um - so das oft wiederholte Argument von Unternehmers und Wirtschaftsministern - international wettbewerbsfähig sein zu können. Im Kontrast zu dem früheren Verständnis von beruflicher Weiterbildung, nach dem diese vor allem in der Verantwortung der Wirtschaft selbst lag, wird auch für diese Form lebenslangen Lernens die Verantwortung in erster Linie bei den einzelnen Arbeitern gesehen, die ein Interesse daran haben (sollten), auf eigene Kosten und in der Freizeit ihre Kenntnisse und Fertigkeiten aufzufrischen oder zusätzliche Qualifikationen zu erwerben, um ihre Beschäftigungs- und Karrierechancen zu erhöhen.

Diese vier Grundmodelle sind natürlich Idealtypen und als solche in keinem Land in dieser puren Form anzutreffen. Sie zu unterscheiden ist aber nützlich, um sowohl die Argumente der Befürworter des Konzepts als auch die seiner Kritiker zu besser analysieren zu können. Insbesondere erlauben sie auch ein besseres Verständnis der politischen und wirtschaftlichen Interessen, die die Grundlage der Diskussion über Nutzen und Gefahren von lebenslangem Lernen bilden. Dies erscheint deswegen besonders wichtig, als das Konzept als Ganzes verschiedentlich als konturenloses, schwammiges Klisché, Mogelpackung, oder Chamäleon kritisiert wird. Diese Inhaltsleere und Amorphität, so viele Kritiker, erlaube es, je nach Standort, Belieben und Interesse des jeweiligen Interpreten verschiedene ideologische Zielsetzungen und Inhalte mit lebenslangem Lernen zu assoziieren.

Deutungen und Kritik

Besonders das vierte Modell wird von vielen Kritikern als Speerspitze ökonomischer Interessen gesehen, das eng mit dem Vordringen des Kapitalismus, der Globalisierung der Märkte, und der Kommerzialisierung und Individualisierung von Bildung zusammenhänge. Während der Diskurs vom lebenslangen Lernen bildungs- und sozialpolitische Zielsetzungen suggeriere, seien jedoch ökonomische Interessen die eigentlichen Triebkräfte hinter der Propagierung von lebenslangem Lernen (z.B. Bagnal, 2001; Lenz, 2003 a und b). Manche Kritiker gehen so weit zu behaupten, dass lebenslanges Lernen von der Wirtschaft entführt worden und deshalb nichts anderes als ein Wolf im Schafspelz sei (Boshier, 1998 und 2001).

Es ist nicht zufällig, dass die meisten Kritiker des Humankapital-Modells aus dem Erwachsenenbildungsbereich stammen. Zwar erkennen sie an bzw wissen, dass es zum Weiterlernen nach der ersten (Aus-)Bildungsphase infolge der weitgehenden technischen und gesellschaftlichen Veränderungen keine Alternative gibt und dass eine regelmässige Weiterqualifizierung Voraussetzung für die (Weiter-)Beschäftigung und damit den Lebensunterhalt durch Arbeits-Einkommen ist. Sie betonen jedoch, dass die Beschränkung auf kurzfristige, fremdbestimmte, direkt anwendbare und beruflich verwertbare Lerninhalte mit emanzipatorischer, sozialer und intellektueller Bildung - den eigentlichen Zielen lebenslangen Lernens - nicht in Einklang zu bringen sei, ja dazu im Widerspruch stehe (Lenz, 2003 a). Darüberhinaus habe die Individualisierung von Lernen, d.h. die Betonung der Eigenständigkeit der Lernenden in Wirklichkeit den Zweck, die Lernenden zu isolieren, sie von ihrer sozialen Umwelt und Gruppe ab- oder auszugrenzen und damit zu entsolidarisieren.

Lebenslanges Lernen, so einige diese Kritiker, sei damit Verwirklichung einer puren Humankapitalstrategie und dadurch insgesamt als Bildungskonzept diskreditiert. Deswegen empfehlen manche, statt dessen wieder an den ursprünglichen Begriff 'lebenslange Bildung' (lifelong education) anzuknüpfen und damit an die emanzipatorischen, sozialpolitischen Ziele des Faure-Reports von 1972 (Boshier 1998).

Eine Rückbesinnung auf die konkrete Utopie der Entwürfe der 70er Jahre von einer durch Bildung für alle emanzipierten Gesellschaft ist angesichts der mit dem Humankapital-Modell verbundenen Verengung und Instrumentalisierung von Lernen sicherlich angebracht. Jedoch erscheint die Empfehlung, bei der Definition und Umsetzung des Konzepts vom lebenslangen Lernen das Feld sozusagen kampflos den Humankapitalisten zu überlassen, ein eher von Nostalgie und Resignation diktierter Rückzug. Die Alternative dazu besteht darin, lebenslanges Lernen als ein komplexes, modernes Bildungskonzept mit mehrfachen Zielen zu verstehen (und dieses Verständnis aktiv zu verbreiten), dessen Umsetzung verschiedenartige Strategien und Instrumente erfordert. Insbesondere müssen die Modelle weiter konkretisiert und in der Diskussion vertreten werden, hinter denen weitergehende bildungs- und gesellschaftspolitische und nicht in erster Linie ökonomische Interessen stehen. Das bedeutet auch, die sozialpolitischen Vorstellungen und Ziele zu konkretisieren und Wege aufzuzeigen, wie diese umgesetzt werden können. Wie oben ausgeführt, ist lebenslanges Lernen nicht ein homogenes, in sich stimmiges Konzept, sondern es gibt verschiedene Modelle, die sich teilweise überlappen, aber auch teilweise mit einander im Widerstreit liegen. Als eins unter mehreren Modellen hat das Humankapital-Modell einen legitimen Platz, solange die anderen Modelle daneben nicht nur Alibicharacter haben, sondern als konkrete Vorlagen für eine aktive Bildungs- und Gesellschaftspolitik verstanden und vertreten werden. Für die Vertreter eines weiteren humanistischen und sozialpolitischen Verständnis von Bildung und Lernen bedeutet das, durch Forschung, Lehre, Teilnahme am öffentlichen Dialog und Überzeugungsarbeit die Grundlagen dafür zu legen, dass die Politik ein weitergehendes Konzept von lebenslangem Lernen zu realisieren bereit ist.

Rückblick und Ausblick

Bisher hat kein Land das lebenslange Lernen-Konzept organisatorisch und inhaltlich umgesetzt, trotz vielfacher verbaler Akzeptanz seiner Ziele und Prinzipien, und trotz vielerlei Ankündigungen und Erklärungen, man wolle das nationale Bildungswesen in Richtung eines Systems lebenslangen Lernens reformieren. Selbst Schweden - dessen Bildungsreformen der 60er und 70er Jahre Vorbild für das OECD-Modell vom lebenslangen Lernen ('recurrent education') waren - ist keine Ausnahme. In den letzten Jahren sind in Schweden im Gegenteil einige der Reformen vom Beginn der 70er Jahre, die den Zugang von Erwachsenen mit Berufserfahrung zum Studium betrafen, sogar wieder abgeschwächt oder zurückgedreht worden (Rubenson 2002). Eine ähnliche Entwicklung ist in vielen anderen Ländern zu beobachten, in denen Einrichtungen und Programme der Erwachsenenbildung zurückgeschnitten wurden.

Das bedeutet nicht, dass nicht auch gewisse Fortschritte auf dem Weg zur Lerngesellschaft festzustellen wären. Es besteht kein Zweifel, dass seit den frühen 70er Jahren in den meisten OECD-Ländern Bildungssysteme flexibler geworden sind, und der Zugang zu weiterführenden Bildungsgängen erheblich ausgeweitet worden ist. Daneben haben sich die Angebote an speziell berufsbezogenen Aus- und Weiterbildungsprogrammen vervielfacht. Allerdings bestehen auch weiterhin viele Missstände und Fehlentwicklungen im formalen Bildungssystem, z.B. eine zunehmend ungleiche Bildungsbeteiligung, eine hohe Zahl von Abbrechern, die strikte Trennung von allgemeiner und beruflicher Bildung, und die steigenden Schwierigkeiten beim Übergang von der (Hoch-)Schule in den Beruf.

Der nostalgische Rückblick auf die sechziger Jahre kann hier aus doppeltem Grunde nicht weiterhelfen. Zum einen wurde auch und gerade unter dem Regime des Wohlfahrtsstaates in erster Linie der Ausbau des formalen Bildungssystems gefördert, in den meisten Ländern, wie z.B. in Österreich und Deutschland, in den Strukturen eines Schul- und Hochschulsystems, die aus den Zeiten des Obrigkeitsstaates und der Klassengesellschaft stammten. Das Reformkonzept des lebenslangen Lernens war gerade als Kritik und Gegenentwurf zu diesem vordemokratischen, unegalitären Bildungssystem gedacht. Zum anderen geht das Konzept des lebenslangen Lernens über eine Reform des Bildungswesens hinaus (Levin & Kelley, 1997) und erfordert Veränderungen auch im Bereich des Sozial- und Beschäftigungssystems (siehe z.B. Griffin, 2002), die unter den Bedingungen der Restaurationsphase nach dem zweiten Weltkrieg nicht möglich waren.

Der Blick ist also nach vorn zu richten. Die Aufgabe, lebenslanges Lernen als epochemachendes Bildungskonzept zu verwirklichen, ist schwierig, und die mannigfachen Hindernisse auf dem Weg dorthin (siehe z.B. Schuetze, 2004 a und b; Wolter, 2001) hoch. Die Wissenschaft ist gefordert, mit ihren Instrumenten der Forschung und Analyse zu einer klareren Bestimmung des Zieles (der Ziele) und des Weges (der Wege) dorthin dazu beizutragen, dass lebenslanges Lernen nicht ein Modebegriff bleibt, der wieder verschwindet, weil es nicht gelungen ist, ihn mit konkretem Inhalt zu füllen. Bis dahin muss die Titelfrage - epochemachendes Bildungskonzept oder Modebegriff? - offen bleiben.

Literatur

Bagnall, R. (2001). Locating lifelong learning and education in contemporary currents of thought and culture. In D. Aspin, J. Chapman, M. Hatton, & Y. Sawano (Eds.), International handbook of lifelong learning (pp. 35 - 52). Dordrecht: Kluwer Academic Publishers.

Boshier, R. (1998). The Faure report: Down but not out. In P. Jarvis, J. Holford, & C. Griffin (Eds.), Lifelong learning in the learning society, (pp. 44-49). London: Kogan Page.

Boshier, R. W. (2001). Running to Win: The Contest Between Lifelong Learning and Lifelong Education in Canada. New Zealand Journal of Adult Learning, 28(2), 6 - 29.

Chapman, J., & Aspin, D. (2001). Schools and the learning community: Laying the basis for learning. In D. Aspin, J. Chapman, M. Hatton, & Y. Sawano (Eds.), International handbook of lifelong learning (pp. 405-446). Dordrecht: Kluwer.

European Commission. (1996). Teaching and learning - Towards the learning society (White Paper on education and training). Brussels: European Commission.

Faure, E. et al. (1972). Learning to be. Paris: UNESCO (deutsche Ausgabe: Wie wir leben lernen - Der UNESCO-Bericht über Ziele und Zukunft unserer Erziehungsprogramme) Reinbek: Rowohlt, 1973).

Field, J. (2000). Lifelong learning and the new educational order. Stoke on Trent: Trentham Books.

Griffin, C. (2002). Lifelong lerning and welfare reform. In R. Edwards, N. Miller, N. Small, & A. Tait (Eds.), Supporting lifelong learning, (Vol. 3, pp. 123-149). London and New York: Routledge/Falmer.

Lenz, W. (2001). Menschenbildner unterwegs. Mobil und flexibel - Ergebnis eines Jahrhunderts Erwachsenenbildung? In Friedenthal-Haase (Eds.), Erwachsenenbildung im 20. Jahrhundert - Was war wesentlich? (pp. 199 - 214). München: Rainer Hampp Verlag.

Lenz, W. (2003 a). Bildung und Lernen - Öffentliche Güter. In H. W. Stumpf (Eds.), Lebenslanges Lernen als selbstverantwortliches Berufshandeln. Reflexionen zu Bildung, Lernen und 'Neuen Medien'. (pp. 25 - 35). Wien: Verlag Österrich.

Lenz, W. (2003 b). Öffentliche Verantwortung - Individuelle Interessen. Anspruch und Realität in der Wissensgesellschaft. Hessische Blätter für Volksbildung(2/2003), 139 - 146.

Levin, H. M., & Kelley, C. (1997). Can education do it alone? In A. H. Halsey, H. Lauder, P. Brown, & A. S. Wells (Eds.), Education - Culture, economy, and society, (pp. 240 -251). Oxford and New York: Oxford University Press.

Organization for Economic Cooperation and Development (1997). Lifelong investment in human capital. In Education Policy Analysis (pp. 29 - 43). Paris: OECD.

Organization for Economic Cooperation and Development (1996). Lifelong learning for all - Meeting of the Education Committee at ministerial level. Paris: OECD.

Organization for Economic Cooperation and Development (1973). Recurrent education: A strategy for lifelong learning. Paris: OECD.

Rubenson, K., & Schuetze, H. G. (2000). Lifelong learning for the knowledge society: Demand, supply, and policy dilemmas. In K. Rubenson & H. G. Schuetze (Eds.), Transition to the knowledge society: Policies and strategies for individual participation and learning, (pp. 355 - 376). Vancouver: University of British Columbia (Institute for European Studies).

Rubenson, K., & Schuetze, H. G. (1995). Learning at and through the workplace — A review of participation and adult learning theory. In D. Hirsch & D. Wagner (Eds.), What makes workers learn? — The role of incentives in workplace education and training (pp. 95-116). Cresskill, New Jersey: Hampton Press.

Rubenson, K. (2002). Adult education in Sweden 1967-2001: From recurrent education to lifelong learning. In D. Istance,H. G. Schuetze, & T. Schuller (Eds.), International perspectives on lifelong learning - From recurrent education to the knowledge society (pp. 203-216). Buckingham: Open University Press.

Schuetze, H. G. (2004). Modelle und Begründungen lebenslangen Lernens und die Rolle der Hochschule - Internationale Perspektiven. In G. Wiesner & A. Wolter (Eds.), Die lernende Gesellschaft München: Juventa-Verlag.

Schuetze, H. G. (2004). Financing Lifelong Learning: Potential and actual role of Individual Learning Accounts. In P. Anisef & R. Sweet (Eds.), Preparing for Post-Secondary Education: New Roles for Governments and Familes Montreal: McGill-Queen's University Press.

Schuetze, H. G. (1992). Paid educational leave through legislation and collective bargaining. In A. Tuijnman (Eds.), International Encyclopedia of Adult Education and Training (pp. 303 - 310). Oxford: Pergamon.

Schuetze, H. G., & Istance, D. (1987). Recurrent education revisited - Modes of participation and financing. Stockholm: Almquist & Wicksell International.

Schuller, T., Schuetze, H. G., & Istance, D. (2002). From Recurrent Education to the Knowledge Society - An Introduction. In D. Istance, H. G. Schuetze, & T. Schuller (Eds.), International perspectives on lifelong learning: From recurrent education to the knowledge society, . Buckingham, UK: Open University Press.

Schultz, T. W. (1971). Investment in human capital. New York: The Free Press.

UNESCO Commission on Education for the Twenty-first Century. (1996). Learning: The treasure from within. Paris: Unesco.

Wain, K. (2001). Lifelong learning: Small adjustment or paradigm shift? In D. Aspin,J. Chapman,M. Hatton, & Y. Sawano (Eds.), International handbook of lifelong learning (pp. 183-198). Dordrecht: Kluwer.

Wolter, A. (2001). Lebenslanges Lernen: Modebegriff oder produktiver Reformansatz? In Institut für Entwicklungsplanung und Strukturforschung an der Universität Hannover (Eds.), Strukturwandel und Landesentwicklung. Kolloquium aus Anlass des 70. Geburtstags von Prof. Dr. Clemens Geissler. (pp. 98-110). Hannover : IES.

Bob Teasdale

Higher Education in Oceania
A Personal Perspective

Working in Oceania has its challenges and surprises. On one occasion during the mid 1980s I was spending a few days in Nauru, one of the tiniest of the world's independent micro-states. It is tiny in both population (<10,000) and in land area (it is a single island of only 21 sq km), yet has its own elected parliament and president.

At the time of my visit it was the wealthiest of all the independent Pacific nations, receiving significant royalties from the sale of phosphate, used as fertiliser in Australia and elsewhere. Its earnings were quickly and sometimes lavishly spent. One of the biggest drains on the economy was the huge expense of running its own airline, Air Nauru, using no less than five Boeing 737 aircraft to fly routes throughout the Pacific, and to Asia.

I was scheduled to travel to Port Vila, the capital of Vanuatu, a flight of about three and a half hours. I was deep in conversation with a colleague in his office when we realised my flight was scheduled to leave in just 30 minutes, so we made a rapid dash to the airport. On arrival, the terminal seemed deserted, except for a few staff at the check-in desk. Mine was the only flight departing Nauru that day, and I was quickly and courteously checked-in, processed through customs and immigration, and shown into the departure lounge. To my consternation the lounge was completely empty. I had fears of the flight having left without me, and being stranded in Nauru for several more days.

Eventually a young man appeared, asking that I follow him. He led me down a passage, out on the tarmac, and up the stairs to the waiting 737. As I entered I was met by no fewer than five young women, resplendent in colourful flight attendants' uniforms. One of them stepped forward: "Welcome on board our flight to Vanuatu, sir. You are our only passenger today, so please feel free to sit where you like." And she pointed to the 100 or more empty seats. Where does one choose to sit when confronted with so many options?

The flight proceeded normally with smooth take-off and climb, and in solitary splendour I sat reading a novel until I became aware of an in-flight announcement from the flight deck and I, of course, being the sole recipient, should have the courtesy to listen. The captain introduced me by name and country of origin to each of the eight crew on board, provided a comprehensive description of our route and anticipated weather along the way, and asked me to sit back and enjoy my trip with them.

A few minutes later, one of the cabin crew appeared at my elbow: "Excuse me sir, but the captain invites you to join the crew in the cockpit for afternoon tea". She graciously ushered me forward where the jump seat had been made ready, and I was introduced in person to the captain, first officer and engineer, and a pleasant afternoon tea was served to all four of us. Conversation proceeded between the various radio contacts that are a necessary part of the routine of flying an aircraft: why was I travelling, what work was I doing, how did they enjoy life and work in Nauru? Time passed quickly. The views of islands and reefs as we flew down the long chain of islands in northern Vanuatu were spectacular in the clear afternoon sunlight. Eventually I was invited to stay on for the landing into Port Vila.

As we taxied towards the rather decrepit buildings that comprised the then terminal, I watched though the front windows of the 737 as two uniformed immigration officials came out, set up a sign reading, "Incoming Passengers Please Form Two Lines", and then took up their positions at two desks. This posed a particular challenge. How could I obey their instructions?

On my return to home base at the University, I was recounting the above experience to a group of colleagues. One responded, "Yes, I had exactly the same experience as a sole passenger on an Air Nauru 737. I went to the airport, checked in my suitcase, travelled in solitary isolation, but guess what happened! When I arrived, my suitcase was missing. The only item of checked baggage, and somehow it had been lost!"

Travelling by air around and across the world's largest ocean is a common experience for those of us who have worked with the University of the South Pacific. The University is corporately owned and governed by twelve island nations, all but one of them now independent or self-governing: Cook Islands, Fiji, Kiribati, Marshall Islands, Nauru, Niue, Samoa, Solomon Islands, Tokelau, Tonga, Tuvalu and Vanuatu. Sadly, Niue, the tiniest of them all, with a mere 1,600 people, has just been devastated (in January 2004) by a major cyclone, with over 20% of homes and commercial buildings destroyed, and its future as an independent micro-state is now under threat as many of the people consider leaving for New Zealand where they have right of residence.

The University region is vast, far bigger than Europe in terms of total surface area, but tiny in terms of land area and population. In fact, the total population of the twelve countries is less than two million, with almost half of that number in the largest country, Fiji. It is one of only two truly regional universities in the world, the other being the University of the West Indies, and stands as a remarkable tribute to the capacity of the peoples of the Pacific to work together collaboratively.

The University was founded in 1968 with eleven member countries (the Marshall Islands did not join until the early 1990s), the initial impetus coming from New Zealand and the United Kingdom. At that time most countries of the Pacific were colonies of European powers, the only exceptions being: (i) the Kingdom of Tonga, which had retained its independence as a constitutional monarchy throughout the colonial period; (ii) Samoa, which gained independence from Britain in 1962; and (iii) the Cook Islands, which became self-governing in free association with New Zealand in 1965. Nauru achieved independence in the year that USP was established, Fiji two years later, and all but one of the remaining countries by 1980. The only non-independent country is Tokelau, which continues to be a trust territory of New Zealand. It is the second smallest country in the USP region, after Niue, with a population of only 1,750, spread across three atolls. So small is Tokelau (it has a land area of only ten square kilometres) that it has no airstrip, and all travel to and between the atolls is via a regular boat service operating from Apia, the trip between Tokelau and Samoa taking about thirty hours. (For further discussion of the history and role of USP in the region please refer to Teasdale, 1993; Teasdale & Teasdale, 1999. Refer also to the USP website: http://www.usp.ac.fj)

Another micro-state is Tuvalu, north of Fiji. With nine atolls, and a population less than 10,000, Tuvalu is now recognised as the most vulnerable nation on earth in relation to global warming and increasing sea levels. Almost all of its 26 square kilometres of land area is less than three metres above sea level, and a sea level rise of even half a metre will have dire consequences, especially during the annual cyclone season. Tuvalu does have an airstrip on the main atoll, Funafuti, but the remaining atolls are serviced only by boat. The airstrip occupies a significant proportion of the available land on Funafuti atoll, and because air services are infrequent (less than one per day) it is used mainly as a sports ground and a play area for children. At the sound of a siren from the terminal building the airstrip is rapidly evacuated, people taking with them the goal posts and sports equipment, and ensuring that all children are out of harm's way.

Only once in my many travels by air have I been served an in-flight meal by a prime minister. On my first trip to Funafuti, the thrice weekly, four-hour flight from Fiji was operated by a small plane that accommodated only ten passengers. Prior to departure an announcement was made on the airport public address system advising that boarding was imminent, that the plane had no toilet, and that passengers were strongly advised to use toilet facilities before leaving. Once in the air, with all seats in the cramped cabin occupied, there was little room to move. Half way into the flight the captain turned around in his seat and called out, "Lunch time! Would the person sitting beside the little cupboard behind my seat please open it and distribute the food and drink. There is a pack of sandwiches for everyone, plus a container of orange juice and packet of biscuits to share". It so happened that the then Prime Minister of Tuvalu, Dr Puapua, was the person sitting next to the cupboard, and he graciously distributed lunch to the other nine passengers.

Most evenings during that visit I took a walk from the hotel along the road to the other end of the atoll, a distance of less than two kilometres. (Tuvalu must still be one of the few countries in the world to have only a single hotel.) Towards the end of my walk, as the homes thinned out, I saw a small fale (an open sided, thatch roofed building) beside the road. It was devoid of any furnishings. Sitting cross-legged on the floor was a young man, perhaps a school teacher, with his university textbooks and course notes spread around him, busily writing an essay by hand using a simple oil lamp for illumination. It was a wonderful example for me of the challenge of distance education. All of the technology in the world is of little use when there is no electric power, and the student needs to work by lamplight using only the printed word plus pen and paper.

Given the vastness of its region, and the isolation of many of the islands, USP has placed major focus on the delivery of distance education. In fact, far more of its students receive their education in this form than face-to-face on one of its three campuses. And at its heart, the delivery of distance education necessarily relies on the use of the print media, albeit supported by satellite and other audio-visual services for those students resident in the larger towns of the region. The delivery of distance education also is supported by USP Centres in each of the twelve member countries. Each Centre has a Director and two or three other academic staff, together with tutorial and meeting rooms, a small library, and a satellite studio for communications between Centres, and with the main campus in Suva, Fiji. The goal is to facilitate the learning of as many USP students as possible within the country, providing personal contact and resources to support their studies.

One of my most fascinating experiences has been to attend tutorials in the satellite studio at the Laucala Campus, with students in the member countries linked in from the studio in their Centre. One soon forgets the lack of visual contact as discussions proceed and people become 'known' through their voices and their ideas. One small challenge in offering tutorials like these is the international dateline, which bisects the University region, meaning that tutorials are restricted to four days each week. Classes cannot be held on Mondays in Fiji, and in the eastern Pacific communications with Fiji and elsewhere are not possible on Fridays.

The dateline also has consequences when travelling around the region. Samoa has the distinction of being the 'last' country in the world, and Tonga the 'first'. On several occasions I have spent a week or two working at the USP Centre in Samoa and, as is so often necessary, using Saturday as a 'catch-up' day to finish off all the bits and pieces I have been doing. Then it is up very early on Sunday morning for the long and beautiful trip from Apia to Faleolo Airport, the villages wreathed in smoke as the men prepare the earth ovens for the Sunday lunchtime feast. A short (less than two hours) flight to Tonga, and without changing the time on one's watch it is Monday morning, and the start of another busy working week at the University Centre there. Sunday has disappeared, and the chance to have a day off before resuming a hectic schedule.

As noted earlier, the main campus of the University is located in the suburb of Laucala Bay, in the capital city of Fiji, Suva. I have visited many universities on six continents, but the Laucala Campus of USP stands out as one of the most attractive of them all, with its huge tropical trees shading the buildings, its extensive gardens of flowering plants, and a carefully tended Botanic Garden meandering along a gully between some of the buildings. My current office at USP is sheltered by several large bread fruit trees, so close that I can almost reach between the window louvres and touch the large knobbly fruit.

In addition to the main campus, USP also has campuses in two other countries. The Emalus campus in Vanuatu houses the School of Law, which offers full legal training for students from Oceania, and the Pacific Languages Unit. The latter is of particular interest given that, within the University region, well over one thousand separate languages are spoken, approximately one quarter of all of the world's languages. The Alafua Campus, on the outskirts of Apia, Samoa, houses the School of Agriculture, which for many years has played a highly significant role in preparing men and women from Oceania in the use of sustainable and appropriate agricultural techniques.

As I write, a fourth campus has just been approved, and will be developed during 2004 in the Solomon Islands. This Melanesian nation has recently emerged from a long period of political instability bordering on civil war, but with the assistance of other Pacific island states, and of donor countries, it is being stabilised both economically and in terms of internal security, and donors led by the EU have agreed to assist with development of the new campus given the urgent need to upgrade higher education provisions. The new campus, which has not yet been named, will be based in the capital of Honiara on the island of Guadalcanal, and will have a major focus on Marine Studies, including fisheries.

One of the great disappointments and challenges for those of us working with the University has been the political instability of its largest member country, Fiji. The coups of 1987, and the further coups and political disorder of the late 1990s, have had very negative economic consequences for Fiji, and for the region as a whole. The major growth area in the Fiji economy is tourism. There is nothing like armed soldiers on the streets to discourage people coming for a relaxed holiday! While stability appears to have returned, and tourism numbers are at their highest level ever, there is still a feeling of uncertainty. In particular, outside investors are reluctant to commit to tourism infrastructure, and the growth of tourism currently is restricted by the availability of hotel beds.

While the University has coped relatively well with the periods of instability in Fiji, there have been economic and human resource consequences. USP has sought to quarantine itself from the turmoil surrounding its main campus in Suva by emphasising its regional status and insisting that staff do not engage in overt political activity. Even so, the coups have impinged, sometimes in a direct way. At the time of the second military coup in 1987, the army's first step, strategically timed for 4.00pm on a Friday afternoon, just as all public servants were locking their offices and going home for the weekend, was to seal off all telecommunications facilities in the country to stop news of the coup getting to the outside world. The satellite studio in the distance education buildings at USP was one of the facilities targeted in this shut down.

It so happened on that very day and time I was attending a regional meeting in the satellite studio, but had to leave early for another appointment. As I left the building I was brought to an abrupt halt by the presence of about a dozen balaclava clad men in army uniform, each holding a machine-gun, forming a semi-circle and slowly advancing towards the building. As I stepped outside they all stopped and raised their guns towards me. I froze. What should I do? Turn and run for cover inside? No, I certainly did not want to turn my back on them. Stay put, and see what happened? No, I could not face that option. So, in as casual stance as I could muster, as though this was an everyday occurrence, I simply walked on along the path, passing between two of the soldiers, and headed to the next building. Only when I reached the safety of another doorway did I turn around to see that the soldiers had resumed their slow advance on the building.

The army personnel stayed on campus for a few days. It was the only time that there was a direct military presence on the campus, and it was much resented, given the regional status of USP. But the 1987 coups had serious consequences for the staffing of the University, with many academics resigning, and it was only with the support of aid donors who provided short term appointees that the University was able to teach of all its courses during 1987 and 1988. The coups of the late 1990s had a similar impact on staffing. The consequences for Fiji itself were far more severe, with significant human resource outflows, especially of professionally qualified personnel such as accountants and teachers. This in turn placed a strain on USP as demand for its courses in these areas intensified.

During the past three or four years USP has enjoyed a period of growth and consolidation. As the political situation in Fiji has stabilised and the nation more able to fulfil its financial obligations to support the University, this has been reflected in renewed optimism and focus within USP. The appointment of a much respected Fijian economist, Mr Savenaca Siwatibau, as Vice Chancellor (i.e., President) in 2001, contributed greatly to the well-being of USP. Having worked in Oceania for UN agencies for many years, Mr Siwatibau brought a deep knowledge of the region and its peoples, along with wisdom, clarity of vision and well-honed financial management skills as an economic adviser and a former governor of the Reserve Bank of Fiji. His death from lung cancer in October 2003 was a sad and serious loss for the University. Nevertheless, he was well supported by other highly capable senior staff who are determined to maintain his vision and quality of leadership.

Amongst the senior personnel is one of the longest-serving staff members at USP, Professor Konai Helu Thaman, who holds a UNESCO chair as Professor of Culture and Education, and who has accepted a position as deputy to the Acting Vice Chancellor until the Vice Chancellor's position is filled. A citizen of the Kingdom of Tonga, Konai is a lady of great wisdom, maturity and cultural sensitivity who has made a wonderful contribution to the people of Oceania both as a scholar and a poet. Her recent research and writing on the place of local cultures of knowledge in the contemporary school curriculum has done much to transform the teacher education program at USP, as well as impacting on the delivery of education throughout the region (see for example, Thaman, 1999; 2001).

One of Mr Siwatibau's legacies at USP has been his entrepreneurial leadership that enabled USP to win contracts from donor agencies for the delivery of development assistance to the countries of Oceania. During the past three years USP has signed contracts to deliver over two hundred million (Fiji) dollars worth of programs and assistance in the region. Not only will these contracts generate additional income for the University, but they will enhance the research and scholarly activity of the University, and hopefully give its teaching programs a sharper edge as academic staff engage in an applied way with the challenges of development.

My own role at USP owes much to Mr Siwatibau's legacy, and to the work done by Konai Helu Thaman. From the start of 2004 I will be based in the Institute of Education at USP as Director of the Pacific Regional Initiatives for the Delivery of Basic Education (PRIDE) Project, a major new activity funded jointly by the EU and the New Zealand Government. The aim of PRIDE is to facilitate curriculum reform in all 14 of the independent nations of Oceania, including Papua New Guinea, with a particular emphasis on resolving tensions between the global and the local in the delivery of education. Notwithstanding decolonisation in Oceania, the colonial impact lives on in powerful ways in the structure and delivery of schooling and higher education. Add to this the growing impact of the newest and most pervasive form of colonialism faced by the peoples of Oceania — that of globalisation — and it is obvious that deep challenges remain. The greatest of these is to ensure that children grow up knowing their own local cultures and languages, and with a real sense of their own values and cultural identities. As I have said elsewhere:

The great challenge for countries [in Oceania] is to achieve an effective syncretism between the local and the global. Our schools, colleges and universities need to produce young people who are firmly grounded in their own languages and cultures - young people who have a deep sense of who they are and where they belong. Yet we also need to prepare young people who can take their place in the modern, globalised world with ease and confidence (*Opening keynote address, First Faculty of Humanities Conference, University of Goroka, October 2000*)

The next few years will be exciting and challenging ones for the University of the South Pacific as it seeks to respond to the needs of its vast and diverse region. Two new nations in the north of Oceania, only relatively recently liberated from the shackles of US colonialism, Palau and the Federated States of Micronesia (FSM), are considering the possibility of joining USP, one of the main obstacles at the moment being the name of the institution, which refers to the South Pacific when they are firmly located in the north. Might USP consider a change of name? The University of Oceania, perhaps, or the Pan Pacific University? Whatever decisions are made, the University is a well established institution in Oceania, much valued by all of its member countries, and with a large alumni, many of whom hold the most senior positions in their countries. It is ensured of the strong continuing support of its constituents, and of the continuing significance of its role in the delivery of higher education to the island nations of the Pacific Ocean.

References

Teasdale G R (1993) Higher education in small systems: a Pacific island perspective. Chapter VIII in K M Lillis (ed) *Policy, planning and management of education in small states*. Paris: UNESCO International Institute of Educational Planning, pp126-150.

Teasdale J I & Teasdale G R (1999) Alternative cultures of knowledge in higher education in the Australia-Pacific region. Chapter 13 in F E Leach & A W Little (eds) *Education, cultures, and economics: dilemmas for development*. New York: Falmer, pp 241-260.

Thaman K H (2000) Towards a new pedagogy: Pacific cultures in higher education. Chapter 4 in G R Teasdale & Z Ma Rhea (eds) *Local knowledge and wisdom in higher education*. Oxford: Pergamon, pp 43-50.

Thaman K H (2001) Towards culturally inclusive teacher education with specific reference to Oceania. *International Education Journal*, 2(5), pp1-8.

Jubilar

O.Univ.Prof. Dr. Werner Lenz
Universitätsprofessor und Leiter der Abteilung für Weiterbildung am Institut für Erziehungswissenschaft der Karl-Franzens-Universität Graz, Vorstand des Interuniversitären Instituts für Interdisziplinäre Forschung und Fortbildung, stellvertretender Institutsvorstand am Institut für Erziehungswissenschaften.
Beruflicher Werdegang: Lehramt für Volksschulen an der Bundes-Lehrerbildungsanstalt Krems a.d.Donau, Erzieher- und Lehrtätigkeit, Studium der Geschichte, Geographie, Pädagogik, Psychologie und Politikwissenschaft an der Universität Wien, Promotion zum Dr.phil. (Pädagogik, Politikwissenschaft), Universitätsassistent am Institut für Erziehungswissenschaften der Universität Wien, Universitätsassistent am Interuniversitären Forschungsinstitut für Fernstudien an der Universität Klagenfurt, Habilitation an der Universität Graz.
Funktionen: Mitglied der Pädagogischen Konferenz des Wiener Volkshochschulverbandes, Evaluator im Peer-Review-Verfahren zur Evaluation der öffentlich-verantworteten Erwachsenenbildung in Nordrhein-Westfalen, Mitglied im „Steirischen Fachhochschulbeirat" des Technikum Joanneum, Graz, Gastprofessor an der Hiroshima University in Japan, Mitglied im „Wissenschaftlichen Beirat" des Deutschen Instituts für Erwachsenenbildung in Frankfurt/Main, stellvertretender Obmann im „Verein zur Forschung auf dem Gebiet des Bildungswesens", Mitglied des Fachausschusses für Erziehung der Österreichischen UNESCO-Kommission, Mitglied im wissenschaftlichen Beirat des Deutschen Instituts für Erwachsenenbildung (DIE), Vertreter Österreichs im Governing Board des Centre for Educational Research and Innovation (CERI) bei der OECD, Mitglied des wissenschaftlichen Beirats der Interdisziplinären Plattform Weiterbildungsforschung an der Donau-Universität Krems, Autor bei „ORF.at - Community" für den Bereich Science im Sachgebiet „Wissen und Bildung".
Fachgebiete: Bildung und gesellschaftlicher Wandel - Lebensbegleitende Bildung, Internationale Erwachsenenbildung, Organisation und Struktur des Bildungs- und Weiterbildungssystems, Didaktik in Erwachsenenbildung und Universität, Bildungsberatung.

Autorinnen und Autoren

Prof. Dr.Dr. Peter Alheit
Lehrstuhl für Allgemeine Pädagogik an der Georg-August-Universität Göttingen. Beruflicher Werdegang: Studien der Theologie, Philosophie, Soziologie und Erziehungswissenschaft.
Funktionen: Professor für Erwachsenenbildung an der Universität Bremen. Gast-

professuren an den Universitäten Swansea (Wales), Florenz (Italien) und Roskilde (Dänemark). Direktor des Instituts für angewandte Biographie- und Lebensweltforschung.
Fachgebiete: Geschichte und Theorie der Bildung und Erziehung, sozial- und erziehungswissenschaftliche Biographieforschung, Mentalitätsforschung, international vergleichende Bildungsforschung, pädagogische Ethnographie.
Aktuelle Forschungsprojekte: Mentalitätsentwicklung in postsozialistischen Gesellschaften (Volkswagenstiftung), Ästhesiologische Komponenten von Bildungsmilieus. Eine Untersuchung von Wissensordnungen des Alltags um 1800, um 1900 und in der Gegenwart (DFG), Learning in Higher Education. An international comparative study in 7 European countries (EU). Neue Formen selbstorganisierten Lernens im sozialen Umfeld: Typologien neuer Lernorte, Organisationsstrukturen und Kompetenzprofile (BMBF).

O.Univ.Prof. Dipl.-Hdl., Dipl.-Soz., Dr. Arno Bammé

Leiter der Abteilung „Technik und Wissenschaftsforschung" am Interuniversitären Institut für interdisziplinäre Forschung und Fortbildung (IFF) der Universität Klagenfurt; Direktor des Interdisziplinären Kollegs für Wissenschafts- und Technikforschung in Graz.
Funktionen: Vorsitzender der Interuniversitären Kommission (IUK); stellvertretender Institutsvorstand des IFF und Beauftragter für die Lehre („Studiendekan"); Gründungsmitglied des Laborbetriebs „Ökotopia" im Berliner Mehringhof sowie des Technik- und Sozialwissenschaftlichen Forschungsinstituts Berlin (TESOF); langjährige Berufserfahrungen in der Industrie; Mitglied der Kommission für „Integrierte Technikforschung" beim Hessischen Ministerium für Wissenschaft und Kunst; Mitglied des Wissenschaftlichen Beirats „Technikgeneseforschung" am Institut für die Pädagogik der Naturwissenschaften in Kiel; zahlreiche Publikationen unterschiedlicher Textsorten und Herausgeberschaften, Übersetzungen aus dem Englischen und Französischen.
Fachgebiete: Didaktik der Sozialwissenschaften, soziologische Rekonstruktion belletristischer Texte, Soziologie der Technik, Wissenschafts- und Technikforschung.

Dr. Karlpeter Elis (Hrsg.)

Univ.-Lektor an der Abteilung Weiterbildung des Institutes für Erziehungs- und Bildungswissenschaften und am Medienkundlichen Lehrgang des Institutes für Wirtschafts- und Sozialgeschichte der Karl-Franzens-Universität Graz, Mitglied des Fachausschüsse „Bildung & Unterricht" sowie „Sport" im Bundesministerium für Bildung, Wissenschaft und Kunst in Wien, kooptiertes Mitglied at the „Assembly of European Regions" (AER).
Beruflicher Werdegang: Buchdruckerlehre, Sportjournalist, Lehramtsprüfung für Berufsschulen, Studien aus Jura, Bildungswissenschaften und Kunsthistorie, Promotion zum Doktor der Philosophie.
Funktionen: Lehrbeauftragter an der Berufspädagogischen Akademie, Mitglied der Gutachterkommission, Vortragender für Psychologie am Wirtschaftsförderungs

institut, Lektor am Kunsthistorischen Institut, freier Mitarbeiter beim Österreichischen Fernsehen, Leiter des Druckmuseums Graz, Direktor der Landesberufsschule 7 Graz, gerichtlicher Sachverständiger für das Fachgebiet Medien.
Fachgebiete: Berufliche Aus- und Weiterbildung, Geschichte der Berufsbildung, Methodik und Didaktik des Unterrichts, Psychologie für Ausbilder, Schulpraktische Übungen, Lehrverhaltenstraining, Mediendidaktik, Unterrichtstechnologie, Grafische Gestaltung, Schrift und Farbe in der Werbung, künstlerische Drucktechniken, Leibesübungen.
Aktuelle Forschungsprojekte: Österreichische Internetplattform „Netzwerk Weiterbildung" (http://www-gewi.kfunigraz.ac.at/edu/eb)

Prof. Dr. Martha Friedenthal-Haase

Lehrstuhl für Erwachsenenbildung am Institut für Erziehungswissenschaft an der Friedrich-Schiller-Universität in Jena.
Funktionen: Gastprofessur an der Karl-Franzens-Universität Graz, Mitglied des Landeskuratoriums Erwachsenenbildung im Freistaat Thüringen, Mitglied der „International Adult and Continuing Education Hall of Fame", Mitherausgeberin der Zeitschrift „Bildung und Erziehung", Editorial Correspondent des „International Journal of Lifelong Education", Mitglied des Editorial Board des Internationalen Jahrbuches der Erwachsenenbildung.
Fachgebiete: Internationale und interkulturelle Erwachsenenbildung, Internationale Kulturgeschichte des Lernens im Erwachsenenalter, Philosophie und politische Anthropologie der Bildung.
Aktuelle Forschungsprojekte: zur Mediengeschichte und zum politischen Lernen in Evangelischen Akademien der DDR.

Prof. Dr. Karlheinz A. Geißler

Professur für Wirtschaftspädagogik am Institut für Pädagogische Praxis und erziehungswissenschaftliche Forschung der Fakultät für Pädagogik an der Universität der Bundeswehr in München.
Beruflicher Werdegang: Studium der Philosophie, Ökonomie und der Pädagogik in München. Lehrer an berufsbildenden Schulen. Forschungs- und Lehrtätigkeiten an Universitäten in Karlsruhe, Augsburg, München. Gastprofessuren an den Universitäten in Linz, Bremen, Innsbruck und Klagenfurt.
Funktionen: Leiter des Projektes „Ökologie der Zeit" der Evangelischen Akademie Tutzing, Mitglied des wissenschaftlichen Beirates der EXPO 2000, Beiratsmitglied der interdisziplinären Zeitschrift „Universitas", Beratung von Fernsehfilmen und Mitwirkung an Sendungen.
Fachgebiete: Zeitmuster der Moderne, Zeit und Ökologie, Modernisierung beruflicher Bildung, Zeit und Kultur.

Prof. Dr. Satoshi Higushi

Professor for Philosophy and Aesthetics of Body, Mind and Culture at the Graduate School of Education, Department chair of Learning Science of the Faculty of

Education, Hiroshima University in Japan. Visiting professor at the University of Tennessee, Knoxville, U.S.A.

Priv.-Doz. Dr. Wolfgang Jütte
Leiter der Interdisziplinären Plattform Weiterbildungsforschung an der Donau-Universität Krems.
Beruflicher Werdegang: Studium der Erziehungswissenschaften, Soziologie und Romanistik an der Westfälischen Wilhelms-Universität in Münster und an der Universidad Complutense in Madrid. Promotion und Habilitation.
Funktionen: Arbeitsstelle für Interkulturelle Studien/Ausländerpädagogik, Promotionsstipendiat der Friedrich Ebert-Stiftung, Research Specialist am UNESCO-Institut für Pädagogik in Hamburg, Wissenschaftlicher Assistent am Internationalen Institut für Management der Universität Flensburg, Lehrbeauftragter an der Universität Köln und der Karl-Franzens-Universität Graz.
Fachgebiete: Teilnehmerforschung, Internationale Erwachsenenbildung/Weiterbildung, Institutions- und Organisationstheorie der Weiterbildung, Kooperation und Vernetzung.

Univ.Prof. Dr. Ok-Bun Lee
Professorin im Fachbereich Erziehungswissenschaften am Institut für Allgemeine Erziehungswissenschaft der Kyungpook National University in Daegu mit den Arbeitsbereich Erwachsenenbildung (Lifelong Education) und Sozialpädagogik.
Beruflicher Werdegang: Krankenschwester-Ausbildung in Wuppertal-Barmen, Studium der Erwachsenenbildung sowie des Sozialwesens in der Katholischen Fachhochschule in Aachen, Studium der Erziehungswissenshaften, Psychologie, Japanologie an der Kölner Universität (Dr. Phil.).
Funktionen: Leiterin des Frauenbildungszentrums der Erzdiözese Daegu in Korea, Leader of the Center for Lifelong Education and Community Development of the Kyungpook National University in Daegu; President at the Lifelong Education Center Association of the Korea National University; Chairperson of the Committee for Women's Politic in Daegu. Mitglied des Notenauswertungs-Komitees des Korean Educational Development Institute(KEDI) in Seoul; Vorstandsmitglied des Verbandes für Universitäre Erwachsenenbildung in Korea.
Fachgebiete: Altenbildung innerhalb der höheren Bildungsstätten (Akademien, Universitäten u.a.) und Theorie der Erwachsenen- und Altenbildung sowie die berufliche Fortbildung in Betrieben.

Prof. Dr. Ingrid Lisop
Emeritierte Professorin der Wirtschaftspädagogik im Fachbereich Erziehungswissenschaften der Johann Wolfgang Goethe-Universität in Frankfurt am Main.
Beruflicher Werdegang: Studium der Erziehungswissenschaft, der Wirtschafts- undSozialwissenschaften sowie der neueren Philologie in Frankfurt und Paris. Fünf

Jahre Schuldienst an diversen kaufmännischen Schulen. Universitäre Forschung und Lehre.
Funktionen: Bildungspolitik-Beraterin u.a. beim Deutschen Ausschuss für das Erziehungs- und Bildungswesen, bei der Bundestags-Enquete-Kommission „Zukünftige Bildungspolitik - Bildung 2000" sowie beim Deutschen Gewerkschaftsbund. Praktische Unternehmensberatung mit verlegerischer Tätigkeit; Mitbegründerin und Vorsitzende der Gesellschaft zur Förderung arbeitsorientierter Forschung und Bildung e.V.; teilhabende Gesellschafterin und Mitglied der Geschäftsführung der Gesellschaft für arbeitsorientierte Forschung und Beratung mbH, Frankfurt am Main.
Fachgebiete: Implikations- und subjekttheoretische Lehr-/Lernforschung und Curriculumtheorie („Arbeitsorientierte Exemplarik"), Organisations- und Personalentwicklung sowie Führungsprofessionalität, einschließlich Schulen und Hochschulen.
Aktuelle Forschungsprojekte: subjekttheoretische Kritik des Konstruktivismus.

Prof. Dr. Dr. h.c. Ekkehard Nuissl von Rein

Professor an der Universität Duisburg-Essen und wissenschaftlicher Direktor des Deutschen Instituts für Erwachsenenbildung in Bonn, Vorstand, Gastprofessor an der Universitá degli studi di Firenze in Italien und an der an der Universitatea de Vest in Timisoara, Rumänien. Wissenschaftlicher Vizepräsident der Leibniz-Gemeinschaft.
Beruflicher Werdegang: Studium der Germanistik, Soziologie, Politischen Wissenschaft, Geschichte und Pädagogik an den Universitäten Heidelberg und Bremen, Assistent am Institut für Politische Wissenschaft, Leiter der „Arbeitsgruppe für empirische Bildungsforschung" in Heidelberg, Privatdozent an der Universität Hannover.
Funktionen: Direktor der Hamburger Volkshochschule, Professor an der Philipps-Universität Marburg.
Aktuelle Forschungsprojekte: Leiter des „Bildungsurlaubs-Versuchs- und Entwicklungsprogramms" der deutschen Bundesregierung, Projekt „Bildung im Museum" an der Arbeitsgruppe für empirische Bildungsforschung in Heidelberg, Projekt „Monitoring of Projects: Evaluation as Dialogue" (MOPED) der Europäischen Kommission, Projekt „Weiterbildungs-Trendbericht", BMBF-Programm „Lernende Regionen - Förderung von Netzwerken".

Ao.Univ.Prof. Mag. Dr. Ada Pellert

Ao.Univ.Prof. an der Abteilung Hochschulforschung der Fakultät für Interdisziplinäre Forschung und Fortbildung (IFF) der Universität Klagenfurt, Standort Wien. (http://www.iff.ac.at/hofo)
Funktionen: ehemalige Vize-Rektorin an der Karl-Franzens-Universität Graz.
Fachgebiete: Organisationsforschung, Modernisierung und Professionalisierung der Entscheidungs- und Leitungsstrukturen an Hochschulen, Organisations- und Personalentwicklung von Wissenschafts- und Bildungseinrichtungen.

Aktuelle Forschungsprojekte: Evaluation des Auf- und Ausbaus des österreichischenFachhochschulsektors, Wirkungsanalyse frauenfördernder Maßnahmen, Entwicklung des online-gestützten Universitätslehrganges Hochschulmanagement.

Prof. Dr. Eero Pantzar

Professor für Pädagogik an der Universität Tampere, Finnland. Leiter des Instituts für Erziehungswissenschaften und Leiter des internationalen Studienganges "Master's Programme of Information Society" an Universität Tampere.

Funktionen: Mitglied des administrativen Vorstandes und der Unterrichtskomitee des internationalen "Master's Programmes" von ESST (The European Inter-University Association on Society, Science and Technology).

Projektmanager des nationalen Forschungsprogrammes „Information und Wissen" (1998-2001) an Akademie Finnlands.

Fachgebiete: Vergleichende Pädagogik; Lernen und Lernumgebungen; Informelles Lernen; lebenslanges Lernen; Lernen und Informationsgesellschaft.

Aktuelle Forschungsprojekte: Digital impartiality (international), Innovative Methoden im Umgang mit Informationstechnologien in der beruflichen Entwicklung von Lehrern und Ausbildern.

Dr. Fritz Rosenberger

Ministerialrat i.R als Leiter der Abteilung für Erwachsenenbildung des Bundesministeriums für Bildung, Wissenschaft und Kunst in Wien.

Beruflicher Werdegang: Reifeprüfung an der Lehrerbildungsanstalt in Wien, Lehramt für Volksschulen und Hauptschulen, Lehrer an Volks- und Hauptschulen in Wien, im Schulversuch Integrierte Gesamtschule tätig, Studium der Pädagogik und Politikwissenschaft an der Universität Wien, Promotion.

Funktionen: Zentrum für Schulversuche und Schulentwicklung, Sekretär und pädagogischer Referent der Minister Sinowatz, Zilk, Moritz, Hawlicek. Leiter der Erwachsenenbildungsgruppe im Bundesministerium für Bildung, Wissenschaft und Kultur, Vorsitzender des Koordinationskomitees für Orthografie und Koordinator für die Neue Rechtschreibung im gesamten deutschsprachigen Raum.

Prof. Dr. Hans G. Schütze, LL.M.

Professor am Department of Educational Studies und geschäftsführender Direktor des Centre for Policy Studies in Higher Education and Training an der University of British Columbia at Vancouver, Kanada.

Funktionen: Gastprofessuren an den Universitäten Glasgow, Hiroshima, Graz und Hannover.

Fachgebiete: Hochschul- und Erwachsenenbildungsforschung; Berufliche und allgemeine Weiterbildungsforschung; Berufs- und Arbeitsmarktforschung für Hochschul-abgänger und akademische Berufe; Organisationstheorie und -entwicklung; Bildungsfinanzierung; vergleichende Bildungsforschung; Bildung und Recht.

Prof. Dr. Bob Teasdale

Director of the Institute for International Education of the Flinders University at Adelaide in South Australia.

Professional affiliations and activities: Member of the Asia Pacific Centre for Educational Innovation for Development, Past President of the Australian Teacher Education Association, Life Member of the International Council for Education on Teaching, Member of the Australian Institute for Aboriginal & Torres Strait Islander Studies, Member of the Australian & NZ Comparative & International Education Society, Member of the Management Committee at the Centre for Development Studies.

Projects: Coordination of the primary teacher education program and the Aboriginal Education. A range of educational aid projects in the South Pacific region. Manager of the IDP South Pacific Program at the nating Australian human resource development assistance to the University of the South Pacific in Suva and adviser for the Fiji-Australia Teacher Education Project. UNESCO-consultant to the Education Division on its response to the UN World Decade for Cultural Development. Coordinator for the Asia-Pacific region of the UNESCO Teacher Education for Peace Project and for a project to explore the role of local or indigenous knowledge and wisdom in higher education in the Asia-Pacific region.

Abbildungen

Sämtliche Bilder wurden von Univ.Prof. Dr. Werner Lenz während seiner Bildungsreisen selbst fotografiert:

1996   Kap der Guten Hoffnung, Südafrika
1996   Anogia, Kreta, Griechenland
1996   Pestalozzianum, Schweiz
1996   Tampere, Finnland
1997   Irland
1998   Adelaide, Australien
1999   Estland
2001   Hiroshima, Japan

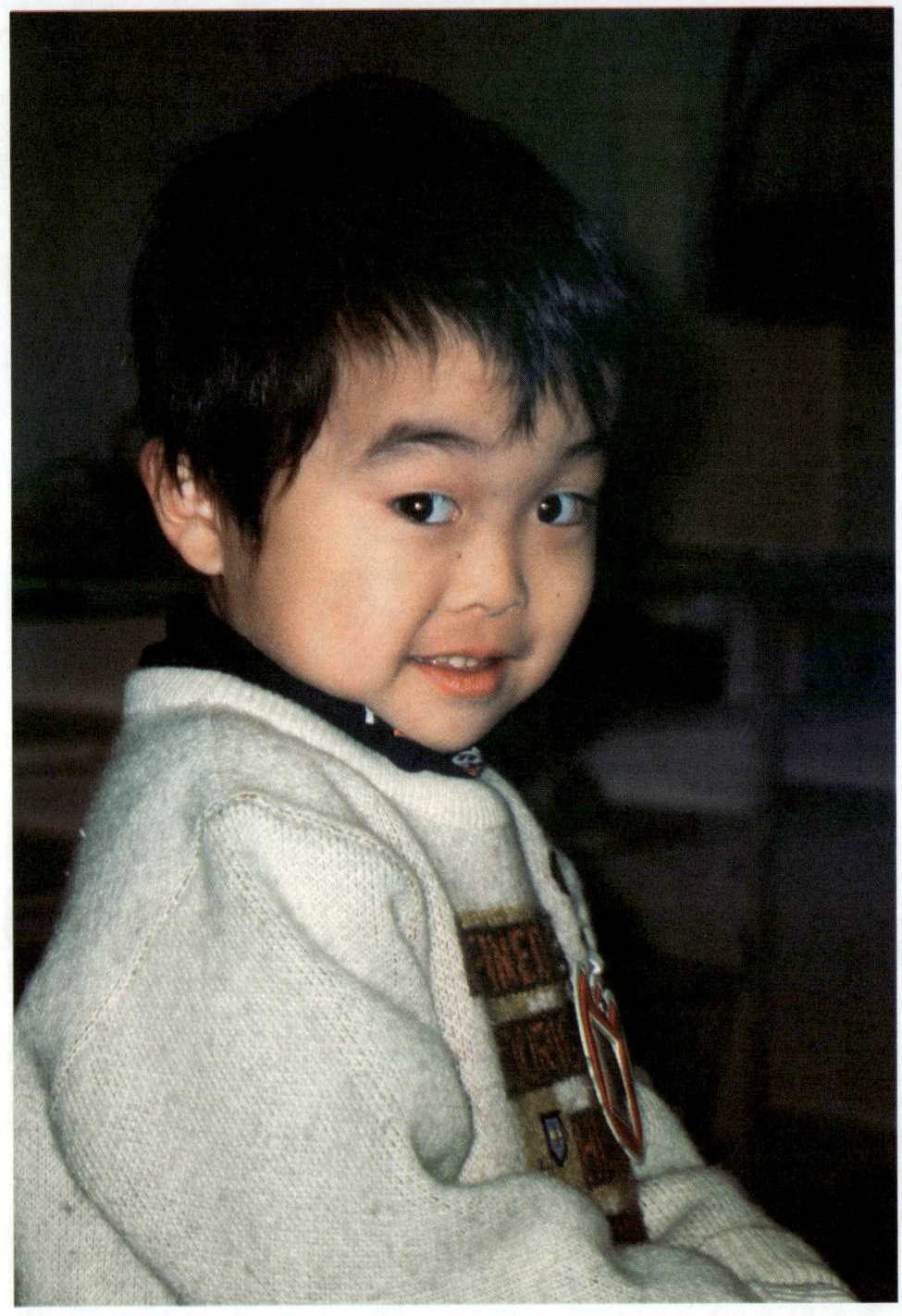

Pädagogik: Forschung und Wissenschaft

Hartmut M. Griese
Kritik der "Interkulturellen Pädagogik"
Essays gegen Kulturalismus, Ethnisierung, Entpolitisierung und einen latenten Rassismus
Der Autor, Pionier der neueren Migrationsforschung, legt hier seine Beiträge aus 20 Jahren (1981 bis 2001) vor. *Kritik der Ausländerpädagogik* (80er Jahre "Pädagogisierung eines gesellchaftlichen Problems", "Aufruf, die Ausländerpädagogik vom Kopf auf die Füße zu stellen" etc.). *Kritik des 'Inter-Multi-Kulti-Konzeptes'* (90er Jahre, z. B. "Multikulturelle Gesellschaft – ideologiekritische Anmerkungen", "Interkulturelle Arbeit als Alternative zu traditioneller Ausländerarbeit?", "Pädagogische Missverständnisse und politische Versäumnisse" oder "Die soziale Konstruktion des Fremden"). *Kritik der Terminologie der 'Interkulturellen Pädagogik'* ("Die Ethnisierung von sozialen Konflikten", "Gefangen im ideologischen Netz der Terminologie", "Wo liegen die Grenzen der Integrationsfähigkeit der deutschen Gesellschaft?", "Was ist eigentlich das Problem am 'Ausländerproblem'?").
Bd. 1, 2. Aufl. 2004, 232 S., 20,90 €, br., ISBN 3-8258-5638-0

Arbeit – Bildung – Weiterbildung
herausgegeben von
Univ.-Prof. Dr. Werner Lenz (Universität Graz)

Werner Lenz; Annette Sprung (Hg.)
Kritische Bildung?
Zugänge und Vorgänge
Kritik bedeutet Urteil. Kritische Bildung unterstützt Urteilskraft. Im aktuellen gesellschaftlichen Wandel zählen Wettbewerb und Konkurrenz, Egoismus und Kampf. Der Wunsch nach schnellem Erfolg verdrängt geduldige Reflexion. Das kritische Potential von Bildung schwindet – von wenigen bedauert, von wenigen beklagt: hat es doch keinen finanziellen Wert.
MitarbeiterInnen und Lehrbeauftragte der Abteilung Weiterbildung denken anders. Ihre Forschungen verlangen Zeit, differenzierte Argumente und sorgsame Vorgangsweise.
Die Beiträge schaffen Voraussetzungen für Urteilsfindung. Neue Sichtweisen auf aktuelle soziale Themen, wie etwa das interkulturelle Zusammenleben, die Technologiekompetenz von Frauen oder den Widerstand gegen belehrende Vereinnahmung ergeben sich.
Im Sinne kritischer Bildung stellen sich Fragen: Nutzen wir unser intellektuelles Potential, um zu beurteilen, was mit uns geschieht? Lassen wir uns gleichgültig regieren? Beziehen wir Stellung im Strom der Zeit – uns selbst bildend?
Bd. 1, 2004, 304 S., 19,90 €, br., ISBN 3-8258-7486-9

Werner Lenz
Niemand ist ungebildet
Beiträge zur Bildungsdiskussion
Bildung ist ein kostbares Gut. Individuelles und öffentliches Interesse richtet sich darauf. Bildung ist ein humanes Gut, keine verwertbare Ware. Teilnahme an Bildung zu ermöglichen, sie zu entfalten, sie über soziale Grenzen hinaus zu öffnen ist Aufgabe einer demokratischen Gesellschaft.
Aus verschiedenen Blickwinkeln wird diese Aufgabe thematisiert. Einige Facetten der Bildungsdiskussion werden vorgestellt. Erwachsenenbildung, Lebenslanges Lernen, Politische Bildung sowie pädagogische Grundsatzfragen stehen zur Diskussion.
„Niemand ist ungebildet" signalisiert: Bildungsangebote sollen Menschen nicht missionieren und nicht vereinnahmen, sondern sie in ihrer Eigenständigkeit stützen und achten.
Bd. 2, 2004, 256 S., 19,90 €, br., ISBN 3-8258-7620-9

LIT Verlag Münster – Berlin – Hamburg – London – Wien
Grevener Str./Fresnostr. 2 48159 Münster
Tel.: 0251 – 62 032 22 – Fax: 0251 – 23 19 72
e-Mail: vertrieb@lit-verlag.de – http://www.lit-verlag.de

Texte zur Theorie und Geschichte der Bildung
herausgegeben von Friedhelm Brüggen (Universität Münster), Karl-Franz Göstemeyer (HU Berlin) und Petra Korte (TU Braunschweig)

Petra Korte
Projekt Mensch – "ein Fragment aus der Zukunft"
Friedrich Schlegels Bildungstheorie
Bd. 1, 2., überarb. Aufl. 1995, 280 S., 35,90 €, gb., ISBN 3-89473-537-6

Conrad Gründer; Andreas Gruschka; Meinert A. Meyer (Hg.)
Philosophie für die europäische Jugend
Auf der Suche nach Elementen des europäischen Philosophieunterrichts
Bd. 3, 1997, 500 S., 40,90 €, br., ISBN 3-8258-2313-X

Ursula Reitemeyer
Perfektibilität gegen Perfektion
Rousseaus Theorie gesellschaftlicher Praxis
Bd. 4, 1996, 232 S., 30,90 €, br., ISBN 3-8258-2643-0

Lothar Böttcher; Reinhard Golz (Hrsg.)
Reformpädagogik und pädagogische Reformen in Mittel- und Osteuropa
Bd. 5, 1995, 320 S., 24,90 €, gb., ISBN 3-8258-2518-3

Hans-Eckehard Landwehr
Bildung – Sprache – altsprachlicher Unterricht
Eine Studie zur sprachtheoretischen Grundlegung pädagogischen Handelns bei Wilhelm von Humboldt
Bd. 6, 1996, 376 S., 35,90 €, gb., ISBN 3-8258-2811-5

Wolfgang Eichler
Bürgerliche Konzepte Allgemeiner Pädagogik
Theoriegeschichtliche Studien und Überblicke
Bd. 7, 1997, 384 S., 30,90 €, br., ISBN 3-8258-2997-9

Reinhard Golz; Wolfgang Mayrhofer (Hg.)
Luther und Melanchthon im Bildungsdenken Mittel- und Osteuropas
Bd. 8, 1997, 392 S., 25,90 €, br., ISBN 3-8258-3280-5

Günter Dresselhaus
Das deutsche Bildungswesen zwischen Tradition und Fortschritt – Analyse eines Sonderwegs
Bd. 9, 1997, 176 S., 35,90 €, br., ISBN 3-8258-3356-9

Reinhard Golz; Wolfgang Mayrhofer (ed.)
Luther and Melanchthon in the Educational Thought of Central and Eastern Europe
Bd. 10, 1998, 232 S., 24,90 €, br., ISBN 3-8258-3490-5

Bernd Weber
Zwischen Gemütsbildung und Mündigkeit 1690 bis 1990
300 Jahre Annette von Droste-Hülshoff-Gymnasium Münster
Bd. 11, 1998, 440 S., 25,90 €, br., ISBN 3-8258-3866-8

Dietmar Engfer
Werteerziehung im öffentlichen Schulwesen?
Zwischen Ideologie und Desorientierung
Bd. 12, 1999, 432 S., 35,90 €, br., ISBN 3-8258-4157-x

Wolfgang Eichler
Der Stein des Sisyphos
Studien zur Allgemeinen Pädagogik in der DDR
Bd. 13, 2000, 536 S., 35,90 €, br., ISBN 3-8258-4413-7

Stefan Meißner
Vom Schulstreit zum Marchtaler Plan
Die Wurzeln eines Erziehungs- und Bildungsplans in der südwestdeutschen Kirchen-, Gesellschafts- und Schulgeschichte der Jahre 1945 – 1967
Bd. 14, 2000, 272 S., 25,90 €, br., ISBN 3-8258-4524-9

LIT Verlag Münster – Berlin – Hamburg – London – Wien
Grevener Str./Fresnostr. 2 48159 Münster
Tel.: 0251 – 62 032 22 – Fax: 0251 – 23 19 72
e-Mail: vertrieb@lit-verlag.de – http://www.lit-verlag.de

Ilse Bürmann; Monika Fiegert;
Petra Korte (Hrsg.)
Zeitalter der Aufklärung – Zeitalter der Pädagogik
Zu den Ambivalenzen einer Epoche.
Mit Beiträgen von Ernst Cloer, Monika Fiegert, Alfred Langewand, Jürgen Oelkers, Horst G. Pöhlmann und Jörg Ruhloff
Bd. 15, 2000, 150 S., 20,90 €, br.,
ISBN 3-8258-4548-6

Marion Wagner (Hg.)
Wozu kirchliche Schulen?
Profile, Probleme und Projekte: Ein Beitrag zur aktuellen Bildungsdiskussion
Bd. 16, 2001, 184 S., 15,90 €, br.,
ISBN 3-8258-4880-9

Volker Steenblock
Arbeit am Logos
Aufstieg und Krise der wissenschaftlichen Vernunft
Bd. 17, 2000, 264 S., 25,90 €, br.,
ISBN 3-8258-4967-8

Roland Baecker
Reformpädagogische Praxis
Eine lern- und bildungstheoretische Auseinandersetzung über deren Möglichkeiten und Grenzen: dargestellt am Beispiel neuerer "Argumentationsfiguren" in der Erziehungswissenschaft
Bd. 18, 2000, 360 S., 25,90 €, br.,
ISBN 3-8258-4911-2

Günter Dresselhaus
Weiterbildung in Deutschland
Entwicklungen und Herausforderungen am Beispiel des Zweiten Bildungsweges in Nordrhein-Westfalen
Weiterbildung ist ein zentrales Thema dieser Jahre. Viele beklagen die Qualiät von Weiterbildung, aber kaum jemand weiß, wie sie verbessert werden kann. Dieses Arbeitsbuch beschäftigt sich mit den neuen Herausforderungen und mit den sich wandelnden Aufgaben, die angesichts der Dimensionen und Geschwindigkeiten von Veränderungen in unserer Gesellschaft künftig mehr oder weniger massiv an Einrichtungen des Zweiten Bildungsweges gestellt werden.
Der Autor beleuchtet zunächst die Entwicklungsgeschichte des ZBW in Deutschland, um hernach eine Bestandsaufnahme der jüngeren Entwicklung nach dem Zweiten Weltkrieg in Nordrhein-Westfalen vorzunehmen.
Bd. 19, 2001, 176 S., 15,90 €, br.,
ISBN 3-8258-5552-x

Günter Dresselhaus
Pädagogische Qualitätsentwicklung
Der Zweite Bildungsweg: Vorbild für neue Wege?
Dieses Buch von Günter Dresselhaus ist die Nachfolgestudie zu seinem Werk "Weiterbildung in Deutschland – Entwicklungen und Herausforderungen am Beispiel des Zweiten Bildungswegs in Nordrhein-Westfalen". Es beschäftigt sich im Wesentlichen mit den Herausforderungen, die künftig in noch stärkerem Maße an die einzelnen Schulen gestellt werden, sowie mit der interessanten Frage, warum im Rahmen einer erweiterten Selbstständigkeit von Schule dem Zweiten Bildungsweg eine Vorbildfunktion zukommen könnte. Im Zentrum der systematischen Darstellung stehen die Themen: Stärkere Eigenverantwortung von Schule, Schule als lernende Organisation, Evaluation – Zu ihrer Bedeutung für die innerschulische Entwicklung, Selbstorganisiertes Lernen.
Die Arbeit dürfte all denjenigen wertvolle Einsichten und praktische Hilfen bieten, die einmal erfahren möchten, mit welchen Instrumenten man im Zweiten Bildungsweg versucht, den Herausforderungen einer erweiterten Selbstständigkeit von Schule zu begegnen.
Bd. 20, 2001, 320 S., 25,90 €, br.,
ISBN 3-8258-5717-4

Petra Korte (Hg.)
Kontinuität, Krise und Zukunft der Bildung
Analysen und Perspektiven
Ziel des Sammelbandes ist eine Bestandsaufnahme der gegenwärtigen deutschen und internationalen Bildungsdiskussion, also die wissenschaftliche Sichtung der großen

LIT Verlag Münster – Berlin – Hamburg – London – Wien
Grevener Str./Fresnostr. 2 48159 Münster
Tel.: 0251 – 62 032 22 – Fax: 0251 – 23 19 72
e-Mail: vertrieb@lit-verlag.de – http://www.lit-verlag.de

Bildungsthemen und ihrer Kontexte sowie die Erörterung künftiger Entwicklungen.
Es soll im facettenreichen Spektrum vieler Stimmen gezeigt werden, wie sehr historisch und international vergleichende sowie systematisch-bildungstheoretische Analysen in der Lage sind, Diskussionen zu versachlichen und kontroverse bildungspolitische Positionierungen zu relativieren.
Bd. 21, 2004, 360 S., 29,90 €, br.,
ISBN 3-8258-7487-7

Junge Lebenswelt
Sozialisation jenseits der Schule
herausgegeben von Joachim H. Knoll
(Bochum / Hamburg)

Joachim H. Knoll
Jugend, Jugendgefährdung, Jugendmedienschutz
Der *rechtliche Jugendmedienschutz* reicht in Deutschland bis in die Gesetzgebung und Rechtsprechung der Weimarer Republik zurück und gilt im europäischen Vergleich als ein nahezu perfektes Regelungsinstrument. Die *Freiwillige Selbstkontrolle* der Medienanbieter wird heute als *Korrektiv und Ergänzung* des staatlichen Jugendmedienschutzes mit zunehmender Wertschätzung versehen. Da die neue Schriftenreihe Phänomene der außerschulischen Sozialisation beschreiben und kommentieren möchte, gebührt der Sozialisation durch Medien eine erhebliche Aufmerksamkeit, zumal wenn man Jugendliche Lebenswelt als Medienwelt begreift und sie auch solchermaßen beschreibt.
Im ersten Band wird Jugendmedienschutz im Spannungsfeld von gesetzlichen Vorgaben und der begründeten Sachkompetenz Freiwilliger Selbstkontrolle erläutert. Dabei wird das Verhältnis von Staat und Gesellschaft im Rahmen des Jugendschutzes ebenso behandelt, wie Werte- und Normfragen, die Leitlinien für einen pädagogisch begründeten Jugendschutz angesichts veränderter Selbstkonzepte Jugendlicher vorzeichnen können. Die Beobachtungen werden vor allem im Widerschein von Gutachten und Stellungnahmen des Verfassers konkretisiert und zwar im Hinblick auf Gefährdungen, die entweder tatsächlich vorhanden sind oder durch tradierte Vorurteile vermutet werden. "Gewalt" und "Pornographie" treten als Tatbestandsmerkmale der Jugendgefährdung besonders hervor. Daneben werden Grundfragen der sozialethischen Orientierung und der Altersdefinition Jugendlicher ausführlich erörtert. Der Verfasser setzt auf eine liberal verfaßte Selbstkontrolle, die er als Ausdruck gesellschaftlicher Selbstregulation versteht.
Bd. 1, 2000, 212 S., 17,90 €, br.,
ISBN 3-8258-4209-6

Sylvia Thonak
Religion in der Jugendforschung
Eine kritische Analyse der Shell Jugendstudien in religionspädagogischer Absicht
Diese Analyse beruht auf umfangreichen Materialauswertungen. Sie fördert nicht nur Bemerkenswertes über die Shell Jugendstudien zutage, sondern sie vermag mehr und anderes aus diesen Panoramastudien zu lesen als die beteiligten Autorinnen und Autoren selbst. Diese sind zumindest in der Beurteilung einzelner Fragen – z.B. in der Einschätzung des Phänomens der Säkularisierung – offenkundig Klischees aufgesessen. Das Fazit der Arbeit ist auch als kritische Rückfrage an das Selbstverständnis und das öffentliche Auftreten der christlichen Kirchen und anderer Religionsgemeinschaften zu verstehen.
Bd. 2, 2003, 336 S., 19,90 €, br.,
ISBN 3-8258-6898-2

LIT Verlag Münster – Berlin – Hamburg – London – Wien
Grevener Str./Fresnostr. 2 48159 Münster
Tel.: 0251 – 62 032 22 – Fax: 0251 – 23 19 72
e-Mail: vertrieb@lit-verlag.de – http://www.lit-verlag.de